A-Z BRAD

C000241953

CONTENT

REFERENCE

Motorway	**M62**	Map Continuation — **28** / Large Scale City Centre — **4**	
A Road	**A650**	Car Park	**P**
· Under Construction		Church or Chapel	†
Proposed		Fire Station	■
B Road	**B6145**	House Numbers A & B Roads only	13 / 8
Dual Carriageway		Hospital	**H**
One Way Street		Information Centre	**i**
Traffic flow on A Roads is indicated by a heavy line on the driver's left.		National Grid Reference	⁴15
		Police Station	▲
Large Scale Pages Only	➡	Post Office	★
Pedestrianized Road		Toilet	▽
		with facilities for the Disabled	♿
Restricted Access		Educational Establishment	
Residential Walkway		Hospital or Health Centre	
Track / Footpath		Industrial Building	
Local Authority Boundary		Leisure or Recreational Facility	
Postcode Boundary		Place of Interest	
Railway Station / Private Sta. / Level Crossing / Tunnel		Public Building	
		Shopping Centre or Market	
Built Up Area		Other Selected Buildings	

SCALE

Map Pages 6-61
1:15840 (4 inches to 1 mile) 6.31cm to 1km

0 ¼ ½ Mile
0 250 500 750 Metres

Map Pages 4-5
1:7920 (8 inches to 1 mile) 12.63cm to 1km

0 ⅛ ¼ Mile
0 100 200 300 400 Metres

Geographers' A-Z Map Company Ltd.

Head Office:
Fairfield Road, Borough Green, Sevenoaks, Kent, TN15 8PP
Telephone 01732 781000
Showrooms:
44 Gray's Inn Road, London, WC1X 8HX
Telephone 0171 440 9500

Based upon the Ordnance Survey mapping with the permission of the Controller of Her Majesty's Stationery Office.
© Crown Copyright (399000).

Edition 1 1999
Copyright © Geographers' A-Z Map Co. Ltd. 1999

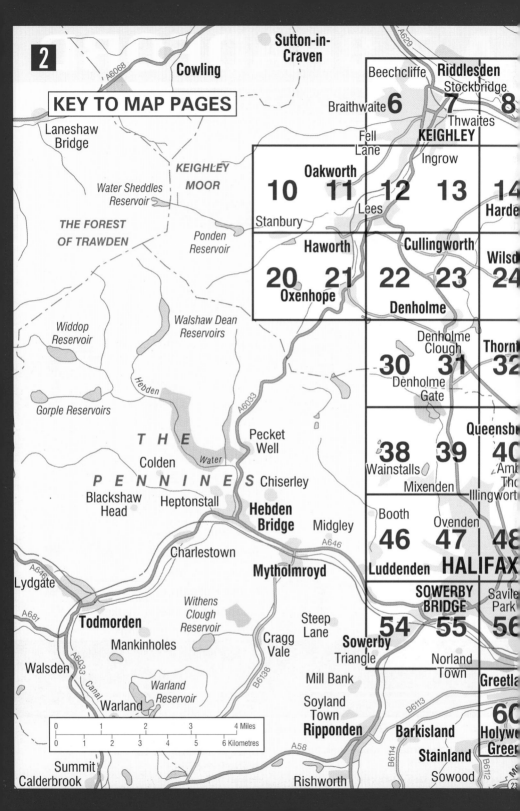

2

KEY TO MAP PAGES

Sutton-in-Craven

Cowling

Beechcliffe Riddlesden
Stockbridge

Braithwaite **6** **7** **8**

Laneshaw Bridge

KEIGHLEY MOOR

Fell Lane Thwaites **KEIGHLEY**

Water Sheddles Reservoir

Ingrow

Oakworth

10 **11** **12** **13** **14**
Harde

Stanbury Lees

THE FOREST OF TRAWDEN

Ponden Reservoir

Haworth Cullingworth Wilsd

20 **21** **22** **23** **24**
Oxenhope

Denholme

Walshaw Dean Reservoirs

Widdop Reservoir

Hebden

Denholme Clough Thornt

30 **31** **32**
Denholme Gate

Gorple Reservoirs

A6033

Pecket Well

Queensb

38 **39** **40**
Wainstalls Amb
Thc

THE

Colden Water Chiserley

PENNINES

Mixenden Illingwort

Blackshaw Head Heptonstall

Booth Ovenden

46 **47** **48**

Hebden Bridge Midgley A646

Luddenden **HALIFAX**

Charlestown

Mytholmroyd

Lydgate

SOWERBY BRIDGE Savile Park

Withens Clough Reservoir

Steep Lane

54 **55** **56**

A646

Todmorden Cragg Vale **Sowerby** Norland Town

Mankinholes Triangle

Walsden Mill Bank Greetla

Warland Reservoir Soyland Town Barkisland **60**
Holywe
Greer

Warland **Ripponden**

0	1	2	3	4 Miles
0	1	2	3	4	5	6 Kilometres

A58 Stainland

Summit
Calderbrook Rishworth Sowood

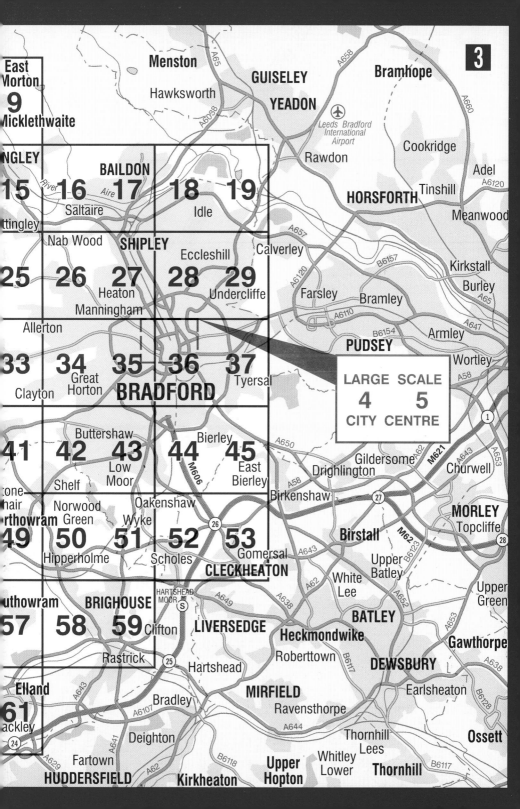

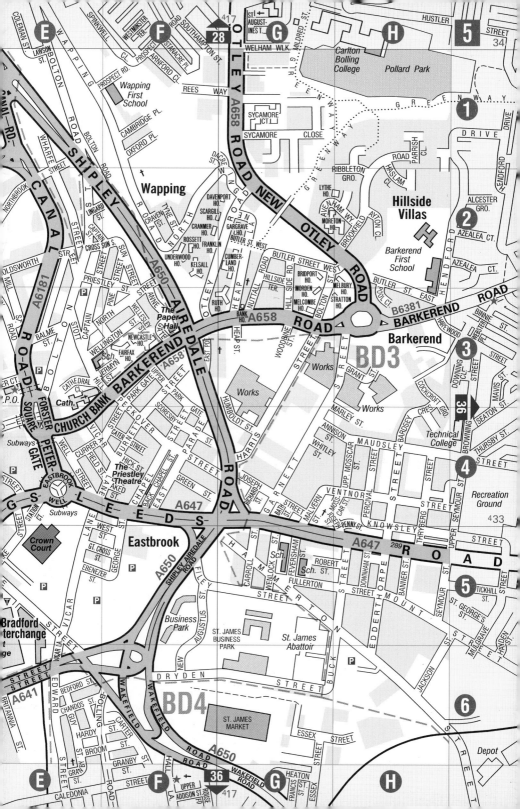

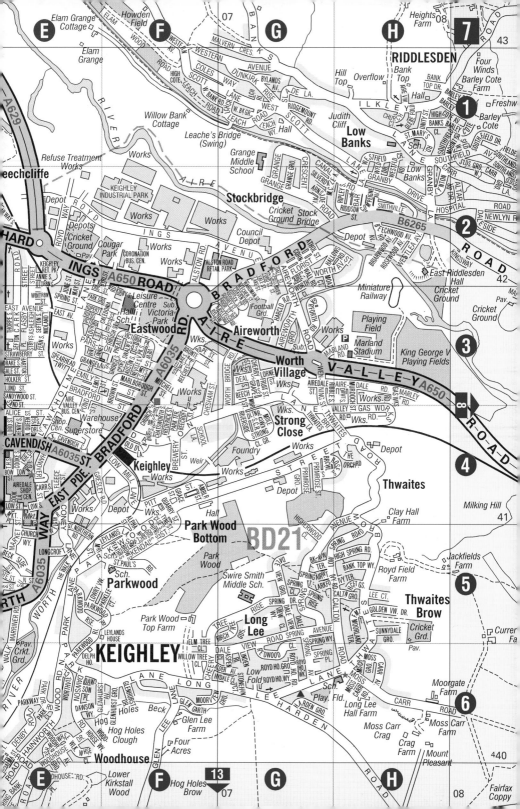

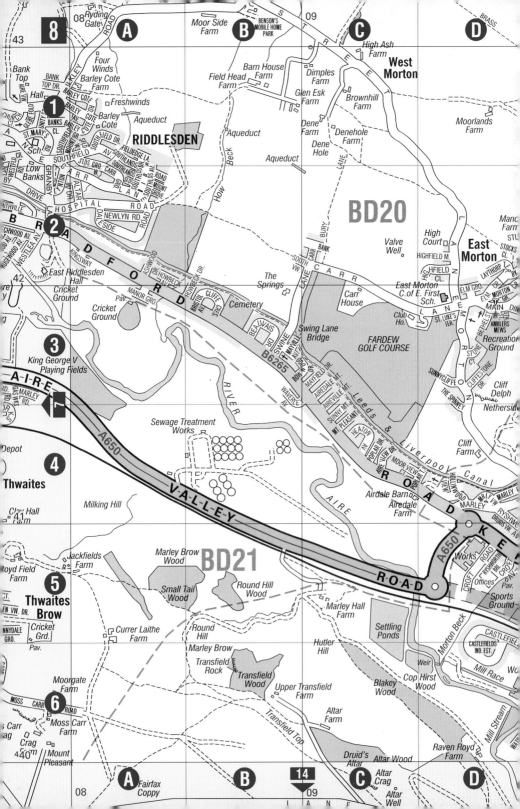

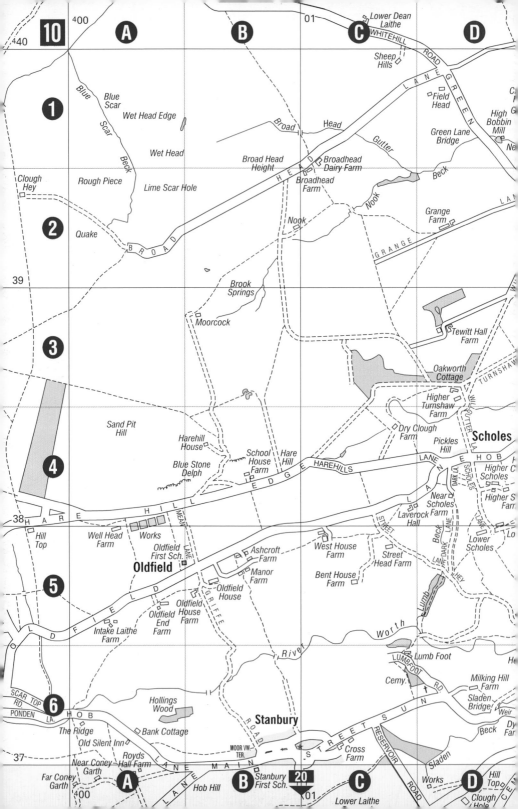

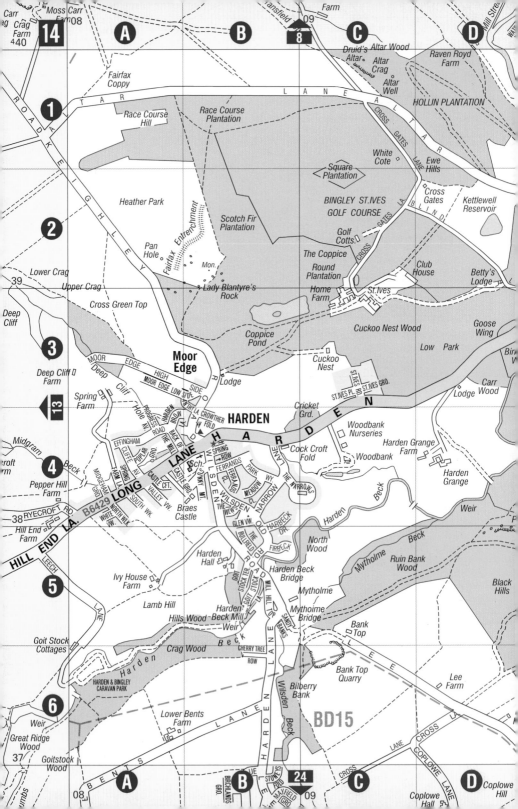

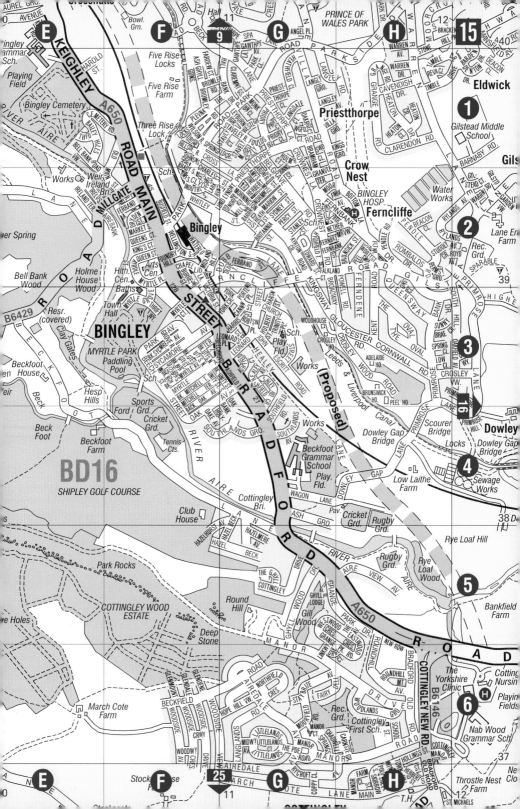

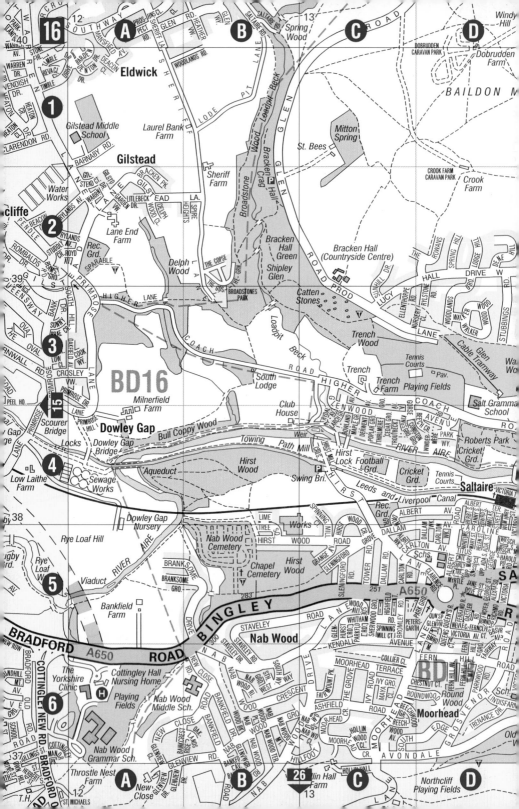

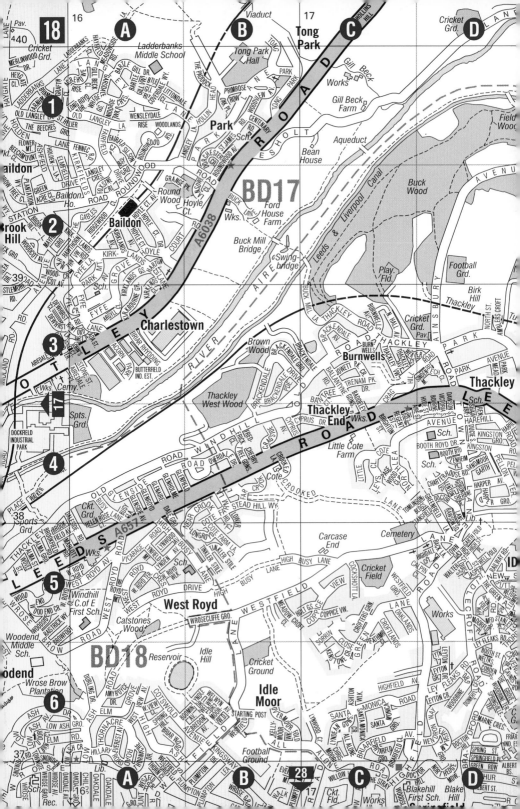

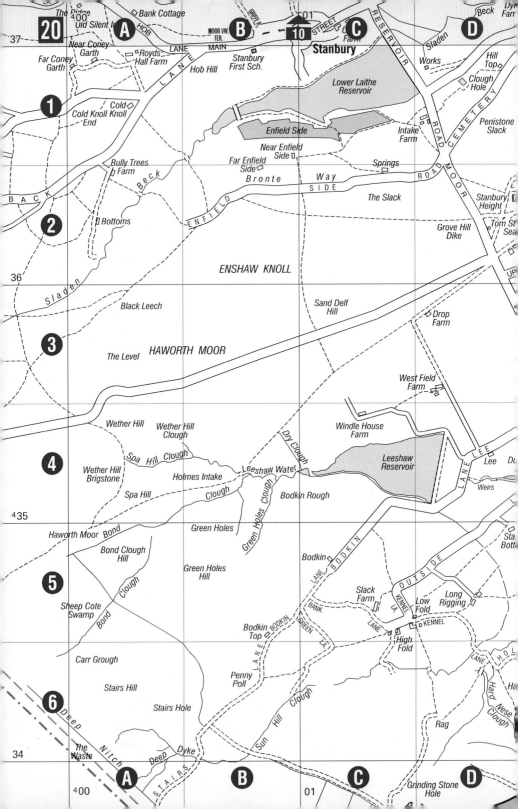

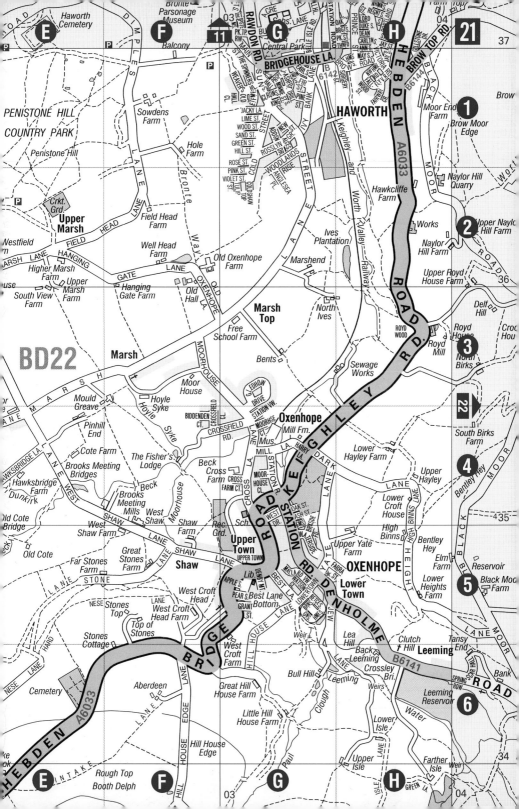

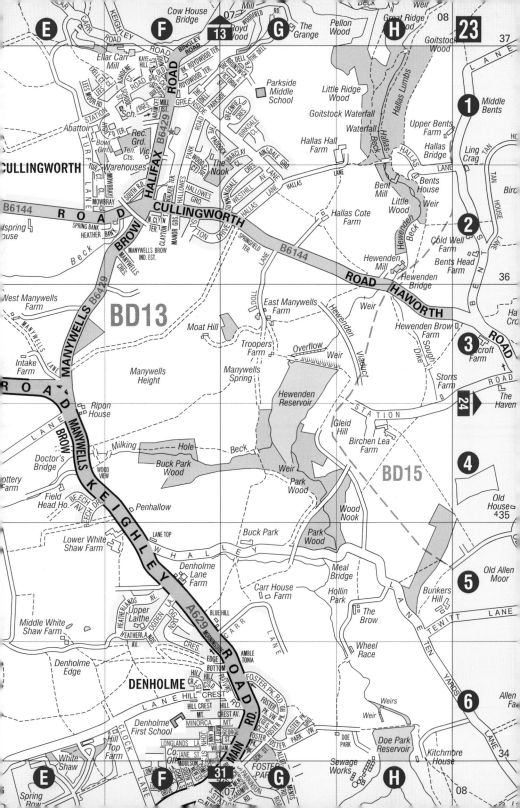

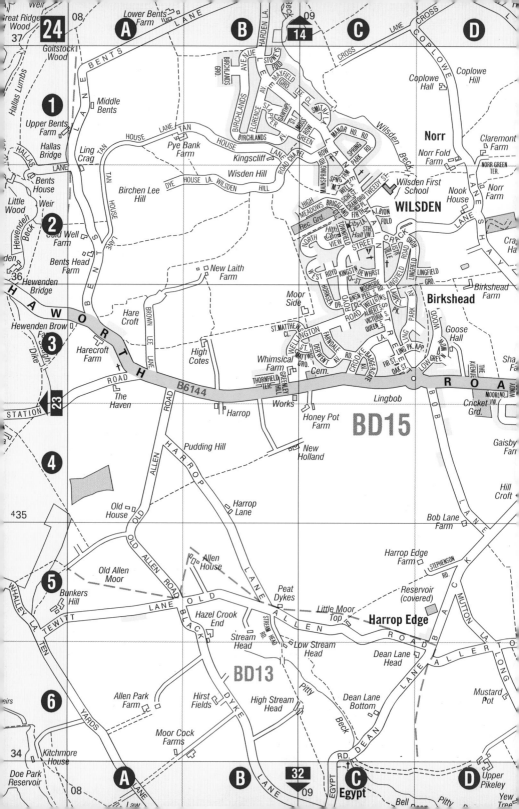

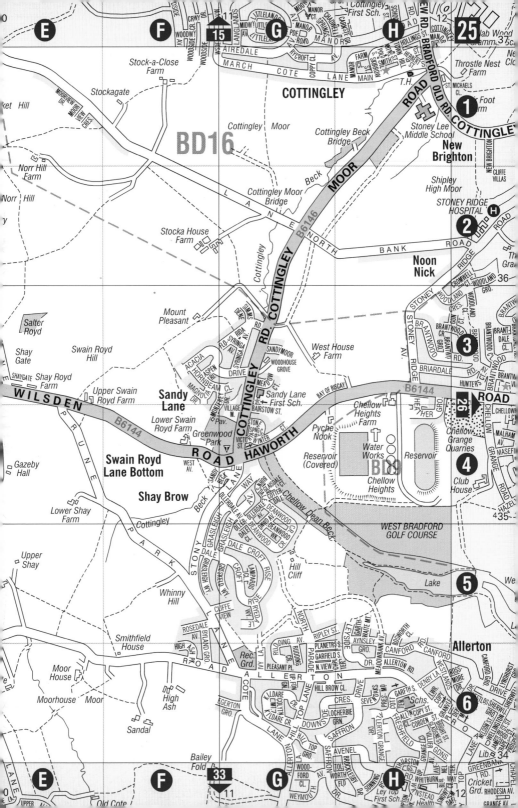

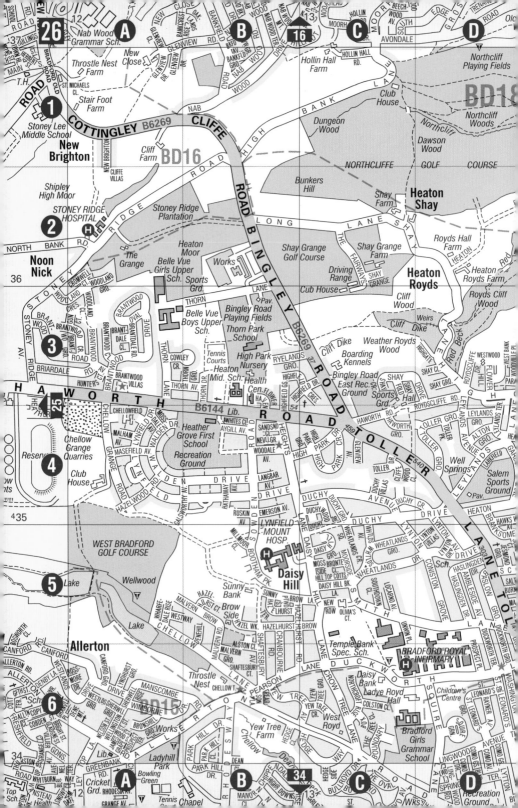

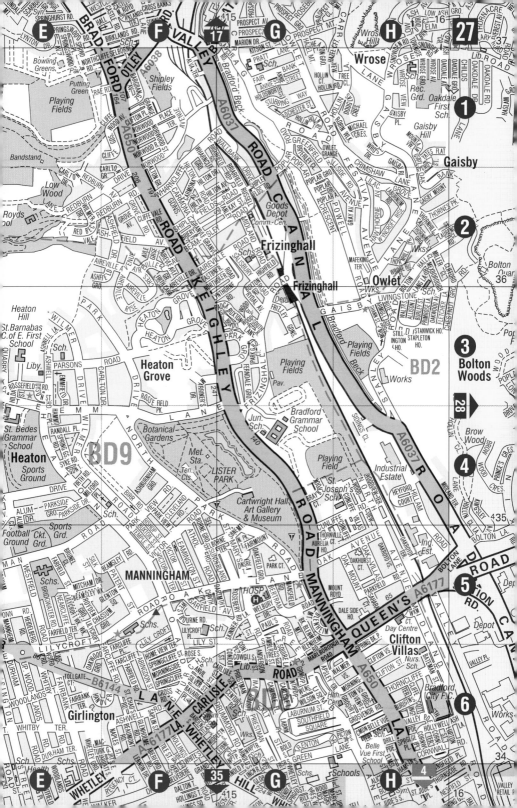

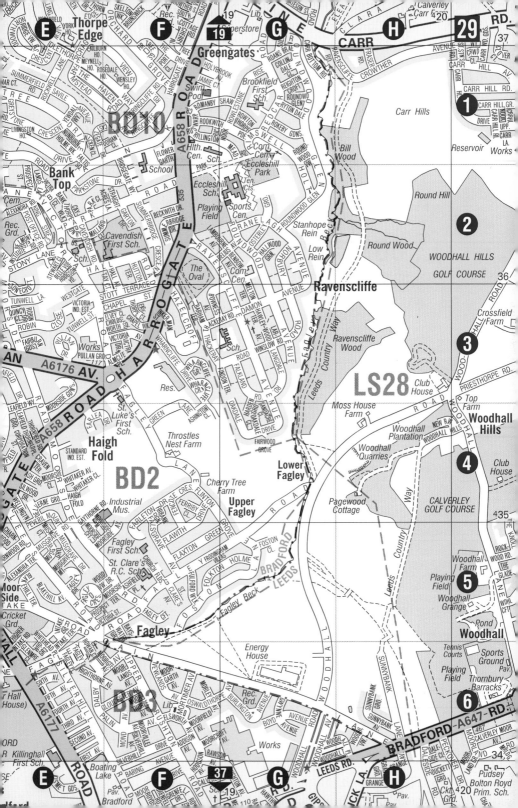

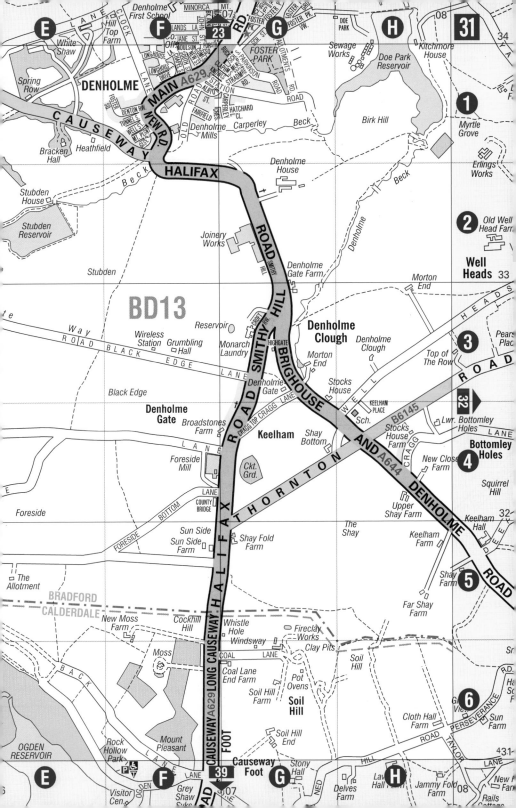

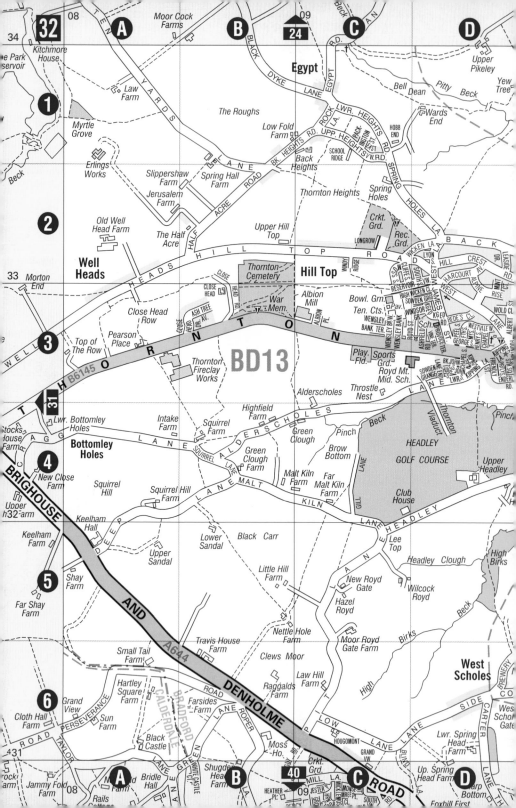

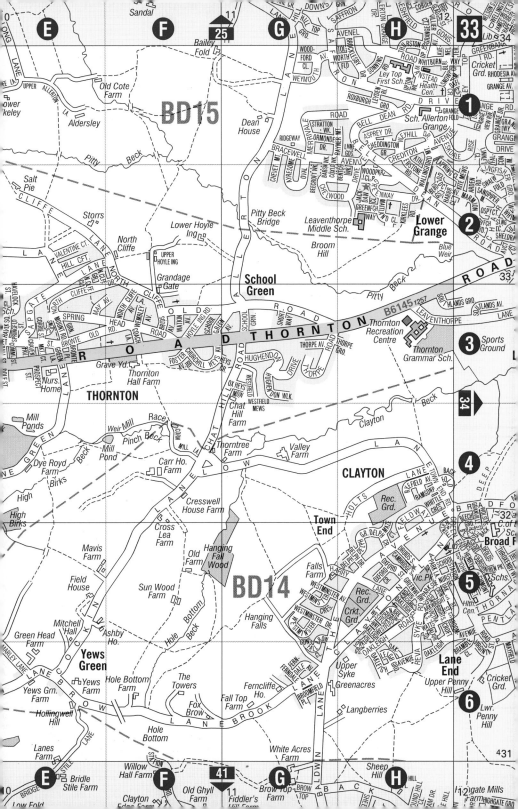

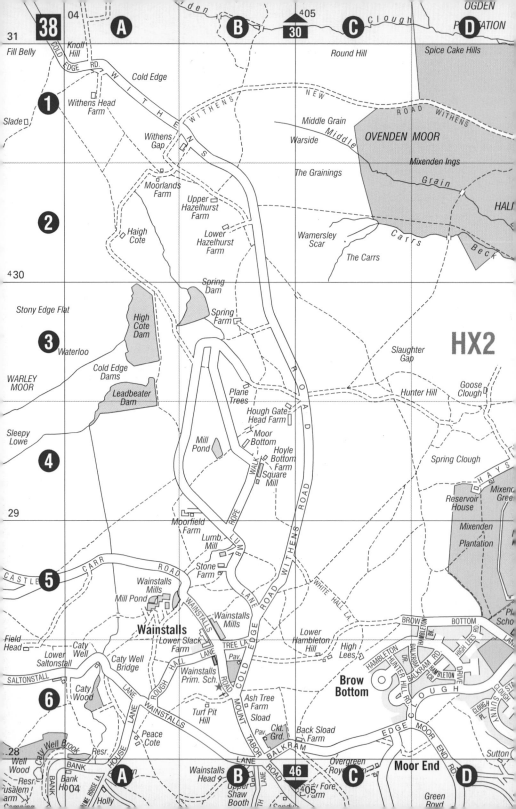

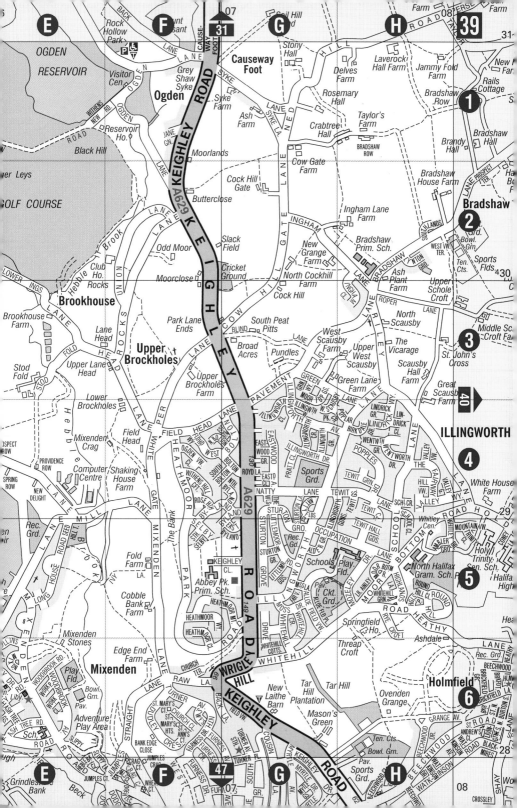

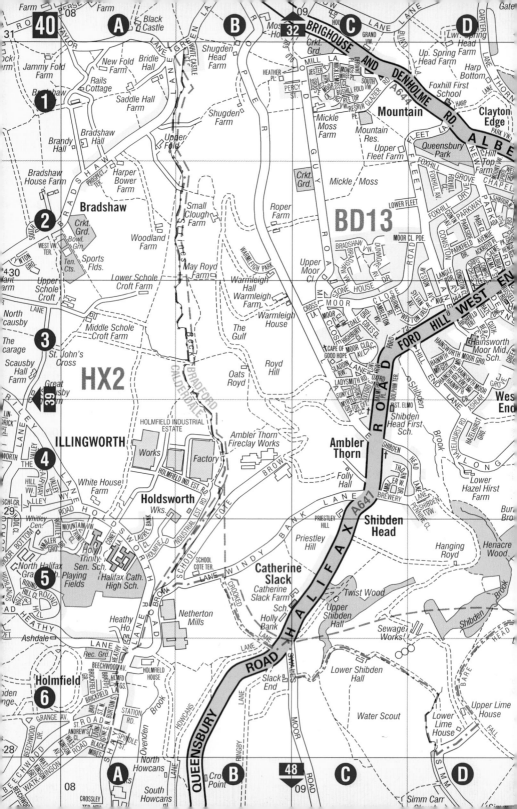

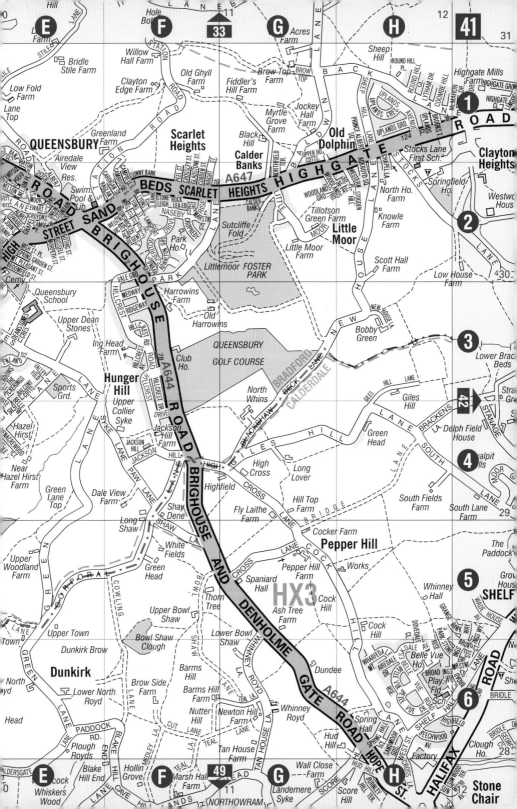

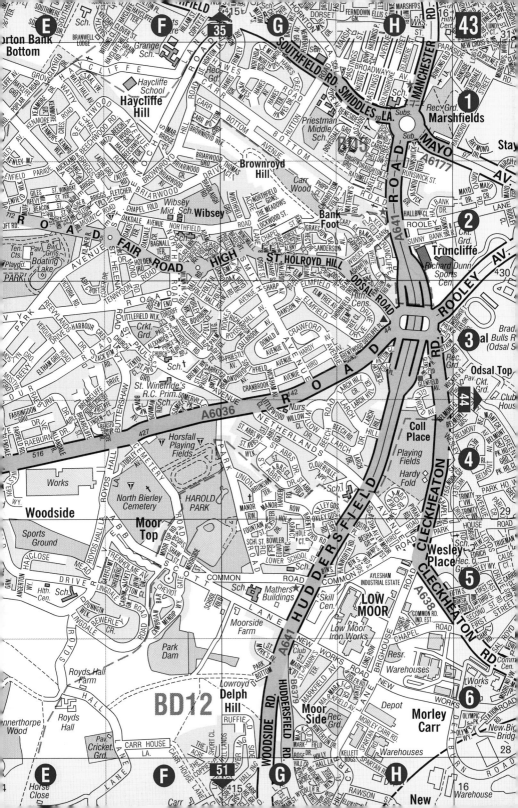

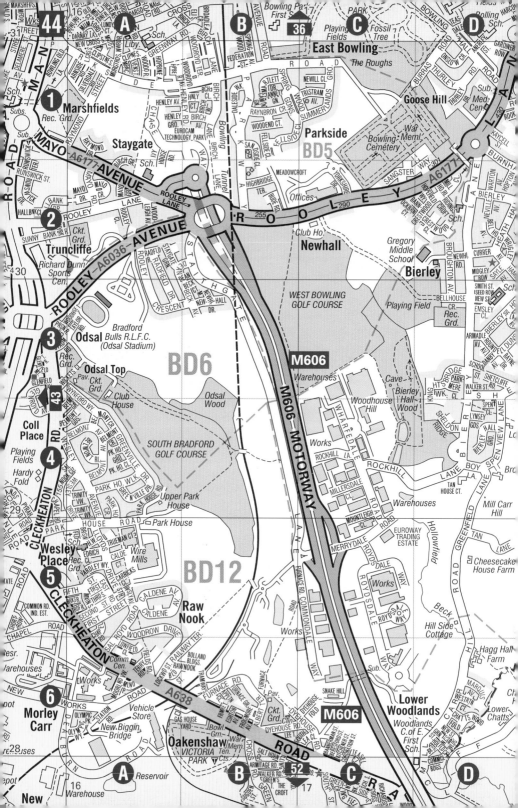

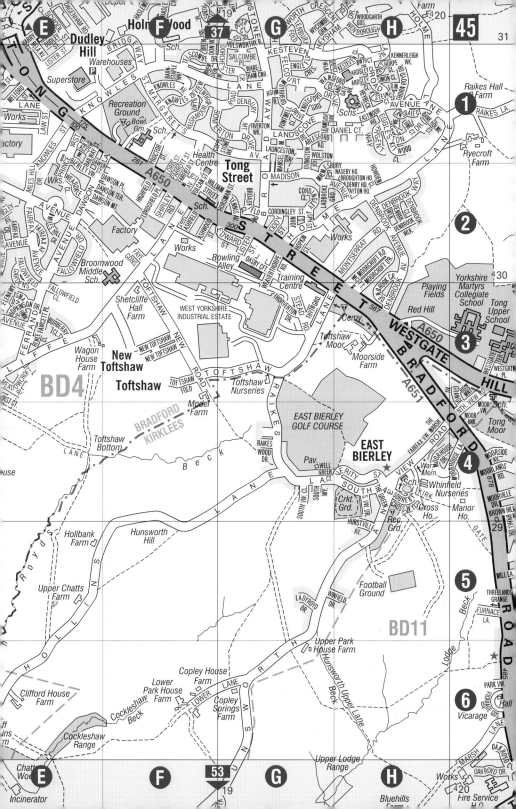

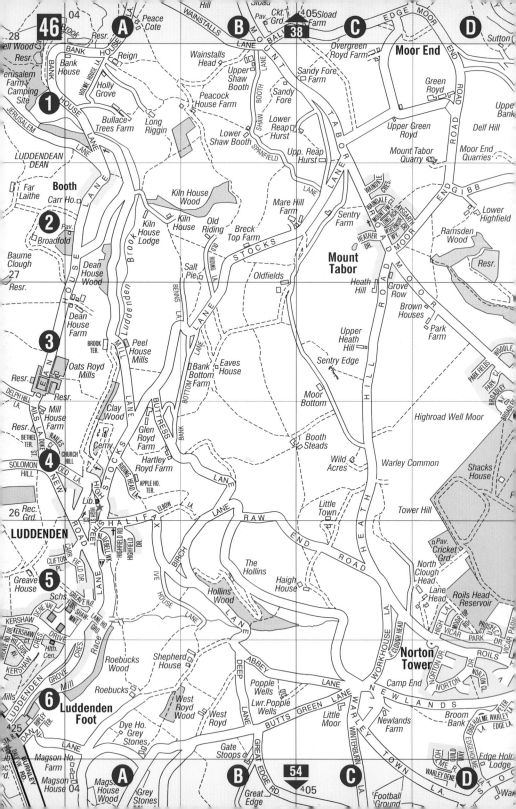

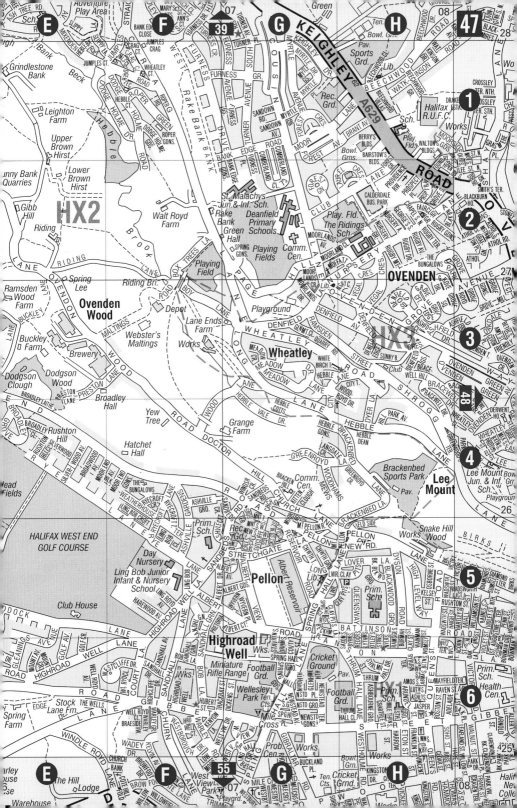

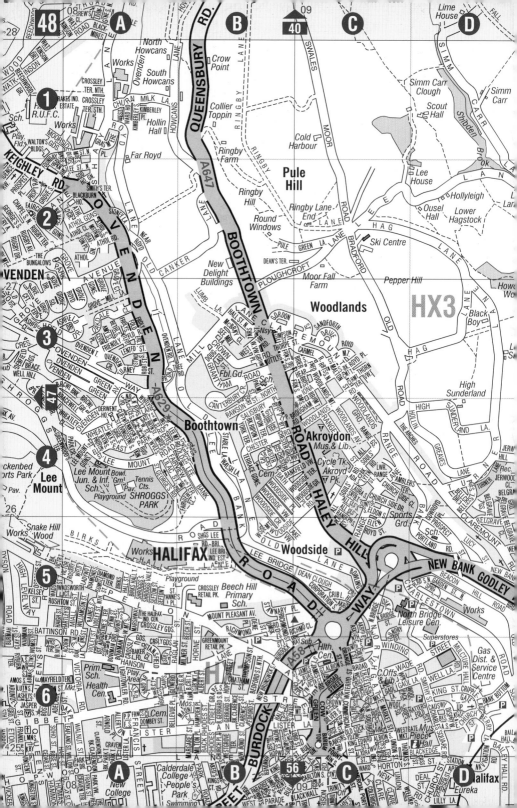

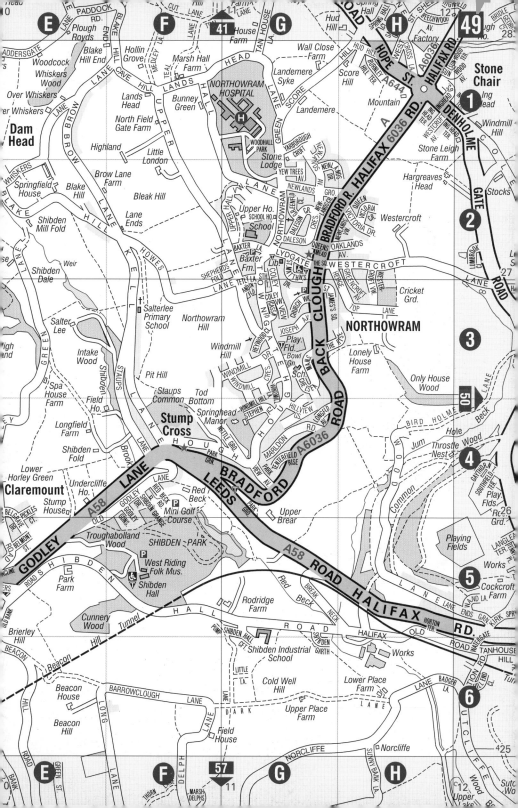

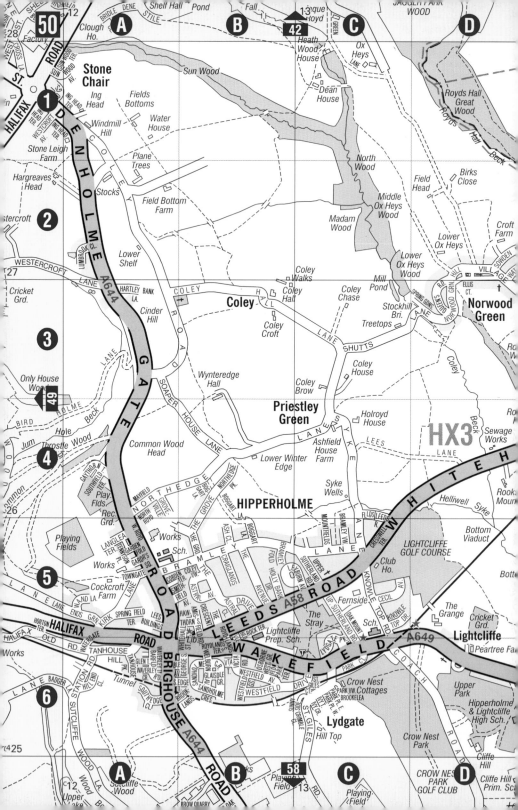

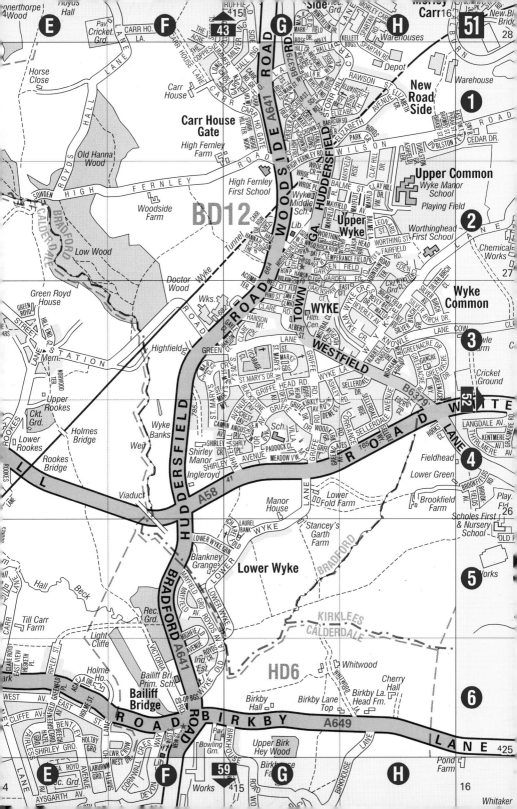

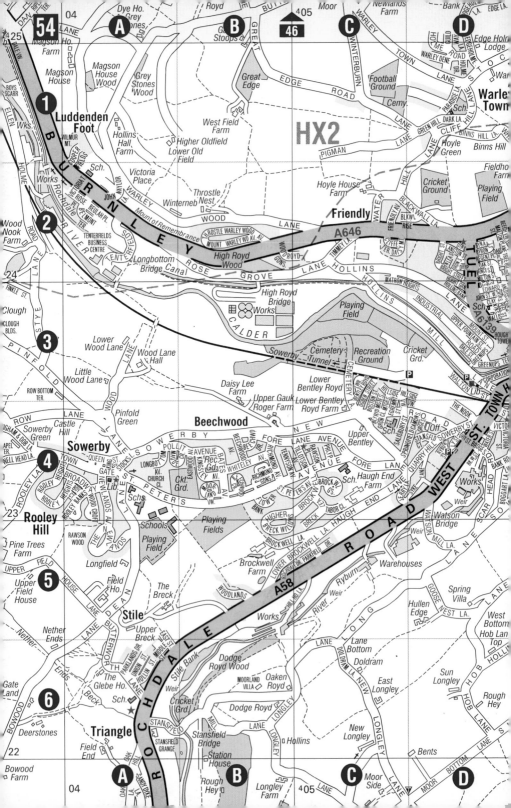

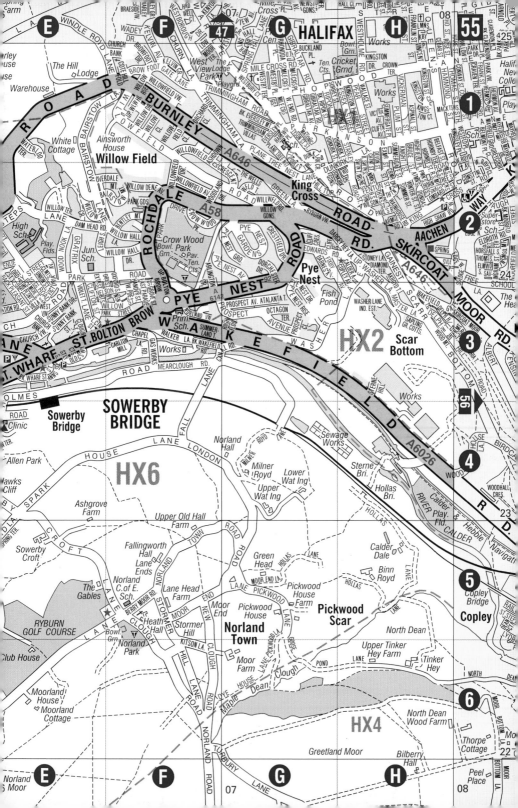

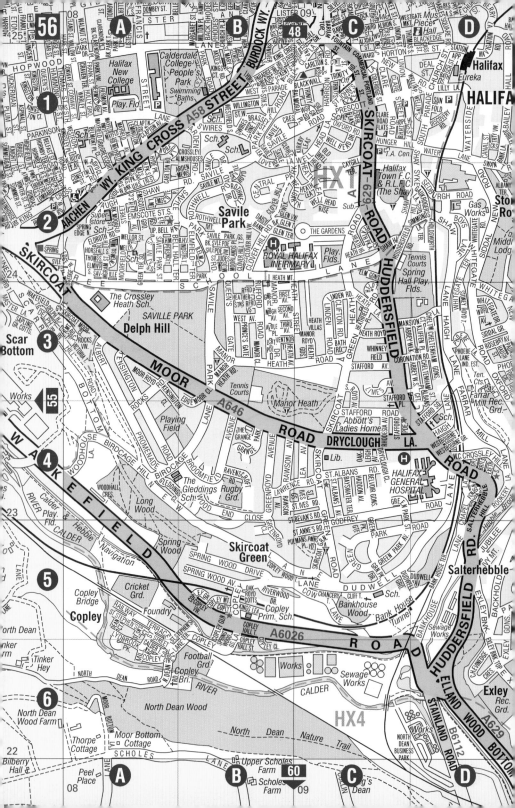

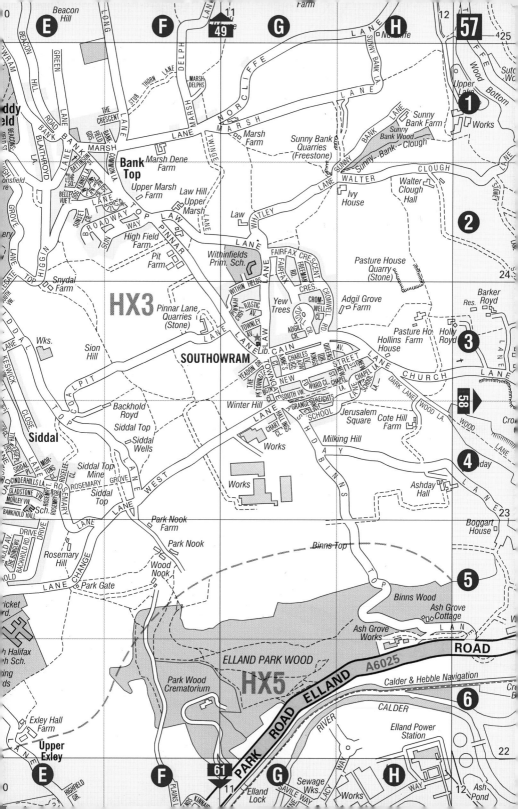

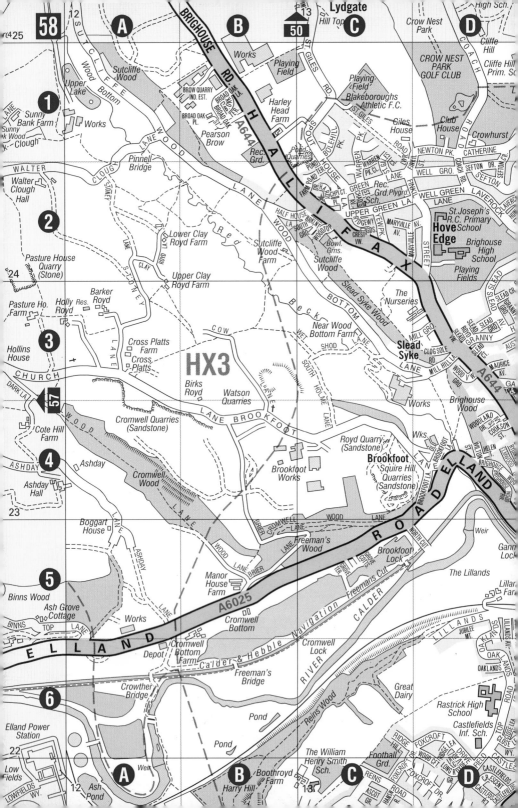

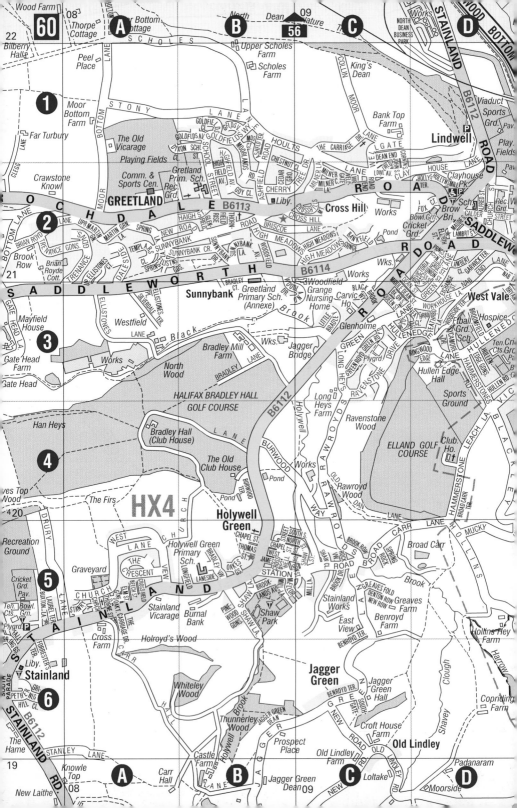

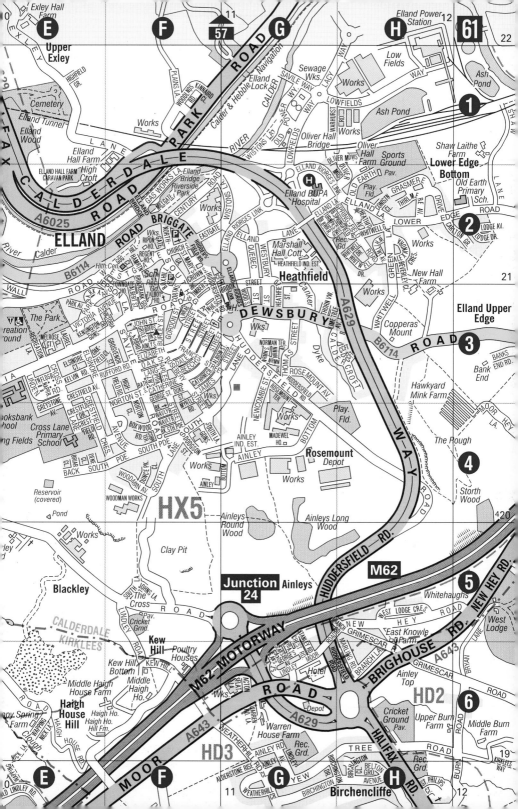

INDEX

Including Streets, Places & Areas, Industrial Estates, Selected Junction Names,
Selected Subsidiary Addresses and Selected Tourist Information.

HOW TO USE THIS INDEX

1. Each street name is followed by its Posttown or Postal Locality and then by its map reference; e.g. Aachen Way. *Hal* —2H **55** is in the Halifax Posttown and is to be found in square 2H on page **55**. The page number being shown in bold type.
A strict alphabetical order is followed in which Av., Rd., St., etc. (though abbreviated) are read in full and as part of the street name; e.g. Acrehowe Ri. appears after Acre Gro. but before Acre La.

2. Streets and a selection of Subsidiary names not shown on the Maps, appear in the index in *Italics* with the thoroughfare to which it is connected shown in brackets; e.g. *Abbots Wood. B'frd —4E* **27** *(off Heaton Rd.)*

3. Places and areas are shown in the index in **bold type**, the map reference referring to the actual map square in which the town or area is located and not to the place name; e.g. Ainleys. —5G **61**

4. Map references shown in brackets; e.g. Adelaide St. *B'frd* —4A **36** (6D **4**) refer to entries that also appear on the large scale pages 4-5.

5. With the now general usage of Postcodes for addressing mail, it is not recommended that this index is used for such a purpose.

GENERAL ABBREVIATIONS

All : Alley	Cres : Crescent	La : Lane	St : Saint
App : Approach	Cft : Croft	Lit : Little	II : Second
Arc : Arcade	Dri : Drive	Lwr : Lower	VII : Seventh
Av : Avenue	E : East	Mc : Mac	Shop : Shopping
Bk : Back	VIII : Eighth	Mnr : Manor	VI : Sixth
Boulevd : Boulevard	Embkmt : Embankment	Mans : Mansions	S : South
Bri : Bridge	Est : Estate	Mkt : Market	Sq : Square
B'way : Broadway	Fld : Field	Mdw : Meadow	Sta : Station
Bldgs : Buildings	V : Fifth	M : Mews	St : Street
Bus : Business	I : First	Mt : Mount	Ter : Terrace
Cvn : Caravan	IV : Fourth	N : North	III : Third
Cen : Centre	Gdns : Gardens	Pal : Palace	Trad : Trading
Chu : Church	Gth : Garth	Pde : Parade	Up : Upper
Chyd : Churchyard	Ga : Gate	Pk : Park	Va : Vale
Circ : Circle	Gt : Great	Pas : Passage	Vw : View
Cir : Circus	Grn : Green	Pl : Place	Vs : Villas
Clo : Close	Gro : Grove	Quad : Quadrant	Wlk : Walk
Comn : Common	Ho : House	Res : Residential	W : West
Cotts : Cottages	Ind : Industrial	Ri : Rise	Yd : Yard
Ct : Court	Junct : Junction	Rd : Road	

POSTTOWN AND POSTAL LOCALITY ABBREVIATIONS

Ain T : Ainley Top	*Eld* : Eldwick	*Lais* : Laisterdyke	*Schol* : Scholes
All : Allerton	*Ell* : Elland	*Light* : Lightcliffe	*She* : Shelf
App B : Apperley Bridge	*Esh* : Esholt	*List* : Listerhills	*Shib* : Shibden
Bail : Baildon	*Euro I* : Euroway Ind. Est.	*L Wyke* : Lower Wyke	*Shipl* : Shipley
Bail B : Bailiff Bridge	*Fag* : Fagley	*Lfds B* : Lowfields Bus. Pk.	*Sid* : Siddal
B Top : Bank Top	*Fars* : Farsley	*Low M* : Low Moor	*Ski G* : Skircoat Green
Bier : Bierley	*Fern* : Ferncliffe	*Low U* : Low Utley	*S'wram* : Southowram
Bgly : Bingley	*Field B* : Fieldhead Bus. Cen.	*Ludd* : Luddenden	*Sower B* : Sowerby Bridge
B'shaw : Birkenshaw	*Five E* : Five Lane Ends	*L'ft* : Luddendenfoot	*Stnd* : Stainland
B'ley : Blackley	*Fix* : Fixby	*Mann* : Manningham	*Stanb* : Stanbury
B'twn : Boothtown	*Four E* : Four Lane Ends	*Mar* : Marsh	*S'ley* : Stanningley
B'frd : Bradford	*Friz* : Frizinghall	*M'wte* : Micklethwaite	*Steet* : Steeton
Bshw : Bradshaw	*Gil* : Gilstead	*Mix* : Mixenden	*Stum X* : Stump Cross
Brigh : Brighouse	*Gom* : Gomersal	*Mt Tab* : Mount Tabor	*Thack* : Thackley
Broc : Brockholes	*Gt Hor* : Great Horton	*N Bnk* : New Bank	*Thornb* : Thornbury
Brun I : Brunswick Ind. Est.	*Gre* : Greengates	*N Brig* : New Brighton	*T'tn* : Thornton
Butt : Buttershaw	*G'Ind* : Greetland	*Norl* : Norland	*T Brow* : Thwaites Brow
C'ley : Calverley	*Haig* : Haigh	*N'wram* : Northowram	*Tong* : Tong
Caus F : Causeway Foot	*Hain* : Hainworth	*Nor G* : Norwood Green	*Tri* : Triangle
Cytn : Clayton	*Hal* : Halifax	*Oaken* : Oakenshaw	*Tyer* : Tyersal
Cleck : Cleckheaton	*H'den* : Harden	*Oakw* : Oakworth	*Utley* : Utley
Clif : Clifton	*Haw* : Haworth	*Ogden* : Ogden	*Wains* : Wainstalls
Clif C : Clifton Common	*H'tn* : Heaton	*Oldf* : Oldfield	*Warley* : Warley
Cop : Copley	*High* : Highfield	*Oven* : Ovenden	*W Bowl* : West Bowling
Ctly : Cottingley	*Hip* : Hipperholme	*Oven W* : Ovenden Wood	*Wgte* : Westgate
Cowl : Cowling	*H Wd* : Holme Wood	*Oxe* : Oxenhope	*West I* : West 26 Ind. Est.
Cro R : Cross Roads	*H'fld* : Holmfield	*Pel* : Pellon	*Wheat* : Wheatley
Cull : Cullingworth	*Holy G* : Holywell Green	*Pud* : Pudsey	*Wibs* : Wibsey
Cut H : Cutler Heights	*Hov E* : Hove Edge	*Q'bry* : Queensbury	*Wilsd* : Wilsden
D Hill : Daisy Hill	*Hud* : Huddersfield	*Ragg* : Raggalds	*Windh* : Windhill
Dean C : Dean Clough Ind. Pk.	*Huns* : Hunsworth	*Ras* : Rastrick	*Wrose* : Wrose
Denh : Denholme	*Idle* : Idle	*Rawd* : Rawdon	*Wyke* : Wyke
E Bier : East Bierley	*Idle M* : Idle Moor	*Rawf* : Rawfolds	*Yead* : Yeadon
E Mor : East Morton	*I'wth* : Illingworth	*Riddl* : Riddlesden	
Eccl : Eccleshill	*Kei* : Keighley	*Sandb* : Sandbeds	

INDEX TO STREETS

Aachen Way. *Hal* —2H **55**
Abaseen Clo. *B'frd* —2D **36**
Abbey Ct. *B'frd* —2A **4**
Abbey La. *Hal* —6B **46**
Abbey Lea. *All* —1A **34**
Abbey Wlk. *Hal* —3C **56**
Abbey Wlk. S. *Hal* —3C **56**
Abbotside Clo. *B'frd* —1E **29**

Abbots Wood. B'frd —4E **27**
(off Heaton Rd.)
Abb Scott La. *B'frd & Low M* —5F **43**
Abelia Mt. *B'frd* —3C **34**
Abel St. *Wyke* —1G **51**
Aberdeen Pl. *B'frd* —4E **35**
Aberdeen Ter. *B'frd* —4E **35**
Aberdeen Ter. *Cytn* —5B **34**

Aberford Rd. *B'frd* —6F **27**
Abingdon St. *B'frd* —6F **27**
Abram St. *B'frd* —5A **36**
Acacia Dri. *All* —3F **25**
Acacia Dri. *Hal* —6E **51**
Acacia Pk. Cres. *B'frd* —3H **19**
Acacia Pk. Dri. *B'frd* —3H **19**
Acacia Pk. Ter. *B'frd* —3H **19**

Acaster Dri. *Low M* —5G **43**
Acer Way. *Cleck* —5B **52**
Ackroyd Ct. *T'tn* —3D **32**
Ackroyd Pl. *Q'bry* —2D **40**
Ackroyd Sq. *Q'bry* —2H **41**
Ackworth St. *B'frd* —5A **36**
Acomb Ter. *Wyke* —2G **51**
Acorn Pk. *Bail* —3A **18**

Acorn St. *B'frd* —3C **36**
Acorn St. *Hal* —6A **48**
Acorn St. *Kei* —6D **6**
Acott Ga. *B'frd* —2F **37**
Acre Av. *B'frd* —2D **28**
Acre Clo. *B'frd* —2D **28**
Acre Cres. *B'frd* —2D **28**
Acre Dri. *B'frd* —2D **28**
Acre Gro. *B'frd* —2D **28**
Acrehowe Ri. *Bail* —1A **18**
Acre La. *B'frd* —3D **28**
(in two parts)
Acre La. *E Mor* —3E **9**
Acre La. *Haw* —6G **11**
Acre La. *Wibs* —2G **43**
Acre Ri. *Bail* —1G **17**
Acres St. *Kei* —5D **6**
Acre, The. *Wyke* —6F **43**
Acton Flat La. *Hud* —6G **61**
Acton St. *B'frd* —2E **37**
Adam Cft. *Cull* —1F **23**
Adam Ga. *Hal* —2H **55**
Adam St. *B'frd* —2F **43**
Ada St. *Bail* —3A **18**
Ada St. *Hal* —4C **48**
Ada St. *Kei* —4C **6**
Ada St. *Q'bry* —2D **40**
Ada St. *Shipl* —5D **16**
Addersgate La. *Hal* —1E **49**
Addison Av. *B'frd* —6F **29**
Addison Dri. *Haw* —1G **21**
Addi St. *B'frd* —6E **37**
Adelaide Ho. *Bgly* —3H **15**
Adelaide Ri. Bail —4G 17
(off John St.)
Adelaide St. *B'frd* —4A **36** (6D **4**)
Adelaide St. *Hal* —6H **47**
Adelaide Ter. *Holy G* —6A **60**
Adgil Cres. *Hal* —3G **57**
Adwalton Gro. *Q'bry* —2F **41**
Agar St. *B'frd* —1D **34**
Agar Ter. *B'frd* —1D **34**
Agnes St. *Kei* —2E **7**
Ailsa Ho. B'frd —6E 19
(off Fairhaven Grn.)
Ails La. *Hal* —4A **46**
Aimport Clo. *Brigh* —6F **59**
Ainley Bottom. *Ell* —4F **61**
Ainley Clo. *Hud* —6G **61**
Ainley Ind. Est. *Ell* —4G **61**
Ainley Rd. *Hud* —6G **61**
Ainleys. —5G 61
Ainley St. *Ell* —3H **61**
Ainsbury Av. *B'frd* —3D **18**
(in two parts)
Ainsdale Gro. *Cull* —1G **23**
Aire Clo. *Bail* —4F **17**
Airedale Av. *Bgly* —6G **15**
Airedale College Mt. B'frd —6C 28
(off Airedale College Rd.)
Airedale College Rd. *B'frd* —6C **28**
Airedale College Ter. *B'frd* —6C **28**
Airedale Cres. *B'frd* —6C **28**
Airedale Dri. *Hal* —6H **41**
Airedale Mt. *Sandb* —3C **8**
Airedale Pl. *Bail* —3A **18**
Airedale Rd. *B'frd* —6B **28**
Airedale Rd. *Hal* —3H **7**
Airedale Shop. Cen. *Kei* —4E **7**
Airedale St. *Bgly* —2F **15**
Airedale St. *B'frd* —4D **28**
Airedale St. *Kei* —3G **7**
Airedale Ter. *Bail* —3H **17**
Aire St. *Bgly* —5E **9**
Aire St. *B'frd* —4C **18**
Aire St. *Brigh* —6F **59**
Aire St. *Haw* —6H **11**
Aire St. *Kei* —3F **7**
Aire Valley Bus. Cen. *Kei* —4E **7**
Aire Valley Rd. *Kei* —3G **7**
Aire Vw. Riddl —1H 7
Aire Vw. Av. *Bgly* —5H **15**
Aireview Cres. *Bail* —4E **17**
Aire Vw. Dri. *Sandb* —4C **8**
Aire Vw. N. *Shipl* —5E **17**
Aireview Ter. *T Brow* —5G **7**
Aireville Av. *B'frd* —2F **27**
Aireville Clo. —1C **6**
Aireville Clo. *Shipl* —2F **27**
Aireville Cres. *B'frd* —3F **27**
Aireville Dri. *Shipl* —2F **27**
Aireville Grange. *Shipl* —2F **27**
Aireville Gro. *Shipl* —2F **27**
Aireville Mt. *Sandb* —3C **8**
Aireville Ri. *B'frd* —2F **27**

Aireville Rd. *B'frd* —2F **27**
Aireville St. *Kei* —1C **6**
Aire Way. *Bail* —4E **17**
Aireworth. —3G 7
Aireworth Clo. *Kei* —2G **7**
Aireworth Gro. *Kei* —3G **7**
Aireworth Rd. *Kei* —2G **7**
Aireworth St. *Kei* —5D **6**
Airey St. *Kei* —4C **6**
Akam Rd. *B'frd* —2H **35** (3A **4**)
Aked's Rd. *Hal* —1B **56**
Aked St. *B'frd* —2B **36** (4F **5**)
Akroyd Ct. Hal —5C 48
(off Randolph St.)
Akroydon. —4C 48
Akroyd Pl. *Hal* —5C **48**
Akroyd Ter. *Hal* —2H **55**
Alabama St. *Hal* —6H **47**
Alban St. *B'frd* —5D **36**
Albany Ct. *Kei* —3C **6**
Albany St. *B'frd* —5A **36**
Albany St. *Hal* —2D **56**
Albany St. *Wibs* —2G **43**
Albany Ter. *Hal* —2D **56**
Albert Av. *B'frd* —5E **19**
Albert Av. *Hal* —5G **47**
Albert Av. *Wyke* —4H **51**
Albert Bldgs. *B'frd* —1D **28**
Albert Ct. *Hal* —6G **47**
Albert Cres. *Q'bry* —2E **41**
Albert Dri. *Hal* —5F **47**
Albert Edward St. *Q'bry* —2E **41**
Albert Gdns. *Hal* —5G **47**
Albert Pl. *B'frd* —1G **37**
Albert Promenade. *Hal* —3A **56**
Albert Rd. *Hal* —5F **47**
Albert Rd. *Q'bry* —1D **40**
Albert Rd. *Shipl* —5D **16**
Albert Rd. *Sower B* —2E **55**
Albert St. *Bail* —4G **17**
Albert St. *B'frd* —3F **43**
Albert St. *Brigh* —5B **59**
Albert St. *Cleck* —5F **53**
(in two parts)
Albert St. Cro R —5B 12
(off Bingley Rd.)
Albert St. *Ell* —3F **61**
Albert St. *Hal* —6B **48**
Albert St. *Idle* —1D **28**
Albert St. *Kei* —4D **6**
Albert St. *Q'bry* —2F **41**
Albert St. *T'tn* —3D **32**
Albert St. *Wilsd* —3C **24**
Albert St. *Wyke* —3G **51**
Albert Ter. *Oaken* —6B **44**
Albert Ter. *Shipl* —4D **16**
Albert Ter. *Wyke* —3H **51**
Albert Vw. *Hal* —5G **47**
Albion Ct. *B'frd* —2A **36**
Albion Ct. Hal —6C 48
(off Gt. Albion St.)
Albion Fold. *Wilsd* —2C **24**
Albion Pl. Brigh —4E 59
(off Waterloo Rd.)
Albion Pl. *T'tn* —3C **32**
Albion Rd. *B'frd* —5D **18**
Albion St. *B'frd* —2A **36** (4C **4**)
Albion St. *Brigh* —4E **59**
Albion St. *Butt* —4C **42**
Albion St. *Cleck* —6G **53**
Albion St. *Cro R* —5A **12**
Albion St. *Denh* —1F **31**
Albion St. *Ell* —3F **61**
Albion St. *Hal* —6C **48**
Albion St. *Q'bry* —2D **40**
Albion Yd. *B'frd* —2A **36** (4D **4**)
Alcester Gdn. *B'frd* —1D **36**
Alcester Gro. *B'frd* —2H **5**
Alder Av. *Hal* —6D **6**
Alder Carr. *Bail* —2F **17**
Alder Gro. *Hal* —5G **39**
Aldermanbury. B'frd —3A 36 (5C **4**)
Alderscholes Clo. T'tn —3D 32
(off Alderscholes La.)
Alderscholes La. *T'tn* —4B **32**
Alderson St. *B'frd* —4C **42**
Alderstone Ri. *Hud* —6G **61**
Alegar St. *Brigh* —5G **59**
Alexander Sq. *Cytn* —5H **33**
Alexander St. *B'frd* —3F **43**
Alexandra Cres. *Ell* —2H **61**
Alexandra Rd. *Eccl* —2E **29**
Alexandra Rd. *Shipl* —6E **17**
Alexandra Sq. *Shipl* —5D **16**

Alexandra St. *B'frd* —4G **35**
Alexandra St. *Hal* —6C **48**
Alexandra St. *Q'bry* —2D **40**
Alexandra Ter. *B'frd* —5E **29**
Alford Ter. *B'frd* —2E **35**
Alfred St. *Brigh* —4F **59**
Alfred St. *G'Ind* —2D **60**
Alfred St. *Hal* —6H **47**
Alfred St. E. *Hal* —6D **48**
Alhambra Theatre. —3A **36** (5C **4**)
Alice St. *B'frd* —1H **35** (1A **4**)
Alice St. *Cleck* —5F **53**
Alice St. *Haw* —1G **21**
Alice St. *Kei* —4E **7**
Alison Vw. *B'frd* —5E **35**
Alkincote St. *Kei* —5E **7**
All Alone. *B'frd* —6C **18**
All Alone Rd. *B'frd* —6B **18**
Allandale Av. *B'frd* —4E **43**
Allandale Rd. *B'frd* —4E **43**
Allan St. *B'frd* —3D **36**
Allan Ter. *Sower B* —4E **55**
Allerby Grn. *B'frd* —4D **42**
Allerton. —6H 25
Allerton Clo. *All* —6H **25**
Allerton Grange Dri. *All* —6H **25**
Allerton La. *T'tn & All* —2G **33**
Allerton Pl. *Hal* —6A **48**
Allerton Rd. *All & B'frd* —6D **24**
(in two parts)
Allison La. *B'frd* —3H **27**
Alloe Fld. Pl. *Hal* —5G **39**
Alloe Fld. Vw. *Hal* —5G **39**
Allotments Rd. *Denh* —6G **23**
All Saints Rd. *B'frd* —4F **35**
All Souls' Rd. *Hal* —4C **48**
All Souls' St. *Hal* —4C **48**
All Souls' Ter. *Hal* —4C **48**
Alma Gro. *Shipl* —5H **17**
Alma Pl. *Kei* —1E **13**
Alma St. *B'frd* —4E **37**
Alma St. *Cut H* —5F **37**
Alma St. *Haw* —5G **11**
Alma St. *Kei* —1E **13**
Alma St. *Q'bry* —2D **40**
Alma St. *Shipl* —5H **17**
Alma Ter. *B'frd* —3H **27**
Alma Ter. *E Mor* —2E **9**
Alma Ter. *Kei* —1E **13**
Almond St. *B'frd* —3E **37**
Almscliffe Pl. *B'frd* —3F **29**
Alpha St. *Kei* —4F **7**
Alpine Ri. *T'tn* —2D **32**
Alston Clo. *B'frd* —6B **26**
Alston Rd. *Kei* —2F **7**
Alston Rd. Retail Pk. *Kei* —2F **7**
Altar Dri. *B'frd* —4E **27**
Altar Dri. *Riddl* —2A **8**
Altar La. *Bgly* —1H **13**
Altar Vw. Bgly —6E 9
(off Sleningford Rd.)
Althorpe Gro. *B'frd* —1C **28**
Alton Gro. *B'frd* —4D **26**
Alton Gro. *Shipl* —2F **27**
Alum Ct. *B'frd* —4E **27**
Alum Dri. *B'frd* —4E **27**
Alvanley Ct. *B'frd* —1B **34**
Alva Ter. *Shipl* —1F **27**
Amberley St. *B'frd* —3E **37**
(off Amberley St.)
Amberley St. *B'frd* —3E **37**
(in two parts)
Ambler Gro. *Hal* —5H **39**
Amblers Cft. *B'frd* —3D **18**
Amblers M. *Bail* —1G **17**
Amblers M. *E Mor* —3D **8**
Amblers Row. *Bail* —1G **17**
Amblers Ter. *Hal* —4C **48**
Ambler St. *B'frd* —6G **27**
Ambler St. *Kei* —4F **7**
Ambler Thorn. —4C 40
Ambler Way. *Q'bry* —4C **40**
Ambleside Av. *B'frd* —5D **26**
Amble Tonia. *Denh* —6G **23**
Ambleton Way. *Q'bry* —3C **40**
Amelia St. *Shipl* —4D **16**
America La. *Brigh* —5G **59**
Amisfield Rd. *Hal* —5B **50**
Amos St. *Hal* —4C **48**
Amport Clo. *Brigh* —6F **59**
Amundsen Av. *B'frd* —2C **28**
Amyroyce Dri. *Shipl* —6A **18**
Amy St. *Bgly* —2G **15**
Amy St. *Hal* —3A **48**
Anchorage, The. *Bgly* —1F **15**

Anchor Ct. *B'frd* —2A **4**
Anchor Pl. *Brigh* —6H **59**
Anderson Ho. Bail —4F 17
(off Fairview Ct.)
Anderson St. *B'frd* —6G **27**
Anderton Fold. *Hal* —3G **49**
Andover Stro. *B'frd* —5G **37**
Andrew Clo. *Hal* —3G **57**
Anerley St. *B'frd* —1D **44**
Angel Pl. *Bgly* —6G **9**
Angel St. *Bail* —1H **17**
Angel Way. *B'frd* —1H **35** (4A **4**)
Angerton Way. *B'frd* —5E **43**
Anglesea Pl. *Haw* —2G **21**
Angus Av. *Wyke* —4G **51**
Anlaby St. *B'frd* —4F **37**
Anne Ga. *B'frd* —2B **36** (3F **5**)
Anne's Ct. *Hal* —3G **57**
Anne St. *B'frd* —6D **34**
Annie St. *Cro R* —5B **12**
Annie St. *Kei* —2E **7**
Annie St. *Shipl* —1G **27**
Annie St. *Sower B* —3D **54**
Annison St. *B'frd* —2C **36** (4G **5**)
Ann Pl. *B'frd* —4A **36** (6C **4**)
Ann St. *Haw* —6H **11**
Ann St. *Kei* —5D **6**
Anson Gro. *B'frd* —1D **42**
Anthony La. *H'den* —3B **14**
Anvil St. B'frd —6F 27
(off Carlisle St.)
Anvil St. *B'frd* —6F **27**
Anvil St. *Brigh* —4E **59**
Apperley Bridge. —5G 19
Apperley Gdns. *B'frd* —5G **19**
Apperley La. *B'frd & Yead* —5G **19**
Apperley Rd. *B'frd* —5E **19**
Apple Ho. Ter. *L'ft* —4A **46**
Apple St. *Kei* —2C **12**
Apple St. *Oxe* —5G **21**
Appleton Clo. *Bgly* —6H **9**
Appleton Clo. *Oaken* —6B **44**
Aprilia Ct. *Cytn* —4B **34**
Apsley Cres. *B'frd* —6G **27**
Apsley St. *Haw* —6H **11**
Apsley St. *Kei* —6D **6**
Apsley St. *Oakw* —2H **11**
Apsley Ter. Oakw —2H 11
(off Green La.)
Arcadia St. *Kei* —6D **6**
Archbell Av. *Brigh* —6F **59**
Archer Rd. *Brigh* —6H **59**
Arches St. *Hal* —1B **56**
Arches, The. *Hal* —4C **48**
Archibald St. *B'frd* —2G **35**
Arctic Pde. *B'frd* —5E **35**
Arctic St. *Cro R* —5A **12**
Arctic St. *Kei* —1D **6**
Arden M. *B'frd* —2B **56**
Ardennes Clo. *B'frd* —3B **28**
Arden Rd. *B'frd* —2A **34**
Arden Rd. *Hal* —1B **56**
Ardsley Clo. *B'frd* —1H **45**
(in two parts)
Argent Way. *B'frd* —1H **45**
Argyle Rd. *B'frd* —6D **36**
Argyle St. *Kei* —4D **6**
Argyll Clo. *Bail* —3A **18**
Arkendale M. *B'frd* —6C **34**
Arkwright St. *Cytn* —5H **33**
Arkwright St. *Tyer* —3G **37**
Arlesford Rd. *B'frd* —1G **45**
Arlington Cres. *Hal* —2F **55**
Arlington St. *B'frd* —3D **36**
Armadale Av. *B'frd* —3D **44**
Armgill La. *B'frd* —3H **27**
Armidale Way. *B'frd* —4B **28**
Armitage Rd. *Hal* —2H **55**
Armitage Rd. *Oaken* —1B **52**
Armstrong St. *B'frd* —3F **37**
Armytage Rd. *Brigh* —5G **59**
Armytage Way. *Brigh* —6H **59**
Arncliffe Av. *Kei* —5C **6**
Arncliffe Gro. *Kei* —6C **6**
Arncliffe Rd. *Kei* —6C **6**
Arncliffe Ter. *B'frd* —3F **35**
Arndale Ho. *B'frd* —4D **4**
Arndale Shop. Cen. Shipl —6F 17
(off Market St.)
Arnford Clo. *B'frd* —1B **36** (1F **5**)
Arnold Pl. *B'frd* —1G **35**
Arnold St. *B'frd* —6G **27**
Arnold St. *Hal* —6A **48**
Arnold St. *Sower B* —3D **54**
Arnside Av. *Riddl* —2G **7**

Arnside Rd. *B'frd* —1A **44**
Art Gallery (1853) & Salts Mill.
—4D **16**
Arthington Rd. *B'frd* —1G **35**
Arthur Av. *B'frd* —2A **34**
Arthur St. *Bgly* —1F **15**
Arthur St. *Bigh* —5G **59**
Arthur St. *Idle* —1D **28**
Arthur St. *Oakw* —3G **11**
Arum St. *B'frd* —6G **35**
Arundel St. *Hal* —6H **47**
Ascot Av. *B'frd* —1C **42**
Ascot Dri. *B'frd* —1C **42**
Ascot Gdns. *B'frd* —1C **42**
Ascot Gro. *Brigh* —6C **58**
Ascot Pde. *B'frd* —1C **42**
Ashbourne Av. *B'frd* —4B **28**
Ashbourne Av. *Cleck* —6F **53**
Ashbourne Bank. *B'frd* —4B **28**
Ashbourne Clo. *B'frd* —4B **28**
Ashbourne Cres. *B'frd* —4B **28**
Ashbourne Cres. *Q'bry* —2D **40**
Ashbourne Dri. *B'frd* —4B **28**
Ashbourne Dri. *Cleck* —6F **53**
Ashbourne Gdns. *B'frd* —4B **28**
Ashbourne Gth. *B'frd* —3C **28**
Ashbourne Gro. *B'frd* —4B **28**
Ashbourne Gro. *Hal* —6H **47**
Ashbourne Haven. *B'frd* —4B **28**
Ashbourne Mt. *B'frd* —4B **28**
Ashbourne Oval. *B'frd* —4B **28**
Ashbourne Ri. *B'frd* —4B **28**
Ashbourne Rd. *B'frd* —4B **28**
Ashbourne Rd. *Kei* —1C **12**
Ashbourne Way. *B'frd* —3B **28**
Ashbourne Way. *Cleck* —6F **53**
Ashburn Gro. *Bail* —1G **17**
Ashburnham Gro. *B'frd* —4F **27**
Ashby St. *B'frd* —5C **36**
Ash Clo. *Hal* —5B **50**
Ash Ct. *Schol* —5B **52**
Ash Cft. *B'frd* —3E **43**
Ashday La. *Hal* —4G **57**
Ashdene Ct. *Cull* —1F **23**
Ashdown Clo. *B'frd* —2F **43**
Ashdown Clo. *Hal* —1F **55**
Ashdown Ct. *Shipl* —6C **16**
Ashfield. *B'frd* —2F **45**
Ashfield Av. *B'frd* & *Shipl* —2F **27**
Ashfield Clo. *Hal* —3H **47**
Ashfield Ct. *Bgly* —3G **15**
Ashfield Cres. *Bgly* —3G **15**
Ashfield Dri. *Bail* —1H **17**
Ashfield Dri. *B'frd* —2F **27**
Ashfield Dri. *Hal* —3H **47**
Ashfield Gro. *B'frd* —2E **27**
Ashfield Pl. *Fag* —5F **29**
Ashfield Rd. *B'frd* —4D **18**
Ashfield Rd. *G'lnd* —2B **60**
Ashfield Rd. *Shipl* —6C **16**
Ashfield Rd. *T'tn* —3D **32**
Ashfield St. Kei —5D **6**
(off Minnie St.)
Ashfield Ter. *Bgly* —3G **15**
Ashfield Ter. *G'lnd* —1B **60**
Ashfield Ter. *Haw* —1G **21**
Ashfield Ter. Mar —6G **53**
(off Pyenot Hall La.)
Ashfield Ter. *Wyke* —1H **51**
Ashford Grn. *B'frd* —2D **42**
Ash Ghyll Gdns. *Bgly* —1F **15**
Ash Gro. *Bgly* —4G **15**
Ashgrove. *B'frd* —3H **35** (6A **4**)
Ash Gro. *Cleck* —6D **52**
Ash Gro. *Clif C* —4G **59**
Ash Gro. *Eccl* —4E **29**
Ashgrove. *Gre* —6G **19**
Ash Gro. *Kei* —1C **12**
Ashgrove Av. *Hal* —4D **56**
Ashgrove Pl. *Hal* —4E **57**
Ashgrove Rd. *Kei* —1C **6**
Ash Gro. Ter. Brigh —6E **59**
(off Thomas St.)
Ash Hill Wlk. *B'frd* —5D **36**
Ashington Clo. *B'frd* —4F **29**
Ashlar Gro. *Q'bry* —4D **40**
Ashlea Av. *Brigh* —6F **59**
Ashlea Clo. *Brigh* —6F **59**
Ashleigh St. *Kei* —3E **7**
Ashley La. *Shipl* —5F **17**
Ashley Rd. *Bgly* —3G **15**
Ashley Rd. *Wyke* —3G **51**
Ashley St. *Hal* —6H **47**
Ashley St. *Shipl* —5F **17**
Ash M. *B'frd* —6G **19**

Ash Mt. *B'frd* —4F **35**
Ashmount. *Cytn* —5B **34**
Ash Mt. *Kei* —6C **6**
Ash St. *Cleck* —6E **53**
Ash St. *Oxe* —4G **21**
Ash Ter. *Bgly* —3F **15**
Ashton Av. *B'frd* —4C **34**
Ashton St. *B'frd* —2H **35** (3A **4**)
Ashton Wlk. *B'frd* —6C **18**
Ash Tree Av. *T'tn* —3B **32**
Ash Tree Gdns. *Hal* —6E **39**
Ashtree Gro. *B'frd* —1D **42**
Ash Tree Rd. *Hal* —6E **39**
Ash Villa. Hal —1A **56**
(off Lister La.)
Ashville Cft. *Hal* —5F **47**
Ashville Gdns. *Hal* —5F **47**
Ashville Gro. *Hal* —4F **47**
Ashville St. *Hal* —4A **48**
Ashville Ter. *Oakw* —2H **11**
Ashwell La. *B'frd* —3E **27**
Ashwell Rd. *H'tn* —3E **27**
Ashwell Rd. *Mann* —6F **27**
Ashwood Dri. *Riddl* —2A **8**
Ashwood St. *B'frd* —2F **45**
Ashworth Pl. *B'frd* —2H **43**
Askrigg Dri. *B'frd* —4D **28**
Aspen Clo. *Kei* —6G **7**
Aspen Ri. *All* —3F **25**
Aspinall St. *Hal* —1H **55**
Asprey Dri. *All* —1H **33**
Aston Rd. *B'frd* —6A **36**
Astral Av. *Hal* —5B **50**
Astral Clo. *Hal* —5B **50**
Astral Vw. *B'frd* —1E **43**
Atalanta Ter. *Hal* —3G **55**
Atamco Ho. Cleck —6G **53**
(off Albion St.)
Atherstone Rd. *All* —2H **33**
Athol Clo. *Hal* —2A **48**
Athol Cres. *Hal* —2A **48**
Athol Gdns. *Hal* —2A **48**
Athol Grn. *Hal* —2A **48**
Athol Rd. *B'frd* —5F **27**
Athol Rd. *Hal* —2A **48**
Athol St. *Hal* —2A **48**
Athol St. *Kei* —2G **7**
Atkinson's Ct. *Hal* —5C **48**
Atkinson St. *Shipl* —5F **17**
Atlas Mill Rd. *Brigh* —5E **59**
Atlas St. *B'frd* —6F **27**
Auckland Rd. *B'frd* —2E **43**
Aurelia Ho. *B'frd* —5G **27**
Austell Ho. B'frd —5H **35**
(off Park La.)
Austin Av. *Brigh* —3D **58**
Austin St. *Kei* —3F **7**
Autumn St. *Hal* —2H **55**
Avenel Rd. *All* —6H **25**
Avenel Ter. *All* —1H **33**
Avenham Way. *B'frd*
—1C **36** (2G **5**)
Avenue No.1. *Brigh* —6E **59**
Avenue No.2. *Brigh* —6E **59**
Avenue Rd. *B'frd* —6B **36**
Avenue St. *B'frd* —2F **45**
Avenue, The. *Bgly* —5H **15**
Avenue, The. *Cytn* —6G **33**
Avenue, The. *Hal* —5B **50**
Avenue, The. *Idle* —2G **19**
(in three parts)
Avenue, The. *Wilsd* —3D **24**
Averingcliffe Rd. *B'frd* —1F **29**
Avocet Clo. *B'frd* —6E **37**
Avondale. *Kei* —3C **6**
Avondale Cres. *Shipl* —6E **17**
Avondale Gro. *Shipl* —6E **17**
Avondale Mt. *Shipl* —6E **17**
Avondale Pl. *Hal* —3B **56**
Avondale Rd. *Shipl* —6E **17**
Aydon Way. *She* —4C **42**
Aygill Av. *B'frd* —4B **26**
Aylesbury St. *Kei* —1C **12**
Aylesham Ind. Est. *Low M* —5H **43**
Aynsley Gro. *All* —5H **25**
Ayresome Oval. *All* —2G **33**
Ayreville Dri. *Hal* —5A **42**
Ayrton Cres. *Bgly* —2G **15**
Aysgarth Av. *Hal* —1E **59**
Aysgarth Clo. *Wyke* —3G **51**
Aysgarth Cres. *Hal* —2C **46**
Ayton Clo. *B'frd* —1C **36** (2H **5**)
Ayton Ho. *B'frd* —2H **45**
Azealea Ct. *B'frd* —1D **36** (2H **5**)
(in two parts)

Bk. Ada St. *Kei* —4C **6**
(off Devonshire St.)
Bk. Aireview Ter. *Kei* —5G **7**
Bk. Aireville St. *Kei* —1C **6**
Bk. Ann St. Denh —6F **23**
(off William St.)
Bk. Ashgrove W. *B'frd* —3H **35** (6A **4**)
Bk. Aylesbury St. Kei —1C **12**
(off Queen's Rd.)
Bk. Baker St. *Shipl* —5E **17**
Bk. Balfour St. *Bgly* —3F **15**
Bk. Balfour St. *Kei* —5D **6**
Bk. Beech St. *Bgly* —3F **15**
Bk. Blackwood Gro. *Hal* —5H **47**
Bk. Blenheim Mt. *B'frd* —5G **27**
Bk. Bower Rd. *Ell* —2G **61**
Bk. Broomfield Rd. *Kei* —4D **6**
Bk. Broomfield St. *Kei* —4D **6**
Bk. Buxton St. B'frd —4F **7**
(off Buxton St.)
Bk. Byrl St. Kei —2E **7**
(off Byrl St.)
Bk. Caister St. Kei —1D **12**
(off Oakfield Rd.)
Bk. Caledonia Rd. Kei —3F **7**
(off Caledonia Rd.)
Bk. Cartmel Rd. Kei —4C **6**
(off Devonshire Rd.)
Bk. Castle Rd. *Kei* —3D **6**
Bk. Cavendish Rd. *B'frd* —6D **18**
Bk. Cavendish St. *Kei* —4E **7**
Bk. Cavendish Ter. *Hal* —6A **48**
Bk. Chapel St. *B'frd* —2B **36** (4F **5**)
Bk. Charles St. Brigh —4E **59**
(off Charles St.)
Bk. Claremount Ter. *Hal* —3C **48**
Bk. Clarence St. *Hal* —6B **48**
Bk. Clarendon Pl. *Hal* —6A **48**
Bk. Clough. *Hal* —3G **49**
Bk. Colenso Rd. *Kei* —2G **7**
(off Aireworth Rd.)
Bk. Commercial St. Hal —6C **48**
(off Commercial St.)
Bk. Compton St. Kei —3F **7**
(off Compton St.)
Bk. Croft Ho. La. *Kei* —1C **6**
Bk. Cromer Av. Kei —6D **6**
(off Cromer Rd.)
Bk. Cromer Gro. Kei —1D **12**
(off Cromer Rd.)
Bk. Cromwell Ter. *Hal* —6B **48**
Bk. Cross La. Ell —3E **61**
(off Linden Rd.)
Bk. Dudley Hill Rd. *B'frd* —5D **28**
Bk. Eaton St. Kei —1C **12**
(off Queen's Rd.)
Bk. Edensor Rd. Kei —4C **6**
(off Devonshire Rd.)
Bk. Elizabeth St. *B'frd* —4A **36**
Bk. Elmfield Ter. *Hal* —2B **56**
Bk. Emily St. Kei —3E **7**
(off Cross Emily St.)
Bk. Eric St. Kei —3E **7**
(off Eric St.)
Bk. Eversley Mt. *Hal* —1G **55**
Bk. Ferguson St. *Hal* —1C **56**
Back Fld. T'tn —3E **33**
(off Havelock Sq.)
Bk. Field Cft. T'tn —3E **33**
(off Bk. High St.)
Bk. Florist St. Kei —2G **7**
(off Florist St.)
Back Fold. *Cytn* —4H **33**
Bk. Foster Rd. Kei —1D **12**
(off Oakfield Rd.)
Bk. Gerard St. *Hal* —6B **48**
Bk. Giles St. N. *B'frd* —4H **35**
Bk. Giles St. S. *B'frd* —4H **35**
Bk. Girlington Rd. *B'frd* —6D **26**
Bk. Gladstone Rd. *Hal* —6B **48**
Bk. Gladstone St. *Bgly* —3F **15**
Bk. Glen Ter. *Hal* —2B **56**
Bk. Gooder La. *Brigh* —6F **59**
Bk. Grant St. *Kei* —4C **6**
Bk. Grassington Ter. Kei —3E **7**
(off Lawkholme La.)
Bk. Gt. Russell St. *B'frd* —2G **35**
Bk. Greaves St. B'frd —6H **35**
(off Greaves St.)
Bk. Grosvenor Ter. *Hal* —6A **48**
Bk. Grouse St. Kei —3F **7**
(off Parson St.)
Bk. Heights Rd. *T'tn* —2B **32**
Bk. High St. *T'tn* —3E **33**
Bk. Hird St. *Kei* —5D **6**

Backhold Av. *Hal* —5E **57**
Backhold Dri. *Hal* —5D **56**
Backhold Hall. *Hal* —4E **57**
Backhold La. *Hal* —5D **56**
Backhold Rd. *Hal* —5E **57**
Bk. Hope Hall Ter. *Hal* —1C **56**
Bk. Hyde Gro. Kei —3F **7**
(off Kirby St.)
Bk. John St. *T'tn* —3D **32**
Bk. Kensington St. B'frd —6E **27**
(off Kensington St.)
Bk. Kirby St. Kei —3F **7**
(off Kirby St.)
Bk. Kirkgate. *Shipl* —6E **17**
Bk. Laisteridge La. *B'frd*
—3G **35** (6A **4**)
Back La. *All* —5D **24**
Back La. *Cytn* —5A **34**
Back La. *E Mor* —2D **8**
Back La. *Hal* —6F **39**
Back La. *H'tn* —3E **27**
Back La. *Idle* —5D **18**
Back La. *Ogden* —6E **31**
Back La. *Q'bry* —1G **41**
Back La. *Stanb* —2A **20**
Back La. *T'tn* —2D **32**
Bk. Lime St. Kei —2D **12**
(off Ivy St. S.)
Bk. Lindum St. B'frd —5G **27**
(off Manningham La.)
Bk. Lord St. *Hal* —6B **48**
Bk. Lyons St. *Q'bry* —2F **41**
Bk. Lytton St. *Hal* —4C **48**
Bk. Malt St. Kei —1C **12**
(off Bracken Rd.)
Bk. Mannville Rd. Kei —5C **6**
(off Malsis Rd.)
Bk. Manor St. *B'frd* —4D **28**
Bk. Market St. *B'frd* —2G **43**
Bk. Milton Ter. *Hal* —6B **48**
Bk. Mitchell Ter. Bgly —3F **15**
Bk. Moorfield St. *Hal* —2A **56**
Bk. Morning St. Kei —1D **12**
(off Morning St.)
Bk. Muff St. *B'frd* —4D **36**
Bk. Myrtle Av. *Bgly* —3F **15**
Bk. Myrtle Ter. *Cro R* —4B **12**
Bk. North St. *Oaken* —1C **52**
Bk. of the Mill. *H'den* —4A **14**
Bk. Otterburn St. Kei —3E **7**
(off Ashleigh St.)
Bk. Paget St. *Kei* —4C **6**
(off Devonshire St.)
Bk. Park Ter. *Hal* —1A **56**
Bk. Pelham Rd. *B'frd* —4D **28**
Bk. Pleasant St. *Sower B* —3E **55**
Bk. Prospect Pl. *Kei* —5D **6**
Bk. Queen St. *G'lnd* —3C **60**
Bk. Rhodes St. *Hal* —6B **48**
Bk. Ribble St. Kei —3H **7**
(off Ribble St.)
Bk. Richardson St. *Oaken* —1C **52**
Bk. Ripley St. Riddl —2H **7**
(off Ripley St.)
Bk. Ripon St. *Hal* —1G **55**
Bk. Ripon Ter. *Hal* —4B **48**
Bk. River St. *Haw* —6H **11**
Back Rd. *Wyke* —1G **51**
Bk. Rowsley St. Kei —4F **7**
(off Rowsley St.)
Bk. Roydwood Ter. *Cull* —1F **23**
Bk. Rupert St. Kei —3E **7**
(off Rupert St.)
Bk. Russell St. *B'frd* —4H **35** (6B **4**)
Bk. Rydal St. *Kei* —5C **6**
Bk. Rylstone St. *Kei* —3G **7**
Bk. St Paul's Rd. *Shipl* —6E **17**
Bk. Salisbury Ter. *Hal* —4B **48**
Bk. Saltaire Rd. N. *Shipl* —5E **17**
Bk. Savile Pde. *Hal* —2B **56**
Bk. Shaw La. *Kei* —1F **13**
Bk. Simpson St. *Kei* —4C **6**
Bk. Sladen St. *Kei* —4C **6**
Bk. Smith Row. *B'frd* —6G **35**
Bk. Southfield Sq. B'frd —6G **27**
(off Southfield Sq.)
Bk. South Pde. *Ell* —4E **61**
(in two parts)
Bk. Springfield Pl. *B'frd* —1B **4**
Bk. Springfield Rd. *Ell* —2G **61**
Bk. Stone Hall Rd. *B'frd* —3D **28**
Bk. Sycamore Av. *Bgly* —3F **15**
Bk. Tamworth St. *B'frd* —3G **37**
Bk. Trinity Ter. *B'frd* —4H **35**

Bk. Unity St. S. *Bgly* —3F **15**
Bk. Victoria St. *Hal* —6C **48**
Bk. Victor Ter. *Hal* —5H **47**
Bk. Violet Ter. *Sower B* —3E **55**
(off Violet Ter.)
Bk. Wakefield Rd. *Sower B* —3F **55**
Bk. Walnut St. *Kei* —1D **12**
(off Walnut St.)
Bk. Waverley St. *Ell* —4F **61**
Bk. West St. *Sower B* —4D **54**
Bk. Wharf St. *Sower B* —3E **55**
Bk. Wheat St. *Kei* —1C **12**
(off Bracken Rd.)
Bk. William St. *Brigh* —6E **59**
(off William St.)
Bk. Winterburn St. *Kei* —3E **7**
(off Ashleigh St.)
Bk. Wolseley Ter. *Hal* —6H **47**
Bk. Wright Av. *Oakw* —2H **11**
Bk. York Cres. *Hal* —2H **55**
(off Up. Washer La.)
Baddeley Gdns. *B'frd* —4C **18**
Baden St. *Haw* —5G **11**
Baden Ter. *Cleck* —6F **53**
(off Tofts Rd.)
Badgergate Av. *Wilsd* —3C **24**
Badger La. *Hal* —6H **49**
Badgers Way. *B'frd* —3A **28**
Badsworth Ct. *Cytn* —4B **34**
Bagnall Ter. *B'frd* —2F **43**
Baildon. —2G 17
Baildon Green. —3F 17
Baildon Holmes. —4G 17
Baildon Holmes. *Bail* —4G **17**
(off Northgate)
Baildon Rd. *Bail* —2G **17**
Baildon Wood Bottom. —4F 17
Baildon Wood Ct. *Bail* —4G **17**
Bailey Hall Bank. *Hal* —6D **48**
Bailey Hall Rd. *Hal* —1D **56**
Bailey St. *B'frd* —4B **36**
Bailey Wells Av. *B'frd* —6G **35**
Bailiff Bridge. —6F 51
Baines St. *Hal* —5A **48**
Baird St. *B'frd* —5A **36**
Bairstow La. *Sower B* —1E **55**
Bairstow Mt. *Sower B* —2F **55**
Bairstow's Bldgs. *Hal* —2H **47**
Bairstow St. *All* —4G **25**
Baker Fold. *Hal* —6A **48**
(off Lister's Clo.)
Baker M. *T'tn* —3D **32**
Baker St. *B'frd* —5D **28**
Baker St. *Shipl* —5E **17**
Baker St. N. *Hal* —6A **40**
Baker Vs. *All* —1H **33**
Bakes St. *B'frd* —5E **35**
Balcony Cotts. *Q'bry* —3E **41**
Baldwin La. *Q'bry* —1G **41**
Balfour St. *Bgly* —3F **15**
Balfour St. *B'frd* —5C **36**
Balfour St. *Kei* —5D **6**
Balk La. *B'frd* —5F **35**
Balkram Dri. *Hal* —6D **38**
Balkram Edge. *Hal* —6B **38**
Balkram Rd. *Hal* —6D **38**
Ballantyne Rd. *B'frd* —3C **18**
Ball St. *T'tn* —3E **33**
Balme La. *B'frd* —2H **51**
Balme Rd. *Cleck* —5F **53**
Balme St. *B'frd* —2B **36** (3E **5**)
Balme St. *Wyke* —2G **51**
Balmoral Pl. *Hal* —1C **56**
Balmoral Pl. *Q'bry* —4C **40**
Bamford Ho. *B'frd* —2G **45**
(off Tong St.)
Bank. *B'frd* —2E **29**
Bank Bottom. *Hal* —6D **48**
Bank Bottom La. *Hal* —4B **46**
Bank Clo. *B'frd* —2E **29**
Bank Crest. *Bail* —2G **17**
Bankcrest Ri. *Shipl* —6A **16**
Bank Dri. *B'frd* —2H **43**
Bank Edge Clo. *Hal* —6F **39**
Bank Edge Gdns. *Hal* —2G **47**
Bank Edge Rd. *Hal* —1G **47**
Bankfield Av. *Shipl* —6B **16**
Bankfield Dri. *Kei* —4A **6**
Bankfield Dri. *Shipl* —6B **16**
Bankfield Gdns. *Hal* —1F **57**
Bankfield Grange. *G'lnd* —2C **60**
Bankfield Gro. *Shipl* —1B **16**
Bankfield Mt. *Hal* —3A **6**

Bankfield Museum & Duke of
Wellington's Regiment Museum.
—4C **48**
Bankfield Rd. *Kei* —3A **6**
Bankfield Rd. *Shipl* —6B **16**
Bankfield St. *Kei* —3A **6**
Bankfield Ter. *Bail* —3H **17**
Bankfield Vw. *Hal* —4B **48**
Bankfield Wlk. *Kei* —3A **6**
Bank Foot. —2G 43
Bank Holme Ct. *B'frd* —1H **45**
Bank Ho. *B'frd* —3G **5**
Bankhouse La. *Hal* —5D **56**
Bank Ho. La. *Mt Tab* —1A **46**
Bank Ho. Ter. *Hal* —5D **56**
Bank La. *Kei* —4A **6**
Bank La. *Oakw* —3F **11**
Bank La. *Oxe* —5C **20**
Bank Rd. *Sower B* —4D **54**
(in two parts)
Banks End. *Ell* —3H **61**
Banks End Rd. *Ell* —3H **61**
Bank Side. *Bail* —2G **17**
Bankside Ter. *Bail* —3F **17**
Banks La. *Riddl* —1G **7**
Bank St. *B'frd* —2A **36** (4D **4**)
(in two parts)
Bank St. *Brigh* —5E **59**
Bank St. *Cleck* —6E **53**
Bank St. *Kei* —4E **7**
(off Airedale Shop. Cen.)
Bank St. *Shipl* —6F **17**
Bank St. *Wibs* —2G **43**
Bank Top. —2E 29
(nr. Eccleshill)
Bank Top. —2F 57
(nr. Halifax)
Bank Top. *S'wram* —1E **57**
Bank Top Dri. *Riddl* —1H **7**
Bank Top Way. *Kei* —5H **7**
Bank Vw. *Bail* —3F **17**
Bank Vw. Ho. *Bail* —3G **17**
(off Bank Vw.)
Bank Wlk. *Bail* —2G **17**
Bankwell Fold. *B'frd* —2H **43**
Bannerman St. *B'frd* —6C **44**
Banner St. *B'frd* —3C **36** (5H **5**)
Bannockburn Ct. *B'frd* —2D **44**
Bantree Ct. *B'frd* —3C **18**
Baptist Fold. *Q'bry* —3D **40**
(off Russell Rd.)
Baptist Pl. *B'frd* —2H **35** (3B **4**)
Barberry Av. *B'frd* —1G **37**
Barber St. *Brigh* —6C **59**
Barclay Clo. *Cull* —1G **23**
Barcroft. —5B 12
Barcroft. *Cro R* —5B **12**
Barden Av. *B'frd* —2B **42**
Barden Dri. *Bgly* —1A **16**
Barden St. *B'frd* —6F **27**
Bardsey Cres. *B'frd* —2C **36**
Bardsey Ho. *B'frd* —4F **37**
(off Parsonage Rd.)
Bardsley Cres. *B'frd* —4H **5**
Bare Head La. *Hal* —6D **40**
Barfield Rd. *Hal* —6A **50**
Bargrange Av. *Shipl* —1F **27**
Barham Ter. *B'frd* —3F **29**
Bar Ho. La. *Kei* —1B **6**
Baring Av. *B'frd* —1F **37**
Barker Clo. *Hal* —4E **57**
Barker Ho. *Hal* —4E **57**
Barkerend. —2C 36 (3H 5)
Barkerend Rd. *B'frd* —2B **36** (3F **5**)
Barker Ho. *Hal* —4E **57**
Barkston Wlk. *All* —2G **33**
Bar La. *Riddl* —2H **7**
Barley Cote Av. *Riddl* —1H **7**
Barley Cote Gro. *Riddl* —1A **8**
Barley Cote Rd. *Riddl* —1A **8**
Barley St. *Kei* —1C **12**
Barlow Rd. *Kei* —4D **6**
Barlow St. *B'frd* —2D **36**
Barmby Pl. *B'frd* —6D **28**
Barmby Rd. *B'frd* —6D **28**
Barmby St. *Wyke* —1H **51**
Barmouth Ter. *B'frd* —6B **28**
Barnaby Rd. *Bgly* —1A **16**
Barnard Av. *B'frd* —4C **36**
Barnard Ter. *B'frd* —4C **36**
Barnby Av. *B'frd* —2A **34**
Barnes Rd. *B'frd* —1D **34**
Barnsley Beck Gro. *Bail* —2H **17**
Barnstaple Wlk. *B'frd* —1F **45**
Barn St. *Oxe* —5G **21**
Barraclough Bldgs. *B'frd* —6G **19**

Barraclough Sq. *B'frd* —1G **51**
Barraclough St. *Low M* —5F **43**
Barran St. *Bgly* —2G **15**
Barrington Clo. *Hal* —3G **57**
Barrowclough La. *Hal* —6F **49**
Barry St. *B'frd* —2A **36** (4C **4**)
Barthorpe Clo. *B'frd* —1H **45**
Bartle Clo. *B'frd* —6D **34**
Bartle Fold. *B'frd* —5E **35**
Bartle Gill Dri. *Bail* —1A **18**
Bartle Gill Ri. *Bail* —1A **18**
Bartle Gill Vw. *Bail* —1A **18**
Bartle Gro. *B'frd* —6D **34**
Bartle La. *B'frd* —6D **34**
Bartle Pl. *B'frd* —6D **34**
Bartle Sq. *B'frd* —6E **35**
Barton St. *B'frd* —6F **35**
Barton St. *Brigh* —4E **59**
(off Manley St.)
Barum Top. *Hal* —6C **48**
Barwick Grn. *B'frd* —2C **42**
Basil St. *B'frd* —6F **35**
Baslow Gro. *B'frd* —5D **26**
Bateman St. *B'frd* —6H **27**
Bates Av. *Sower B* —4H **55**
Bateson St. *B'frd* —6G **19**
Bath Pl. *Cleck* —6F **53**
Bath Pl. *Hal* —4B **48**
Bath Rd. *Cleck* —6F **53**
Bath Rd. *Hal* —3C **56**
Bath St. *B'frd* —2C **36** (4G **5**)
Bath St. *Ell* —3F **61**
Bath St. *Hal* —1D **56**
Bath St. *Kei* —4D **6**
Batley St. *Hal* —4A **48**
Battinson Rd. *Hal* —5H **47**
Battinson's St. *Hal* —2E **57**
Battye St. *B'frd* —3E **37**
Bavaria Pl. *B'frd* —6F **27**
Bawson Ct. *Gom* —4H **53**
Baxandall St. *B'frd* —6H **35**
Baxter La. *Hal* —2G **49**
Bayne Dri. *B'frd* —3D **44**
Bay of Biscay. *All* —3G **25**
Bayswater Gro. *B'frd* —5F **29**
Bayswater Ter. *Hal* —4C **56**
Beacon Brow. *B'frd* —1B **42**
Beacon Clo. *Bgly* —2H **15**
Beacon Gro. *B'frd* —2D **42**
Beacon Hill Rd. *Hal* —5D **48**
(in two parts)
Beacon Pl. *B'frd* —2C **42**
Beacon Rd. *B'frd* —1B **42**
Beaconsfield Rd. *Cytn* —5A **34**
Beaconsfield St. *Hal* —1E **57**
Beacon St. *B Top* —1C **42**
Beacon St. *Wibs* —2E **43**
Beamsley Gro. *Bgly* —2H **15**
Beamsley Ho. *Shipl* —2F **27**
(off Bradford Rd.)
Beamsley Rd. *Shipl* —5F **27**
Beamsley Rd. *Shipl* —2F **27**
Beamsley Wlk. *B'frd* —5E **27**
Beatrice St. *Cleck* —5F **53**
Beatrice St. *Kei* —2D **6**
Beatrice St. *Oxe* —5G **21**
Beaufort Gro. *B'frd* —4C **28**
Beaumont Rd. *B'frd* —6F **27**
Beauvais Dri. *Riddl* —3B **8**
Beckenham Pl. *Hal* —5G **47**
Beckfield Rd. *Bgly* —6F **15**
Beckfoot La. *Bgly* —3E **15**
Beck Hill. —5C 42
Beck Hill. *B'frd* —4C **42**
Beck La. *Bgly* —6F **9**
Beck Rd. *Bgly* —3E **9**
Beck Side. *Kei* —5E **7**
Beckside La. *B'frd* —5E **35**
Beckside Rd. *B'frd* —4E **35**
Becks Rd. *Kei* —5C **6**
Beck St. *Kei* —5D **6**
Beckwith Dri. *B'frd* —2F **29**
Bedale Dri. *B'frd* —2C **42**
Bede's Clo. *T'tn* —3D **32**
Bedford St. *B'frd* —3B **36** (6E **5**)
Bedford St. *Cleck* —6E **53**
(off Westgate)
Bedford St. *Ell* —3F **61**
Bedford St. *Hal* —6B **48**
Bedford St. *Kei* —4D **6**
Bedivere Rd. *B'frd* —2B **34**
Beech Av. *Denh* —4E **23**
Beech Av. *Sower B* —2D **54**
Beechcliffe. —2E 7

Beech Clo. *B'frd* —3D **18**
Beech Clo. *Hal* —5B **42**
Beech Cres. *Bail* —4D **16**
Beech Cres. *B'frd* —6D **28**
Beech Cft. *Bail* —4F **17**
(off Valley Vw.)
Beech Dri. *Denh* —4E **23**
Beecher St. *Hal* —3B **48**
Beecher St. *Kei* —3G **7**
Beeches Rd. *Hal* —3G **7**
Beeches, The. *Bail* —1H **17**
Beeches, The. *Schol* —5B **52**
(off Field Hurst)
Beeches, The. *Schol* —6B **52**
(off Scholes La.)
Beechfield Ter. *Cleck* —6G **53**
(off Mayfield Ter.)
Beech Gro. *Bgly* —6H **9**
Beech Gro. *B'frd* —6D **28**
Beech Gro. *Cytn* —5A **34**
Beech Gro. *Hal* —6E **51**
Beechmount Clo. *Bail* —1H **17**
Beech Rd. *B'frd* —4G **43**
Beech Rd. *Sower B* —3E **55**
Beech Sq. *Cytn* —5A **34**
Beech St. *Bgly* —3F **15**
Beech St. *Ell* —3F **61**
Beech St. *Hal* —6B **48**
Beech St. *Holy G* —5A **60**
Beech St. *Kei* —3G **7**
Beech Ter. *B'frd* —1D **36**
Beechtree Ct. *Bail* —3E **17**
Beech Vw. *Sower B* —2D **54**
Beechwood. —4B 54
Beechwood Av. *B'frd* —1E **43**
Beechwood Av. *Hal* —6A **40**
Beechwood Av. *Riddl* —2H **7**
Beechwood Av. *She* —6H **41**
Beechwood Av. *Shipl* —6C **16**
Beechwood Clo. *Hal* —1H **47**
Beechwood Cres. *Sower B* —4B **54**
Beechwood Dri. *B'frd* —1F **43**
Beechwood Dri. *Hal* —6H **39**
Beechwood Dri. *Sower B* —4B **54**
Beechwood Gro. *B'frd* —1F **43**
Beechwood Gro. *Hal* —1H **47**
Beechwood Gro. *Shipl* —6C **16**
Beechwood Rd. *B'frd* —1F **43**
Beechwood Rd. *Hal* —1H **47**
Beechwood Vs. *Hal* —1H **47**
Beecroft St. *Kei* —4F **7**
Beecroft Wlk. *All* —2G **33**
Beehive St. *B'frd* —4D **42**
Beehive Yd. *B'frd* —4D **42**
Bela Av. *B'frd* —1E **45**
Beldon Hill. —1D 42
Beldon La. *B'frd* —2D **42**
Beldon Pk. Av. *B'frd* —1D **42**
Beldon Pk. Clo. *B'frd* —1D **42**
Beldon Pl. *B'frd* —5D **28**
Beldon Rd. *B'frd* —6E **35**
Belfast St. *Hal* —1H **55**
Belford Clo. *B'frd* —6F **37**
Belgrave Av. *Hal* —5D **48**
Belgrave Clo. *Hal* —5D **48**
Belgrave Cres. *Hal* —5D **48**
Belgrave Dri. *Hal* —4E **49**
Belgrave Gro. *Hal* —4D **48**
Belgrave Mt. *Hal* —4D **48**
Belgrave Pk. *Hal* —4D **48**
Belgrave Rd. *Bgly* —1G **15**
Belgrave Rd. *Kei* —3D **6**
Belgrave St. *Sower B* —3D **54**
Bell Bank Vw. *Bgly* —1E **15**
Bellcross St. *Hal* —4D **48**
Bell Dean Rd. *All & B'frd* —1H **33**
Belle Isle Rd. *Haw* —6G **11**
Bellerby Brow. *B'frd* —2B **42**
Belle Vw. *Q'bry* —4E **41**
Belle Vue. *Eccl* —2E **29**
Belle Vue. *Mann* —6H **27**
Belle Vue Cres. *Hal* —6H **41**
Bellevue Pl. *Hal* —6A **48**
Belle Vue Ri. *Hal* —6H **41**
Belle Vue Rd. *Hal* —6H **41**
Bellevue Ter. *Hal* —2E **57**
Bellgrave Gdns. *Hal* —4D **48**
Bell Hall Mt. *Hal* —2A **56**
Bell Hall Ter. *Hal* —2A **56**
Bell Hall Vw. *Hal* —2B **56**
Bell Ho. *B'frd* —2D **44**
Bellhouse Cres. *B'frd* —3D **44**
Belloe St. *B'frd* —5H **35**

Bellshaw St. *B'frd* —2C **34**
Bell St. *Hal* —4D **48**
Bell St. *Wyke* —1G **51**
Belmont Av. *Bail* —2F **17**
Belmont Av. *Low M* —4A **44**
Belmont Clo. *B'frd* —2F **17**
Belmont Cres. *Low M* —4A **44**
Belmont Cres. *Shipl* —5E **17**
Belmont Gdns. *Low M* —4H **43**
Belmont Gro. *B'frd* —4H **43**
Belmont Pl. *Hal* —1A **56**
Belmont Ri. *Bail* —2F **17**
Belmont Ri. *Low M* —4A **44**
Belmont St. *B'frd* —2E **29**
Belmont St. *Hal* —5E **49**
Belmont St. *Sower B* —3E **55**
Belmont Ter. *L'ft* —2A **54**
Belmont Ter. *Shipl* —5E **17**
Belton Clo. *B'frd* —6E **35**
Belton Gro. *Hud* —6H **61**
Belvedere St. *B'frd* —1F **35**
Belvedere Ter. *B'frd* —1F **35**
Belvoir Gdns. *Hal* —4C **56**
Bempton Ct. *B'frd* —5F **35**
Bempton Ho. B'frd —1E 29
(off Savile Av.)
Bempton Pl. *B'frd* —5F **35**
Benbow Av. *B'frd* —2G **29**
Benn Av. *B'frd* —5D **34**
Benn Cres. *B'frd* —5D **34**
Bennett St. *Hal* —1E **57**
Benns La. *Hal* —3A **46**
Benroyd Ter. *Holy G* —6C **60**
(in two parts)
Benson's Mobile Home Pk. *Riddl*
—1B **8**
Bentcliff Wlk. *All* —2H **33**
Bentfield Cotts. *Cytn* —4A **34**
Bentley Av. *Hal* —6E **51**
Bentley Clo. *Bail* —1F **17**
Bentley Mt. *Sower B* —2F **55**
Bentley Royd Clo. *Sower B* —4C **54**
Bentley St. *Wyke* —2H **51**
Bents La. *Wilsd* —3A **24**
Beresford Rd. *B'frd* —4F **43**
Beresford St. *Oaken* —6C **44**
Berger Bldgs. *Ell* —2G **61**
Berger Ho. *B'frd* —6G **27**
Berkeley Ho. B'frd —6G 37
(off Stirling Cres.)
Berrington Way. *Oakw* —2F **11**
Berry La. *Hal* —6D **6**
Berry La. *Kei* —6D **6**
Berry Moor Rd. *Norl* —5F **55**
Berry's Bldgs. *Hal* —1H **47**
Berry St. *Kei* —4F **7**
Bertie St. *B'frd* —6E **37**
Bertram Dri. *Bail* —4F **17**
Bertram Rd. *B'frd* —5G **27**
Berwick St. *Hal* —6D **48**
Beryl Dri. *Wyke* —3F **7**
Beryl Mt. *Wyke* —1G **51**
Bescaby Gro. *Bail* —2A **18**
Besha Av. *Low M* —5H **43**
Besha Gro. *Low M* —5H **43**
Bessingham Gdns. *B'frd* —3D **42**
Best La. *Oxe* —5G **21**
Beswick Clo. *B'frd* —2F **37**
Bethel Rd. *Shipl* —5H **17**
Bethel St. *Brigh* —5F **59**
Bethel St. *E Mor* —3D **8**
Bethel St. *Hal* —3A **48**
Bethel Ter. *Ludd* —4A **46**
Beulah Pl. *L'ft* —2A **54**
Bevan Ct. *B'frd* —6D **34**
Beverley Av. *Wyke* —3H **51**
Beverley Clo. *Ell* —2H **61**
Beverley Dri. *Wyke* —3H **51**
Beverley Pl. *Hal* —4B **48**
Beverley St. *B'frd* —4F **37**
Beverley Ter. *Hal* —4B **48**
(in two parts)
Bewerley Cres. *B'frd* —5E **43**
Bideford Mt. *B'frd* —6G **37**
Bierley. —2D 44
Bierley Hall Gro. *B'frd* —4D **44**
Bierley Ho. Av. *B'frd* —2D **44**
Bierley La. *B'frd* —4D **44**
Bierley Vw. *B'frd* —2D **44**
Billingsley Ter. *B'frd* —5D **36**
Billing Vw. *B'frd* —6E **19**
Billsdale Ho. B'frd —5E 19
(off Thorp Gth.)
Bilsdale Grange. *B'frd* —3D **42**
Bilsdale Way. *Bail* —3E **17**

Bilton Pl. *B'frd* —1G **35**
Bingley. —3F 15
Bingley Rd. *B'frd* —2B **26**
Bingley Rd. *Cro R & Kei* —5B **12**
Bingley Rd. *Cull* —1F **23**
Bingley Rd. *Shipl* —5B **16**
Binks Fold. *Wyke* —3H **51**
Binnie St. *B'frd* —2D **36** (3H **5**)
Binns Hill La. *Sower B* —1D **54**
Binns La. *B'frd* —4D **34**
Binns St. *Bgly* —2G **15**
Binns Top La. *Hal* —4G **57**
Binswell Fold. *Bail* —1G **17**
Bircham Clo. *Bgly* —6H **9**
Birch Av. *B'frd* —1B **44**
Birch Cliff. *Bail* —3F **17**
Birch Clo. *B'frd* —1B **44**
Birch Clo. *Brigh* —4G **59**
Birchdale. *Bgly* —5F **9**
Birchencliffe. —6H 61
Birch Gro. *B'frd* —2A **44**
Birch Gro. *Kei* —1D **12**
Birchington Av. *Hud* —6G **61**
Birchington Clo. *Hud* —6H **61**
Birchington Dri. *Hud* —6G **61**
Birchlands Av. *Wilsd* —1B **24**
Birchlands Gro. *Wilsd* —1B **24**
Birch La. *B'frd* —6A **36**
(in five parts)
Birch La. *Hal* —5A **46**
Birch St. *B'frd* —1D **34**
Birch Tree Gdns. *Kei* —5G **7**
Birch Way. *B'frd* —1B **44**
Birchwood Av. *Kei* —1D **6**
Birchwood Dri. *Kei* —1C **6**
Birchwood Rd. *Kei* —1C **6**
Birdcage. *Hal* —5D **48**
Birdcage Hill. *Hal* —4A **56**
Birdcage La. *Hal* —4A **56**
Bird Holme La. *Hal* —4H **49**
Birds Royd. —6F 59
Birds Royd La. *Brigh* —6F **59**
Birdswell Av. *Brigh* —4H **59**
Birkby Haven. *B'frd* —3C **42**
Birkby La. *Bail B* —6F **51**
Birkby St. *Wyke* —1H **51**
Birkdale Clo. *Cull* —1G **23**
Birkdale Ct. *Low U* —1C **6**
Birkdale Gro. *Hal* —4H **39**
Birkett St. *Cleck* —5F **53**
Birkhouse La. *Brigh* —1G **59**
Birkhouse Rd. *Brigh* —6G **51**
Birklands Rd. *Shipl* —6F **17**
Birklands Ter. *Shipl* —6F **17**
Birk Lea St. *B'frd* —5B **36**
Birks. —3D 34
Birks Av. *B'frd* —4D **34**
Birks Fold. *B'frd* —3D **34**
Birkshall La. *B'frd* —3D **36**
Birks Hall La. *Hal* —5A **48**
Birks Hall St. *Hal* —5A **48**
Birkshead. —3D 24
Birksland Ind. Est. *B'frd* —4D **36**
Birksland St. *B'frd* —4D **36**
Birnam Gro. *B'frd* —5C **36**
Birr Rd. *B'frd* —4F **27**
Bishopdale Holme. *B'frd* —3C **42**
Bishop St. *B'frd* —4F **27**
Blackbird Gdns. *B'frd* —2H **33**
Black Brook Way. *G'Ind* —3C **60**
Blackburn Clo. *B'frd* —2B **34**
Blackburn Clo. *Oven* —2H **47**
Blackburn Ho. *Hal* —2A **48**
Blackburn Rd. *Brigh* —3D **58**
Black Dyke La. *T'tn* —5B **24**
Blackedge. *Hal* —6D **48**
Black Edge La. *Denh* —3F **31**
Black Hill. —3B 6
Black Hill La. *Kei* —2A **6**
Blackley. —5E 61
Blackley Rd. *Ell* —4D **60**
Blackmires. *Hal* —6A **40**
Black Moor Rd. *Oxe* —5A **22**
Black Moor Top. *Haw* —1H **21**
Blackshaw Beck La. *Q'bry* —4G **41**
Blackshaw Dri. *B'frd* —3B **42**
Blacksmith Fold. *B'frd* —5B **35**
Blackstone Av. *Wyke* —3G **51**
Black Swan Ginnell. Hal —6C 48
(off Silver St.)
Black Swan Pas. *Hal* —6C **48**
Blackwall. *Hal* —1C **56**
Blackwall La. *Sower B* —2C **54**

Blackwall Ri. *Sower B* —2C **54**
Blackwood Gro. *Hal* —5H **47**
Blacup Moor Vw. *Cleck* —6F **53**
Blaithroyd La. *Hal* —1E **57**
Blake Hill. *Hal* —2E **49**
Blake Hill End. *Hal* —6F **41**
Blakehill Av. *B'frd* —5E **29**
Blakehill Ter. *B'frd* —5E **29**
Blake Law Dri. *Clif* —4H **59**
Blamires Pl. *B'frd* —6D **34**
Blamires St. *B'frd* —6D **34**
Blanche St. *B'frd* —3F **37**
Bland St. *Hal* —6B **48**
Blenheim Ct. Hal —5B 48
(off Dene Pl.)
Blenheim Pl. *B'frd* —5G **27**
Blenheim Pl. *B'frd* —4D **18**
Blenheim Rd. *B'frd* —6G **27**
Blenheim St. Kei —6D 6
(off Victoria Rd.)
Blind La. *Bgly* —2D **14**
Blind La. *Hal* —3G **39**
Blind La. *Q'bry* —6C **32**
Blucher St. *B'frd* —3F **37**
Bluebell Clo. *All* —1H **33**
Bluebell Wlk. *Ludd* —5A **46**
Blue Hill. *Denh* —5F **23**
Blythe Av. *B'frd* —1E **35**
Blythe St. *B'frd* —2G **35** (4A **4**)
Bob La. *Hal* —6F **47**
Bob La. *Wilsd* —4D **24**
Bocking. —5B 12
Bodkin La. *Oxe* —5B **20**
(in two parts)
Bodmin Av. *Shipl* —6B **18**
Bogart La. *Hal* —4B **50**
Bogthorn. —1A 12
Boland Cres. *Oakw* —2A **12**
Boldron Holt. *B'frd* —3D **42**
Boldshay St. *B'frd* —1D **36**
Bold St. *B'frd* —6G **27**
Bolehill Pk. *Hov E* —1C **58**
Bolingbroke St. *B'frd* —1H **43**
Bolland Bldgs. *Low M* —6B **44**
Bolland St. *Low M* —6A **44**
Bolling Hall Museum. —6C **36**
Bolling Rd. *B'frd* —3B **36** (6E **5**)
Boltby La. *B'frd* —3C **42**
Bolton. —2E 28
Bolton Brow. *Sower B* —3E **55**
Bolton Ct. *B'frd* —5C **28**
Bolton Cres. *B'frd* —3D **28**
Bolton Dri. *B'frd* —2D **28**
Bolton Gro. *B'frd* —3D **28**
Bolton Hall Rd. *B'frd* —3H **27**
Bolton La. *B'frd* —5H **27**
Bolton Outlanes. —3C 28
Bolton Rd. *B'frd* —5B **28**
Bolton St. *B'frd* —2C **36** (3E **5**)
Bolton St. *Low M* —5G **43**
(in two parts)
Bolton Woods. —3A 28
Bond St. *Brigh* —4B **59**
Bonegate Av. *Brigh* —4F **59**
Bonegate Rd. *Brigh* —4E **59**
Bonn Rd. *B'frd* —5E **27**
Bonwick Mall. *B'frd* —4C **42**
Booth. —2A 46
Bootham Pk. *D Hill* —5B **26**
Boothman Wlk. *Kei* —6C **6**
Booth Royd. *B'frd* —4H **19**
Booth Royd Dri. *B'frd* —4D **18**
Booth's Bldgs. Brigh —6F 51
(off Wyke Old La.)
Booth St. *B'frd* —6D **18**
Booth St. *Cleck* —5F **53**
Booth St. *Q'bry* —2D **40**
Booth St. *Shipl* —6H **17**
Boothtown. —4B 48
Booth Town Rd. *Hal* —2B **48**
Borough Mkt. Hal —6C 48
(off Market St.)
Borrin's Way. *Bail* —2H **17**
Boston St. *Hal* —6H **47**
Boston St. *Sower B* —4C **54**
Boston Wlk. *B'frd* —3D **42**
Bosworth Clo. *All* —5H **25**
Botany. —1E 9
Botany Av. *B'frd* —3B **28**
Botany Dri. *E Mor* —1E **9**
Bottomley Holes. —4A 32
Bottomley St. *B'frd* —5H **35**
Bottomley St. *Brigh* —3E **59**
Bottomley St. *Butt* —4D **42**
Bottoms. *Hal* —4D **56**

Boulevard, The. *Hal* —1B **56**
(off Park Rd.)
Boundary, The. *B'frd* —6C **26**
Bourbon Clo. *B'frd* —3F **43**
Bourne St. *Thack* —4D **18**
Bowater Ct. *B'frd* —1H **45**
Bowbridge Rd. *B'frd* —6A **36**
Bower Grn. *B'frd* —2E **37**
Bower St. *B'frd* —4A **36**
Bowes Nook. *B'frd* —4C **42**
Bow Grn. *Cytn* —5B **34**
Bowland Av. *Bail* —4C **16**
Bowland St. *B'frd* —1H **35** (1A **4**)
Bowler Clo. *Low M* —5G **43**
Bowling. —4D 36
Bowling Bk. La. *B'frd* —4C **36**
Bowling Ct. *Brigh* —4D **58**
Bowling Ct. Ind. Est. *B'frd* —3E **37**
Bowling Dyke. *Hal* —5C **48**
Bowling Grn. Fold. *Wyke* —2G **51**
Bowling Hall Rd. *B'frd* —5C **36**
Bowling Old La. *B'frd* —1H **43**
(in five parts)
Bowling Pk. Clo. *B'frd* —5B **36**
Bowling Pk. Dri. *B'frd* —6B **36**
Bowl Shaw La. *Hal* —5F **41**
Bowman Av. *B'frd* —4F **43**
Bowman Gro. *Hal* —6A **48**
Bowman Pl. *Hal* —6A **48**
Bowman Rd. *B'frd* —4F **43**
Bowman St. *Hal* —6A **48**
Bowman Ter. *Hal* —6A **48**
Bowness Av. *B'frd* —3F **29**
Bowood La. *Sower B* —4A **54**
Bow St. *Kei* —4E **7**
Bowwood Dri. *Sandb* —3B **8**
Boxhill Rd. *Ell* —3F **61**
Box Tree Clo. *B'frd* —6C **26**
Box Trees La. *Hal* —2F **47**
Boxwood Rd. *Ell* —4F **61**
Boyd Av. *B'frd* —6G **29**
Boy La. *B'frd* —4D **44**
Boy La. *Hal* —3F **47**
Boyne St. *Hal* —6B **48**
Boynton St. *B'frd* —6H **35**
(in two parts)
Boynton Ter. *B'frd* —6A **36**
Boys La. *Hal* —2D **56**
Boys Scarr. *L'ft* —1A **54**
Bracewell Av. *All* —1G **33**
Bracewell Bank. *Hal* —3H **47**
Bracewell Dri. *Hal* —3H **47**
Bracewell Gro. *Hal* —4A **48**
Bracewell Hill. *Hal* —4A **48**
Bracewell Mt. Hal —3H 47
(off Bracewell Hill)
Bracewell St. *Kei* —4G **7**
Bracken Av. *B'frd* —2E **59**
Bracken Bank. —2B 12
Bracken Bank Av. *Kei* —3B **12**
Bracken Bank Cres. *Kei* —2B **12**
Bracken Bank Gro. *Kei* —2B **12**
Bracken Bank Wlk. *Oakw* —3B **12**
Bracken Bank Way. *Kei* —2B **12**
Brackenbeck Rd. *B'frd* —5D **34**
Brackenbed La. *Hal* —4H **47**
Brackenbed Ter. Hal —4H 47
(off Brackenbed La.)
Bracken Clo. *B'frd* —2E **59**
Brackendale. *B'frd* —3B **18**
Brackendale Av. *B'frd* —3C **18**
Brackendale Dri. *B'frd* —3B **18**
Brackendale Gro. *B'frd* —3B **18**
Brackendale Pde. *B'frd* —3B **18**
Bracken Edge. *B'frd* —6E **19**
Bracken Hall Countryside Centre.
—2C **16**
Brackenhall Ct. *B'frd* —5D **34**
Bracken Hill. *Hal* —4G **57**
Brackenhill Dri. *B'frd* —6D **34**
Brackenholme Royd. *B'frd* —3C **42**
Bracken Pk. *Bgly* —2A **16**
Bracken Pk. *Eld* —6H **9**
Bracken Rd. *Brigh* —3E **59**
Bracken Rd. *Kei* —1C **12**
Brackens La. *Hal* —4H **41**
Bracken St. *Kei* —1D **12**
Bradbeck Rd. *B'frd* —2D **34**
Bradford. —2A 36 (4C 4)
Bradford Bulls Rugby League
Football Club —3A **44**
Bradford Bus. Pk. *B'frd* —6A **28**
Bradford City Football Club. —6H **27**
Bradford Industrial & Horses at
Work Museum. —4F **29**

Bradford La. *B'frd* —2F **37**
Bradford Moor. —1E 37
Bradford Old Rd. *Bgly* —6H **15**
(in two parts)
Bradford Old Rd. *Hal* —2C **48**
Bradford Rd. *Bail B* —5F **51**
Bradford Rd. *Bgly* —3G **15**
Bradford Rd. *B'frd* —2C **28**
Bradford Rd. *Brigh* —3F **59**
Bradford Rd. *Cytn* —4A **34**
Bradford Rd. *Cleck* —1C **52**
Bradford Rd. *Gom* —3H **45**
Bradford Rd. *Hal* —2G **49**
(nr. Bk. Clough)
Bradford Rd. *Hal* —4G **49**
(nr. Leeds Rd.)
Bradford Rd. *Kei & Riddl* —4F **7**
Bradford Rd. *Rawf* —6G **53**
Bradford Rd. *Shipl* —6E **17**
Bradford Rd. *Thornb & Pud* —6H **29**
Bradford St. *Kei* —3E **7**
Bradlaugh Rd. *B'frd* —2F **43**
Bradlaugh Ter. *B'frd* —2G **43**
Bradley Av. *Hal* —4D **46**
Bradley Ct. *B'frd* —3B **60**
Bradley La. *G'lnd* —3B **60**
Bradley St. *Bgly* —2F **15**
Bradley St. *B'frd* —3G **27**
Bradley Vw. *Holy G* —5B **60**
Bradshaw. —2H 39
Bradshaw La. *Hal* —2H **39**
Bradshaw Row. *Hal* —1H **39**
Bradshaw Vw. Hal —4G 39
(off Moor Top Gdns.)
Bradshaw Vw. *Q'bry* —2C **40**
Brady Clo. *Oakw* —2A **12**
Brae Av. *B'frd* —4B **28**
Braeside. *Hal* —6F **47**
Brafferton Arbor. *B'frd* —3C **42**
Braithwaite. —3A 6
Braithwaite Av. *Kei* —3A **6**
Braithwaite Cres. *Kei* —4B **6**
Braithwaite Dri. *Kei* —4B **6**
Braithwaite Edge Rd. *Kei* —3A **6**
Braithwaite Gro. *Kei* —4B **6**
Braithwaite Rd. *Kei* —3A **6**
Braithwaite Wlk. *Kei* —4B **6**
Braithwaite Way. *Kei* —4B **6**
Bramble Clo. *Cytn* —6A **34**
Bramham Dri. *Bail* —1H **17**
Bramham Rd. *Bgly* —1G **15**
Bramhope Rd. *Cleck* —5E **53**
Bramley Clo. *Oakw* —2F **11**
Bramley Fold. *Hal* —5B **50**
Bramley La. *Hal* —5A **50**
Bramley St. *B'frd* —4A **36**
(in two parts)
Bramley Vw. *Hal* —5C **50**
Bramston Gdns. *Ras* —6E **59**
Bramston St. *Brigh* —6E **59**
Branch La. *Hud* —6H **61**
Branch Rd. *Schol* —4B **52**
Brandfort St. *B'frd* —4E **35**
Branksome Ct. *B'frd* —5D **26**
Branksome Cres. *B'frd* —5D **26**
Branksome Gro. *Shipl* —5A **16**
Branksome Gro. *Shipl* —5A **16**
Bransdale Clo. *Bail* —3E **17**
Bransdale Clough. *B'frd* —2C **42**
Branshaw Dri. *Kei* —6A **6**
Branshaw Gro. *Kei* —6A **6**
Branshaw Mt. *Kei* —6A **6**
Bran St. *Kei* —1D **12**
Brant Av. *Hal* —1H **47**
Brantcliffe Dri. *Bail* —1F **17**
Brantcliffe Way. *Bail* —1G **17**
Brantdale Clo. *B'frd* —3A **26**
Brantdale Rd. *B'frd* —3A **26**
Brantwood Av. *B'frd* —3A **26**
Brantwood Clo. *B'frd* —3A **26**
Brantwood Cres. *B'frd* —3H **25**
Brantwood Gro. *B'frd* —3H **25**
Brantwood Oval. *B'frd* —3A **26**
Brantwood Rd. *B'frd* —3H **25**
Brantwood Vs. *B'frd* —3A **26**
Branwell Dri. *Haw* —5G **11**
Branwell Lodge. *B'frd* —6E **35**
Brassey Rd. *B'frd* —5C **36**
Brassey St. *Hal* —1B **56**
Brassey Ter. *B'frd* —5C **36**
Braybrook Ct. *B'frd* —4G **27**
Bray Clo. *B'frd* —1B **42**
Brayshaw Dri. *B'frd* —1B **42**
Brayshaw Fold. *Low M* —5A **44**

Break Neck. *Hal* —5G **49**
Breaks Fld. *Wyke* —3H **51**
Breaks Rd. *Low M* —5A **44**
Brearcliffe Clo. *B'frd* —4E **43**
Brearcliffe Dri. *B'frd* —4E **43**
Brearcliffe Gro. *B'frd* —4E **43**
Brearcliffe Rd. *B'frd* —4E **43**
Brearcliffe St. *B'frd* —4E **43**
Brearton St. *B'frd* —1A **36** (1C **4**)
Breck Lea. *Sower B* —5C **54**
Brecks. *Cytn* —4B **34**
Brecks Rd. *Cytn* —4B **34**
Breck Willows. *Sower B* —5B **54**
Brecon Clo. *B'frd* —6D **18**
Bredon Av. *Shipl* —6B **18**
Breighton Adown. *B'frd* —3B **42**
Bremit Vs. *B'frd* —3F **43**
Bremit Wlk. *B'frd* —3F **43**
Brendon Ct. *B'frd* —6F **37**
Brendon Ho. B'frd —1G 45
(off Landscove Av.)
Brendon Wlk. *B'frd* —1F **45**
(in two parts)
Brentford Rd. *Low M* —4G **43**
Brentwood Gdns. *B'frd* —3H **43**
Brewery La. *Cytn* —6D **32**
Brewery La. *Q'bry* —4C **40**
Brewery Rd. *Kei* —2C **12**
Brewery St. *Hal* —3C **48**
Brewery St. *Kei* —4F **7**
Brian Royd La. *G'lnd* —2A **60**
Briar Clo. *Ell* —4E **61**
Briardale Rd. *B'frd* —3H **25**
Briarfield Av. *B'frd* —6C **18**
Briarfield Clo. *B'frd* —6C **18**
Briarfield Gdns. *Shipl* —1F **27**
Briarfield Gro. *B'frd* —6C **18**
Briarfield Rd. *Shipl* —2G **27**
Briar La. *Hud* —6H **61**
Briar Rhydding. *Bail* —3A **18**
Briar Wood. *Shipl* —6A **18**
Briarwood Av. *B'frd* —2F **43**
Briarwood Av. *Riddl* —2H **7**
Briarwood Cres. *B'frd* —2F **43**
Briarwood Dri. *B'frd* —2F **43**
Briarwood Gro. *B'frd* —1F **43**
Brickfield Gro. *Hal* —6A **40**
Brickfield La. *Hal* —6A **40**
Brickfield Ter. *Hal* —6A **40**
Brick Row. *Wyke* —2G **51**
Brick St. *Cleck* —6E **53**
Brick Ter. *Brigh* —6F **59**
Brick & Tile Ter. *Brigh* —6E **59**
Bridge End. *Brigh* —6E **59**
Bridgegate Way. *B'frd* —2F **29**
Bridgehouse La. *Haw* —1G **21**
Bridge La. *Hal* —5G **41**
Bridge Rd. *Brigh* —5E **59**
Bridge St. *B'frd* —3A **36** (5D **4**)
Bridge St. *Kei* —6D **6**
Bridge St. *Oakw* —3F **11**
Bridge St. *Sower B* —4D **54**
Bridge St. *T'tn* —3E **33**
Bridgeway. *B'frd* —1F **45**
Bridgwater Rd. *B'frd* —5E **27**
Bridle Dene. *Hal* —6A **42**
Bridle Stile. *Hal* —6A **42**
Bridle Stile La. *Q'bry* —1E **41**
Bridport Ho. *B'frd* —2G **5**
Brier La. *Brigh* —5B **58**
Brierley Clo. *Shipl* —1G **27**
Brier St. *Hal* —3C **48**
Brier St. *Kei* —1D **12**
Briery Fld. *Shipl* —2F **27**
Briggate. *Brigh* —5E **59**
(in two parts)
Briggate. *Ell* —2F **61**
Briggate. *Shipl* —5F **17**
Briggate. *Windh* —6F **17**
Brigg Gdns. *Kei* —4B **6**
Briggland Ct. *Wilsd* —2C **24**
Briggs Av. *B'frd* —2E **43**
Briggs Gro. *B'frd* —2E **43**
Briggs Pl. *B'frd* —2E **43**
Briggs St. *Q'bry* —2D **40**
Brighouse. —4F 59
Brighouse & Denholme Rd. *Denh &*
Q'bry —3G **31**
Brighouse & Denholme Rd. *Hal*
—4F **41**
Brighouse Rd. *Hip* —6A **50**
Brighouse Rd. *Hud* —6H **61**
Brighouse Rd. *Low M* —6H **43**
Brighouse Rd. *Q'bry* —2E **41**
Brighouse Wood La. *Brigh* —4D **58**

Brighouse Wood Row. Brigh —4D 58
(off Brighouse Wood La.)
Brighton Av. *B'frd* —4C **18**
Brighton St. *Hal* —4A **48**
Brighton St. *Shipl* —5F **17**
Brighton Ter. *Schol* —5B **52**
Bright St. *All* —6H **25**
Bright St. *B'frd* —1E **45**
Bright St. *Cytn* —5H **33**
Bright St. *Haw* —6H **11**
Bright St. *Q'bry* —2F **41**
Bright St. *Sower B* —2D **54**
Brindley Gro. *B'frd* —2A **34**
Brisbane Av. *B'frd* —4A **28**
Briscoe La. *G'lnd* —2B **60**
Bristol Av. *Riddl* —3B **8**
Bristol St. *Hal* —4D **56**
Britannia Ho. *B'frd* —4D **4**
Britannia St. *Bgly* —2G **15**
Britannia St. *B'frd* —3B **36** (6E **5**)
Britannia Ter. *Cleck* —5F **53**
Broad Carr La. *Holy G* —5C **60**
Broad Carr Ter. *Holy G* —4D **60**
Broadfield Clo. *B'frd* —2G **45**
Broad Folds. —5A 34
Broadfolds. *Cytn* —5A **34**
Broad Head La. *Oakw* —2A **10**
Broad Ings Way. *She* —6H **41**
Broadlands. *Kei* —3B **6**
Broadlands St. *B'frd* —5F **37**
Broad La. *B'frd* —4F **37**
Broadlea Cres. *B'frd* —6B **36**
Broadley Clo. *Hal* —4E **47**
Broadley Cres. *Hal* —4D **46**
Broadley Gro. *Hal* —4E **47**
Broadley Laithe. *Hal* —3E **47**
Broadley Rd. *Hal* —4D **46**
Broad Oak La. *Hal* —1B **58**
Broad Oak Pl. *Hal* —1B **58**
Broad Oak St. *Hal* —1B **58**
Broad Oak Ter. *Hal* —1B **58**
Broadstones Pk. *Bgly* —3B **16**
Broadstone Way. *B'frd* —2G **45**
Broad St. *B'frd* —2A **36** (3D **4**)
Broad St. *Hal* —6C **48**
Broad Tree Rd. *Hal* —3A **48**
Broadway. *Bgly* —2G **15**
Broadway. *B'frd* —3A **36** (5D **4**)
Broadway. *Hal* —2E **57**
Broadway. *Sower B* —4A **54**
Broadway Av. *B'frd* —1H **43**
Broadway Clo. *B'frd* —1H **43**
Broadway Ct. *Sower B* —4A **54**
Broadwood Av. *Hal* —4E **47**
Brocklesby Dri. *All* —1H **33**
Brockwell Gdns. *Sower B* —4C **54**
Brockwell La. *Tri* —5B **54**
Broken Way. B'frd —1H 43
(off Manchester Rd.)
Bromet Pl. *B'frd* —4D **28**
Bromford Rd. *B'frd* —5D **36**
Bromley Gro. *Kei* —6A **6**
Bromley Rd. *Bgly* —1F **15**
Bromley Rd. *Shipl* —5C **16**
Brompton Av. *B'frd* —6C **36**
Brompton Rd. *B'frd* —5C **36**
Brompton Ter. *B'frd* —5C **36**
Bronshill Gro. *All* —6A **26**
Bronte Clo. *B'frd* —5C **26**
Bronte Dri. *Oakw* —2A **12**
Bronte Ho. B'frd —5G 37
(off Eversley Dri.)
Bronte Old Rd. *T'tn* —3E **33**
Bronte Parsonage Museum. —6F **11**
Bronte Pl. *T'tn* —3E **33**
Bronte St. *Haw* —6F **11**
Bronte St. *Kei* —3F **7**
Bronte Vs. *Cro R* —5B **12**
Brook Dri. *Holy G* —5C **60**
Brooke St. *Brigh* —6E **59**
Brooke St. *Cleck* —6G **53**
Brookeville Av. *Hal* —6A **50**
Brookfield Av. *Cleck* —4G **53**
Brookfield Av. *Shipl* —5H **17**
Brookfield Dri. *Wyke* —4A **52**
Brookfield Rd. *B'frd* —1C **36** (2H **5**)
Brookfield Rd. *Shipl* —5H **17**
Brookfield Ter. *Cleck* —4G **53**
Brookfield Vw. *Cleck* —4G **53**
Brookfoot. —4D 58
Brookfoot La. *Hal & Brigh* —4B **58**
Brook Grain Hill. *Brigh* —6E **59**
Brook Hill. —2H 17
Brook Hill. *Bail* —2H **17**

Brookhouse. —3E 39
Brookhouse Gdns. *B'frd* —5H **19**
Brooklands. *Hal* —6B **50**
Brooklands Av. *Holy G* —5B **60**
Brooklands Av. *T'tn* —3F **33**
Brooklands Clo. Holy G —5B 60
(off Shaw La.)
Brook La. *Cytn* —6G **33**
Brooklea. *Hal* —6D **50**
Brooklyn Ct. *Cleck* —5F **53**
Brooklyn Dri. *Cleck* —5F **53**
Brooklyn Grange. *Cleck* —5G **53**
Brooklyn Rd. *Cleck* —5F **53**
Brooklyn St. *Kei* —1C **6**
Brooklyn Ter. *Brigh* —2C **58**
Brook Row. *G'lnd* —5C **60**
Brookroyd Av. *Brigh* —1F **59**
Brooksbank Av. *B'frd* —4C **34**
Brooksbank Gdns. *Ell* —3F **61**
Brookside Fold. *Oxe* —5G **21**
Brooks Ter. *Q'bry* —1H **41**
Brook St. *Ell* —3G **61**
Brook St. *Kei* —6D **6**
Brook Ter. *L'ft* —3A **46**
Broom Cft. *Cytn* —5H **33**
Broome Av. *B'frd* —4A **28**
Broomfield. Cleck —6E 53
(off W. End Dri.)
Broomfield. *Ell* —3D **60**
Broomfield Av. *Hal* —4B **56**
Broomfield Pl. *Cytn* —6G **33**
Broomfield Pl. *Kei* —4D **6**
Broomfield Rd. *Kei* —4D **6**
Broomfields. —4B 36
Broomfield St. *Kei* —4D **6**
Broomfield St. *Q'bry* —2E **41**
Broomfield Ter. *Cleck* —6D **52**
Broomhill Av. *Kei* —6C **6**
Broomhill Dri. *Kei* —6C **6**
Broomhill Gro. *Kei* —6C **6**
Broomhill Mt. *Kei* —6C **6**
Broomhill St. *Kei* —1C **12**
Broomhill Wlk. *Kei* —6C **6**
Broomhill Way. *Kei* —6C **6**
Broom St. *B'frd* —3B **36** (6E **5**)
Broom St. *Cleck* —6D **52**
Broster Av. *Kei* —4B **6**
Brougham Rd. *Hal* —4C **48**
Brougham St. *Hal* —4C **48**
Brougham Ter. *Hal* —3C **48**
Broughton Av. *B'frd* —2D **44**
Broughton Ho. *B'frd* —2H **45**
Brow Bottom. —6D 38
Brow Bottom La. *Hal* —5C **38**
Browfoot. *Shipl* —5H **17**
Browfoot Dri. *Hal* —1F **55**
Brow Foot Ga. Hal —1F 55
(off Brow Foot Ga. La.)
Brow Foot Ga. La. *Hal* —1F **55**
Browgate. *Bail* —2G **17**
Brow La. *Cytn* —6E **33**
Brow La. *Hal* —5A **40**
Brow La. *She* —5B **42**
Brow La. *Shib* —1E **49**
Brownberry Gro. *Hal* —4B **42**
Brown Hill Av. *B'shaw* —4H **45**
Brown Hill Dri. *B'shaw* —5H **45**
Browning Av. *Hal* —4D **56**
Browning St. *B'frd* —2D **36** (4H **5**)
Brown Lee La. *Wilsd* —3A **24**
Brown Royd. —1F 35
Brownroyd Hill. —2G 43
Brownroyd Hill Rd. *B'frd* —2F **43**
Brownroyd St. *B'frd* —1F **35**
Brownroyd Wlk. *B'frd* —1F **43**
Brown St. *Kei* —2F **7**
Brow Quarry Ind. Est. *Hal* —1B **58**
Brow Rd. *Haw* —1H **21**
Browsholme St. *Kei* —5E **7**
Brow St. *Kei* —5F **7**
Brow Top. *Cytn* —1G **41**
Brow Top Rd. *Cro R* —1H **21**
Brow Wood Cres. *B'frd* —4A **28**
Brow Wood Ri. *Hal* —5B **42**
Brow Wood Rd. *Hal* —5B **42**
Brow Wood Ter. *B'frd* —4D **42**
Bruce St. *Hal* —1H **55**
Brunel Clo. *B'frd* —5E **27**
Brunel Ct. *B'frd* —5C **28**
Brunel Ct. Hal —3B 48
(off See Mill La.)
Brunel Gdns. *B'frd* —6G **35**
(off Ida St.)
Brunswick Arc. *Kei* —4E **7**
(off Airedale Shop. Cen.)

Brunswick Gdns. *Hal* —6B **48**
Brunswick Ho. *Bgly* —3H **15**
Brunswick Pl. *B'frd* —6F **19**
Brunswick Rd. *B'frd* —6F **19**
Brunswick St. *Cull* —1G **23**
Brunswick St. *Fern* —2H **15**
Brunswick St. *Q'bry* —2F **41**
Brunswick Ter. *Low M* —4G **43**
Bryan La. *Hud* —6H **61**
Bryan Rd. *Ell* —3D **60**
Bryanstone Rd. *B'frd* —4F **37**
Bryan St. *Brigh* —6E **59**
Bubwith Gro. Hal —1G 55
(off Trimmingham Rd.)
Buchan Towers. *B'frd* —6C **4**
Buckfast St. *B'frd* —6D **18**
Buckingham Cres. *Cytn* —4B **34**
Buckland Pl. *Hal* —1G **55**
Buckland Rd. *B'frd* —1D **34**
Buck La. *Bail* —2B **18**
Buckley La. *Hal* —3E **47**
(in two parts)
Buck Mill La. *B'frd* —3C **18**
Buck St. *B'frd* —3C **36** (6G 5)
Buck St. *Denh* —6G **31**
Bude Rd. *B'frd* —2B **44**
Bull Clo. La. *Hal* —1B **56**
Buller St. *B'frd* —4E **37**
Bullfield, The. *H'den* —5B **14**
Bull Grn. *Hal* —6C **48**
Bullroyd Av. *B'frd* —1C **34**
Bullroyd Cres. *B'frd* —1C **34**
Bullroyd Dri. *B'frd* —1C **34**
Bullroyd La. *B'frd* —1C **34**
Bungalows, The. *Hal* —5E **57**
(nr. Backhold Av.)
Bungalows, The. *Hal* —2H **47**
(nr. Grove Pk.)
Bungalows, The. *Hal* —4F **47**
(nr. Ryecroft Cres.)
Bungalows, The. Hal —3H 47
(off Ovenden Grn.)
Bunker's Hill La. *Kei* —6A **6**
Burberry Clo. *B'frd* —3E **45**
Burdale Pl. *B'frd* —3F **35**
Burdock Way. *Hal* —1B **56**
(in two parts)
Burleigh St. *Hal* —2H **55**
Burley St. *B'frd* —6G **29**
Burley St. *Ell* —3F **61**
Burlington Av. *B'frd* —6G **29**
Burlington St. *B'frd* —6H **27**
Burlington St. *Hal* —6H **47**
Burmah St. *Hal* —6H **47**
Burned Gro. *Hal* —4A **42**
Burned Rd. *Hal* —4A **42**
Burneston Gdns. *B'frd* —3C **42**
Burnett Av. *B'frd* —6H **35**
Burnett Pl. *B'frd* —6H **35**
Burnett Ri. *Q'bry* —3C **40**
Burnett St. *B'frd* —2B **36** (4F 5)
Burnham Av. *B'frd* —1D **44**
Burniston Clo. *Wilsd* —3C **24**
Burnley Hill Ter. *Hal* —1H **49**
Burnley Rd. *Hal* —1F **55**
Burnley Rd. *L'ft & Sower B* —1A **54**
Burn Rd. *Hud* —6H **61**
Burnsall Ho. B'frd —1E 29
(off Rowantree Dri.)
Burnsall Rd. *B'frd* —2D **36**
(in two parts)
Burnsdale. *All* —4G **25**
Burnside Av. *Hal* —5B **42**
Burns St. *Hal* —1H **47**
Burnup Gro. *Cleck* —6E **53**
Burnwells. —3C 18
Burnwells Pl. *B'frd* —3C **18**
Burnwells Av. *B'frd* —3C **18**
Burrage St. *Bgly* —2F **15**
Burras Rd. *B'frd* —1D **44**
Burrow St. *B'frd* —3A **36** (6C 4)
Burrwood Ter. *Holy G* —4B **60**
Burrwood Way. *Holy G* —4B **60**
Burton St. *Cleck* —5C **36**
Burton St. *Hal* —6A **40**
Burton St. *Kei* —1D **6**
Bury La. *Sandb* —2C **8**
Busfield St. *Bgly* —2F **15**
Busfield St. *B'frd* —6D **18**
Bushill Fold. *Q'bry* —1C **40**
Bus. & Innovation Cen. B'frd —4A 4
(off Angel Way)
Busy La. *Shipl* —4A **18**
Bute Av. *Brigh* —2E **59**

Bute St. *B'frd* —3H **27**
Butler La. *Bail* —2H **17**
(in two parts)
Butterfield Ind. Est. *Bail* —3A **18**
Buttermere Rd. *B'frd* —4C **28**
Buttershaw. —4D 42
Buttershaw Dri. *B'frd* —3C **42**
Buttershaw La. *B'frd* —4F **43**
Butterworth La. *Sower B* —5A **54**
Buttholme Ga. *B'frd* —3D **42**
Butt La. *B'frd* —5D **18**
Butt La. *Haw* —6G **11**
Buttress La. *Ludd* —4A **46**
Butts Grn. La. *Hal* —6B **46**
Butts, The. E Mor —3D 8
(off Morton La.)
Butts Yd. *Cleck* —6F **53**
Buxton Av. *B'frd* —3G **27**
Buxton La. *B'frd* —3G **27**
Buxton La. *Holy G* —5A **60**
Buxton St. *B'frd* —5F **27**
Buxton St. *Hal* —4A **48**
Buxton St. *Kei* —4F **7**
Byland. *Hal* —4F **39**
Byland Gro. *Hal* —4F **25**
Bylands Av. *Riddl* —1G **7**
Byrl St. *Kei* —3F **7**
Byron Av. *Sower B* —2D **54**
Byron M. *Bgly* —6G **9**
Byron St. *B'frd* —1D **36**
Byron St. *Hal* —6H **47**
Byron St. *Sower B* —2D **54**

Cackleshaw. —3A 12
Caddy Field. —1E 57
Cadney Cft. Hal —1C 56
(off Harrison Rd.)
Cain La. *Hal* —3G **57**
Cairns Clo. *B'frd* —4B **28**
Caister Gro. *Kei* —1D **12**
Caister St. *Kei* —1D **12**
Caister Way. *Kei* —1D **12**
Caistor Gth. B'frd —1E 29
(off Rowantree Dri.)
Calde St. *Low M* —5A **44**
Caldene Av. *Low M* —5A **44**
Calder Av. *Hal* —2H **55**
Calder Banks. —2G 41
Calder Banks. *Q'bry* —2G **41**
Calder Clo. G'lnd —2D 60
(off Calder St.)
Caldercroft. *Ell* —3G **61**
Calderdale Bus. Pk. *Hal* —2H **47**
Calderdale Industrial Museum.
                              —6D **48**
Calderdale Way. *G'lnd & Ell* —2E **61**
Calder Ho. Ell —2F 61
(off Southgate)
Calderstone Av. *B'frd* —3B **42**
Calder St. *Brigh* —6G **59**
Calder St. *G'lnd* —2D **60**
Calder Ter. *Hal* —6A **56**
Calder Trad. Est. *Brigh* —1F **59**
Calder Vw. *Ras* —6D **59**
Caledonia Rd. *Kei* —3F **7**
Caledonia St. *B'frd* —4A **36** (6E 5)
Calpin Clo. *Idle* —5D **18**
Calton Gro. *Kei* —5H **7**
Calton Rd. *Kei* —5H **7**
Calton St. *Kei* —6D **6**
(in two parts)
Calver Av. *Kei* —3B **6**
Calver Gro. *Kei* —4C **6**
Calverley Av. *B'frd* —1F **37**
Calverley Cutting. *B'frd* —5H **19**
Calverley Moor Av. *Pud* —6H **29**
Calver Rd. *Kei* —4C **6**
Calversyke St. *Kei* —4C **6**
Camargue Fold. *B'frd* —3B **28**
Camborne Way. *Kei* —6A **6**
Cambrian Bar. Low M —5F 43
Cambridge Pl. *B'frd* —1B **36** (1F 5)
Cambridge Pl. *Q'bry* —2E **41**
Cambridge Pl. *Sid* —4E **57**
Cambridge St. *B'frd* —5F **35**
Cambridge St. *Cytn* —5H **33**
Cambridge St. *Q'bry* —2F **41**
Cambridge Ter. Sid —4E 57
(off Cambridge Pl.)
Camden St. *Sower B* —4D **54**

Camden Ter. *B'frd* —6H **27**
Camellia Mt. *B'frd* —3C **34**
Cameron Av. *Wyke* —4F **51**
Camerton Grn. *B'frd* —1B **44**
Cam La. *Brigh* —3H **59**
Camm St. *Brigh* —4F **59**
Campbell St. *Kei* —4E **7**
Campbell St. *Q'bry* —2F **41**
Campus Rd. *B'frd* —3G **35**
Canal Rd. *Bgly* —5E **9**
Canal Rd. *B'frd* —2G **27** (1E 5)
Canal Rd. *Riddl* —2G **7**
Canal Rd. *Sower B* —3F **55**
Canal St. *Brigh* —5F **59**
Canal St. *Hal* —1D **56**
Canary St. *Cleck* —5F **53**
Canberra Clo. *Cro R* —5B **12**
Canberra Dri. *Cro R* —5B **12**
Canford Dri. *All* —6H **25**
Canford Gro. *All* —6A **26**
Canford Rd. *All* —6H **25**
Canker La. *Hal* —2A **48**
Canning St. *B'frd* —4C **36**
Cannon Hall Clo. *Brigh* —4H **59**
Cannon Hall Dri. *Brigh* —5H **59**
Cannon Mill La. *B'frd* —5E **35**
Cannon St. *Bgly* —3G **15**
Canon St. *Hal* —2H **55**
Canterbury Av. *B'frd* —6G **35**
Canterbury Cres. *Hal* —4B **48**
Capel St. *Brigh* —6E **59**
Cape of Good Hope. *Q'bry* —3C **40**
Cape St. *B'frd* —1A **36** (1D 4)
Captain St. *B'frd* —2B **36** (2E 5)
Carden Rd. *B'frd* —4G **37**
Cardigan St. *Q'bry* —2F **41**
Carisbrooke Cres. *B'frd* —3F **43**
Cark Rd. *Kei* —3E **7**
Carlby Gro. Kei —5C 6
(off Carlby St.)
Carlby St. *Kei* —5C **6**
Carlecotes Ho. B'frd —5G 37
(off Ned La.)
Carleton St. *Kei* —2D **6**
Carling Clo. *B'frd* —6D **34**
Carlisle Pl. *B'frd* —6G **27**
Carlisle Rd. *B'frd* —6F **27**
Carlisle St. *B'frd* —6G **27**
Carlisle St. *Hal* —5G **49**
Carlisle St. *Kei* —4F **7**
Carlisle Ter. *B'frd* —6G **27**
Carlton Av. *Shipl* —5C **16**
Carlton Clo. *Cleck* —6F **53**
Carlton Ct. *Cleck* —5F **53**
Carlton Dri. *Bail* —1G **17**
Carlton Dri. *B'frd* —3F **27**
Carlton Gro. *B'frd* —6H **35**
Carlton Gro. *Ell* —2H **61**
Carlton Gro. *Shipl* —5C **16**
Carlton Ho. Ter. *Hal* —2A **56**
Carlton Mill. *Sower B* —3F **55**
Carlton Pl. *Hal* —1C **56**
Carlton Rd. *Shipl* —5C **16**
Carlton St. *B'frd* —3H **35** (5A 4)
Carlton St. *Haw* —6H **11**
Carlton St. *Shipl* —5D **16**
Carlton Wlk. *Shipl* —5D **16**
Carlton Way. *Cleck* —6F **53**
Carmel Rd. *Hal* —3C **48**
Carmona Av. *Shipl* —2F **27**
Carmona Gdns. *Shipl* —2F **27**
Carnaby Rd. *B'frd* —1C **42**
Carnation St. *B'frd* —3E **37**
Carnegie Dri. *Shipl* —6G **17**
Carnoustie Gro. *Bgly* —6H **15**
Caroline St. Cleck —5F 53
(off Carver St.)
Caroline St. *Shipl* —5D **16**
Carperley Cres. *Denh* —1G **31**
Carr Bank. *E Mor* —2C **8**
Carr Bottom Av. *B'frd* —1F **43**
Carrbottom Fold. *B'frd* —2G **43**
Carr Bottom Gro. *B'frd* —1F **43**
Carr Bottom Rd. *B'frd* —1F **43**
Carr Bottom Rd. *Gre* —6G **19**
Carr Fld. Dri. *Ludd* —5A **46**
Carr Gro. *Kei* —2A **8**
Carr Hall La. *Holy G* —6A **60**
Carr Hall Rd. *Wyke* —2G **51**
Carr Hill Av. *C'ley* —1H **29**
Carr Hill Dri. *C'ley* —1H **29**
Carr Hill Gro. *C'ley* —1H **29**
Carr Hill Nook. *C'ley* —1H **29**

Carr Hill Ri. *C'ley* —1H **29**
Carr Hill Rd. *C'ley* —1H **29**
Carrholm Grn. *B'frd* —5F **43**
Carr House Gate. —1G 51
Carr Ho. Ga. *Wyke* —1G **51**
Carr Ho. Gro. *Wyke* —1G **51**
Carr Ho. La. *Hal* —4B **42**
Carr Ho. La. *Wyke* —6F **43**
(in three parts)
Carr Ho. Mt. *Wyke* —1G **51**
Carr Ho. Rd. *Hal* —5B **42**
Carriage Dri., The. *G'lnd* —1C **60**
Carriage Dri., The. *Holy G* —5A **60**
Carricks Clo. *Low M* —5A **44**
Carrier St. *Hal* —6C **48**
Carrington St. *B'frd* —2E **37**
(in two parts)
Carr La. *Bgly* —3E **9**
Carr La. *Denh* —5G **23**
Carr La. *Low M* —1H **51**
Carr La. *Riddl* —2A **8**
Carr La. *Sandb* —2C **8**
Carr La. *Shipl* —5G **17**
Carroll St. *B'frd* —3C **36** (5G 5)
Carr Rd. *C'ley* —6H **19**
Carr Rd. *Wyke* —2G **51**
Carr Row. *Wyke* —2G **51**
Carr St. *B'frd* —1H **43**
Carr St. *Brigh* —3E **59**
Carr St. *Cleck* —6F **53**
Carr St. *Kei* —4E **7**
Carr Wood Clo. *C'ley* —1H **29**
Carr Wood Gdns. *C'ley* —1H **29**
Carr Wood Way. *C'ley* —6H **19**
Carter La. *Q'bry* —6D **32**
Carter Sq. *B'frd* —6F **19**
Carter St. *B'frd* —3B **36** (6F 5)
Cart Ga. *B'frd* —2H **43**
Cartmel Rd. *Kei* —3C **6**
Cartwright Hall Art Gallery & Museum.
                              —4G **27**
Carver St. *Cleck* —5F **53**
Caryl Rd. *B'frd* —6C **36**
Cashmere St. *Kei* —4C **6**
Casson Fold. *Hal* —3G **49**
Castle Av. *Brigh* —6D **58**
Castle Carr Rd. *Hal* —5A **38**
Castle Cft. *H'den* —4A **14**
Castlefields Cres. *Brigh* —6D **58**
Castlefields Dri. *Brigh* —6D **58**
Castlefields Ind. Est. *Brigh* —6D **8**
Castlefields La. *Bgly* —6D **8**
Castlefields Rd. *Bgly* —5D **8**
Castlefields Rd. *Brigh* —6D **58**
Castlegate Dri. *B'frd* —1E **29**
Castlegate Ho. Ell —2F 61
(off Crown St.)
Castle Gro. *H'den* —4A **14**
Castle M. *Shipl* —6F **17**
Castlemore Rd. *Bail* —3H **17**
Castlerigg Grn. *B'frd* —5D **42**
Castle Rd. *Kei* —3D **6**
Castle Rd. *Shipl* —6F **17**
Castle St. *B'frd* —4A **36**
Castle Ter. Brigh —6D 58
(off Castle Av.)
Cater St. *B'frd* —2B **36** (4F 5)
Cathcart St. *Hal* —4B **48**
Cathedral Clo. *B'frd* —2B **36** (3E 5)
Catherine Cres. *Ell* —3F **61**
Catherine Slack. —5B 40
Catherine Slack. *Brigh* —1D **58**
Catherine St. *Brigh* —4E **59**
Catherine St. *Ell* —3F **61**
Catherine St. *Kei* —6D **6**
(in two parts)
Cauldwell Gdns. *B'frd* —5A **36**
Causeway. *Hal* —6D **48**
Causeway Foot. —6F 31
Causeway Foot. *Hal* —6F **31**
Cavalier Dri. *App B* —6F **19**
Cave Hill. *N'wram* —1F **49**
Cavendish Ct. B'frd —2E 29
(off Cavendish Rd.)
Cavendish Ct. Shop. Cen. *Kei* —4E **7**
Cavendish Dri. *Bgly* —1H **15**
Cavendish Rd. *B'frd & Eccl* —2E **29**
Cavendish Rd. *Idle* —6D **18**
Cavendish St. *Hal* —6A **48**
Cavendish St. *Kei* —4E **7**
Cavendish Ter. *Hal* —6A **48**
Cawcliffe Dri. *Brigh* —2E **59**
Cawcliffe Rd. *Brigh* —3E **59**
Cawood Haven. *B'frd* —3C **42**
Caygill Ter. *Hal* —2C **56**

Close Lea Way—Crosley Ho.

Close Lea Way. *Brigh* —6D **58**
Closes Rd. *Brigh* —6D **58**
Close, The. *B'frd* —1B **28**
Cloudsdale Av. *B'frd* —5A **36**
Clough Bank. *Hal* —6D **38**
Clough Bldgs. *Sower B* —3A **54**
Clough Ga. Oakw —3H **11**
  (off Clough La.)
Clough La. *Brigh* —6D **50**
Clough La. *Hal* —6D **38**
Clough La. *Oakw* —2G **11**
Clough Pl. *Hal* —6D **38**
Clough Rd. *Norl* —5F **55**
Clough St. *B'frd* —6A **36**
Cloughville App. *B'frd* —4G **43**
Clover Ct. *C'ley* —1H **29**
Clover Cres. *C'ley* —6H **19**
Cloverdale. *Hal* —4B **42**
Clover Hill. *Hal* —2B **56**
Clover Hill Clo. *Hal* —1B **56**
Clover Hill Rd. *Hal* —2B **56**
Clover Hill Ter. *Hal* —2B **56**
Clover Hill Vw. *Hal* —2B **56**
Clover St. *B'frd* —6F **35**
Cloverville App. *B'frd* —4G **43**
Club La. *Hal* —2G **47**
Club Row. Wilsd —2C **24**
  (off Main St.)
Club St. *B'frd* —6H **35**
Clydesdale Dri. *B'frd* —4D **42**
Clyde St. *Bgly* —2F **15**
Clyde St. *Sower B* —4D **54**
Coach La. *T'tn* —3F **33**
Coach Rd. *Bail* —4E **17**
Coach Rd. *Brigh* —2D **58**
Coach Rd. *Hal* —6C **50**
Coach Row. *B'frd* —1E **37**
Coal La. *Ogden* —6G **31**
Coal Pit La. *Brigh* —6H **59**
Coalpit La. *Hal* —3E **57**
Coates St. *B'frd* —6H **35**
Coates Ter. *B'frd* —5H **35**
Cobden Ct. Hal —5B **48**
  (off Richmond Rd.)
Cobden St. *All* —6H **25**
Cobden St. *Cytn* —5H **33**
Cobden St. *Idle* —6D **18**
Cobden St. *Q'bry* —2F **41**
Cobden Ter. Ell —4F **61**
  (off Savile Rd.)
Cobden Ter. *Hal* —5A **50**
Cock Hill La. *Hal* —5G **41**
Cockin La. *Cytn* —6D **32**
Cockshott La. *Idle* —5C **18**
Cold Edge Rd. *Hal* —6B **38**
Cold Edge Rd. *Wains* —6A **30**
Coldshaw Top. *Haw* —2G **21**
Cold St. *Haw* —2G **21**
Colenso Gro. Kei —2G **7**
  (off Aireworth Clo.)
Colenso Wlk. Kei —2G **7**
  (off Florist St.)
Colenso Way. Kei —2G **7**
  (off Cornwall Rd.)
Coleridge Gdns. *Idle* —5E **19**
Coleridge St. *Hal* —1C **56**
Coles Way. *Riddl* —1F **7**
Coley. —3B 50
Coley Hall La. *Hal* —3B **50**
Coley Rd. *Hal* —1A **50**
Coley Vw. *Hal* —2G **49**
Coley Vw. *Hip* —5B **50**
Colindale Clo. *B'frd* —1G **29**
Collbrook Av. *B'frd* —3G **43**
College Rd. *Bgly* —5G **9**
College Ter. Hal —2H **55**
  (off Saville Pk.)
College Wlk. Kei —4E **7**
  (off Airedale Shop. Cen.)
Collier Clo. *Shipl* —6C **16**
Collier La. *Bail* —1F **17**
Collinfield Ri. *B'frd* —5D **42**
Collingham Av. *B'frd* —3C **42**
Collingwood Ct. B'frd —6A **36**
  (off Ladywell Clo.)
Collin Moor La. *G'lnd* —1C **60**
Collinson St. *Cleck* —5F **53**
Collins St. *B'frd* —5D **36**
  (BD4)
Collins St. *B'frd* —6E **35**
  (BD7)

Coll Place. —4H 43
Coll Pl. *B'frd* —3H **43**
Colne Rd. *Oakw* —3F **11**
Colour Museum. —2H **35** (4B **4**)
Colston Clo. *B'frd* —6C **26**
Columbus St. *Hal* —4A **48**
Colyton Mt. *Hal* —6G **25**
Commercial Bldgs. *Oaken* —1D **52**
Commercial St. *B'frd* —2A **36** (3D **4**)
Commercial St. *Brigh* —5E **59**
Commercial St. *Cleck* —6G **53**
Commercial St. *Denh* —1F **31**
Commercial St. *Hal* —6C **48**
Commercial St. *Oakw* —3F **11**
Commercial St. *Q'bry* —2D **40**
Commercial St. *Shipl* —5F **17**
Commercial St. *T'tn* —3E **33**
Commondale Way. *Euro I* —5C **44**
Common La. *Hal* —2F **57**
Common Rd. *Low M* —5F **43**
Common Rd. Ind. Est. *Low M* —5H **43**
Common Ter. *Brigh* —6E **59**
Como Av. *B'frd* —1D **34**
Como Dri. *B'frd* —1D **34**
Como Gdns. *B'frd* —6D **26**
Como Gro. *B'frd* —6D **26**
Compeigne Av. *Riddl* —2H **7**
Compton St. *B'frd* —1E **45**
Compton St. Kei —3F **7**
  (off Parson St.)
Concrete St. *Hal* —4A **48**
Conduit Pl. *B'frd* —6G **27**
Conduit St. *B'frd* —6G **27**
Coney La. *Hal* —5A **40**
Coney La. *Kei* —4E **7**
Coniston Av. *Q'bry* —2D **40**
Coniston Clo. *Ell* —2H **61**
Coniston Clo. *Q'bry* —2D **40**
Coniston Gro. *Bail* —4C **16**
Coniston Gro. *B'frd* —5D **26**
Coniston Ho. Ell —2F **61**
  (off Crown St.)
Coniston Rd. *B'frd* —6C **34**
Constance St. *Shipl* —5D **16**
Constitutional St. *Hal* —2A **56**
Conway St. *B'frd* —4B **36**
Conway St. *Hal* —1A **56**
Cooke St. *Kei* —4E **7**
Cook La. *Kei* —4E **7**
Cookson St. *Brigh* —4D **58**
Coombe Hill. *Q'bry* —1H **41**
Co-op Bldgs. *Bail B* —6F **51**
Co-operative St. *Kei* —2C **12**
Co-operative Ter. *Holy G* —6A **60**
Cooper Clo. *Bgly* —6G **9**
Cooper Fields. *L'ft* —1A **54**
Cooper Gro. *Hal* —4B **42**
Cooper La. *B'frd & Hal* —1B **42**
Copeland St. *B'frd* —4F **37**
Copgrove Clo. *B'frd* —6G **37**
Copgrove Ct. *B'frd* —6G **37**
Copgrove Rd. *B'frd* —6G **37**
Copley. —6A 56
Copley Av. *Hal* —2H **55**
Copley Circ. *Hal* —6A **56**
Copley Clo. *Hal* —6B **56**
Copley Glen. *Hal* —5B **56**
Copley Gro. *Hal* —5B **56**
Copley Hall St. *Hal* —6B **56**
Copley Hall Ter. *Hal* —6H **47**
Copley La. *Hal* —6A **56**
Copley Mill Ho. Hal —5A **56**
  (off St Stephen's St.)
Copley Mt. *Hal* —5B **56**
Copley St. *B'frd* —6F **35**
Copley Ter. *Hal* —5B **56**
Copley Vw. *Hal* —5B **56**
Copley Wood Ter. *Hal* —5B **56**
Coplowe La. *Wilsd* —6D **14**
Coppice Vw. *B'frd* —5C **18**
Coppicewood Av. *B'frd* —3E **35**
Coppicewood Gro. *B'frd* —3E **35**
Coppies, The. *Wyke* —1F **51**
Copplestone Wlk. *B'frd* —1G **45**
Coppy Glo. *Bgly* —1G **25**
Copse, The. *Bgly* —2B **16**
Copse, The. *Schol* —6B **52**
Copy St. *All* —6H **25**
Corban St. *B'frd* —6E **37**
Cordingley Clo. *B'frd* —2G **45**
Cordingley St. *B'frd* —2G **45**
Corn Mkt. *Hal* —6C **48**
Corn Mill La. *Cytn* —4F **33**
Corn St. *Kei* —1C **12**
Cornwall Cres. *Bail* —1F **17**

Cornwall Cres. *Brigh* —1F **59**
Cornwall Ho. Ell —3F **61**
  (off Crown St.)
Cornwall Pl. *B'frd* —6H **27**
Cornwall Rd. *Bgly* —3H **15**
Cornwall Rd. *B'frd* —6H **27** (1B **4**)
Cornwall Rd. *Kei* —2G **7**
Cornwall Ter. *B'frd* —6H **27**
Coronation Av. *Esh* —1F **19**
Coronation Bus. Cen. *Kei* —2F **7**
Coronation Mt. *Kei* —4B **6**
Coronation Rd. *Hal* —3C **56**
Coronation St. *Ell* —3F **61**
Coronation St. *G'lnd* —2C **60**
Coronation St. *Oaken* —6C **44**
Coronation Wlk. *Kei* —3B **6**
Coronation Way. *Kei* —4A **6**
Corporal La. *Hal* —5E **41**
Corporation St. *B'frd* —4E **29**
Corporation St. *Hal* —6C **48**
Corporation St. *Sower B* —3D **54**
Corrance Rd. *Wyke* —4H **51**
Corrie St. *T'tn* —3E **33**
Cote Farm. La. *Thack* —4B **18**
Cote Hill Fold. *Hal* —1F **55**
Cote La. *All* —6G **25**
Cotewall Rd. *B'frd* —2E **37**
Cotswold Av. *Shipl* —6A **18**
Cottage Grn. B'frd —1D **34**
  (off Lane Ends Clo.)
Cottage Rd. *B'frd* —6F **19**
Cottam Av. *B'frd* —3F **35**
Cottam Ter. *B'frd* —3F **35**
Cotterdale. *Hal* —4D **42**
Cottingley. —1H 25
Cottingley Cliffe Rd. *Bgly* —1A **26**
Cottingley Dri. *Bgly* —5G **15**
Cottingley Mnr. Pk. *Ctly* —6H **15**
Cottingley Moor Rd. *Bgly* —3G **25**
Cottingley New Rd. *Bgly* —6H **15**
Cottingley Rd. *All* —4G **25**
Cottingley Ter. *B'frd* —6H **27**
County Bri. *Denh* —4F **31**
Courtenay Clo. *B'frd* —2G **37**
Court La. *Hal* —6F **47**
Courtney Ho. B'frd —6H **27**
  (off Trenton Dri.)
Courts Leet. *Wyke* —1G **51**
Cousen Av. *B'frd* —4D **34**
Cousen Rd. *B'frd* —5F **35**
Cousin La. *Hal* —6G **39**
Coventry St. *B'frd* —5D **36**
Coventry St. *Hal* —6G **47**
Coverdale Way. *Baal* —1A **18**
Cover Dri. *B'frd* —3E **43**
Covet, The. *B'frd* —1F **19**
Cow Clo. Cotts. *Wyke* —3B **52**
Cow Clo. La. *Wyke* —3A **52**
Cowdray Dri. *Schol* —5B **52**
Cowgill St. *B'frd* —6G **27**
Cow Grn. *Hal* —6C **48**
Cow Hill Ga. La. *Hal* —3G **39**
Cow La. *Hal* —6C **56**
Cow La. *S'wram* —3B **58**
Cowley Cres. *B'frd* —3A **26**
Cowling La. *N'wram* —5F **41**
Cowroyd Pl. *Hal* —4D **48**
Coxwold Wlk. *All* —2G **33**
Crabtree St. *B'frd* —5E **35**
Crabtree St. *Hal* —5D **50**
Crack La. *Wilsd* —2C **24**
Cracoe Rd. *B'frd* —3D **36**
Crag Ct. *Hal* —1F **47**
Cragg La. *B'frd* —6E **35**
Cragg La. *T'tn* —4H **31**
Cragg St. *B'frd* —6E **35**
Cragg Ter. *B'frd* —6E **35**
Cragg Top. *Denh* —4G **31**
Crag Hill Rd. *B'frd* —3C **18**
Crag La. *Hal* —1F **47**
Crag Pl. *Kei* —1E **13**
Crag Rd. *Shipl* —6G **17**
Cragside. *B'frd* —4B **18**
Crag Vw. *B'frd* —1E **29**
Craiglands. *Hal* —5B **50**
Craiglea Dri. *Wyke* —3H **51**
Craigmore Ct. *B'frd* —1H **45**
Cranbourne Rd. *B'frd* —5B **36**
Cranbrook Av. *B'frd* —3G **43**
Cranbrook Pl. *B'frd* —6A **36**
Cranbrook Rd. *B'frd* —6A **36**
Cranbrook St. *Cytn* —5H **33**
Cranford Pl. *Wilsd* —2C **24**

Cranleigh Mt. *Kei* —6C **6**
Cranmer Ho. *B'frd* —2F **5**
Cranmer Rd. *B'frd* —6B **28**
Cranswick Ho. B'frd —1E **29**
  (off Summerfield Rd.)
Craven Av. *T'tn* —3E **33**
Craven Ct. B'frd —1D **34**
  (off Lane Ends Clo.)
Craven Ct. *Hal* —6A **48**
Craven Pl. *Hal* —1A **56**
Craven Rd. *Kei* —3G **7**
Craven St. *B'frd* —1B **36** (2F **5**)
Craven Ter. *Hal* —1A **56**
Crawford Av. *B'frd* —3G **43**
Crawford St. *B'frd* —5C **36**
Crediton Av. *All* —1H **33**
Crescent, The. *Bail* —3G **17**
Crescent, The. *Bgly* —5E **9**
Crescent, The. *B'frd* —3C **42**
Crescent, The. Brigh —4F **59**
  (off Bonegate Rd.)
Crescent, The. *Hip* —5B **50**
Crescent, The. *Holy G* —5A **60**
Crescent, The. *S'wram* —1F **57**
Crescent Vw. *Kei* —2C **12**
Crescent Wlk. *Cytn* —4B **34**
Creskeld Way. *All* —5G **25**
Cresswell Hd. *B'frd* —1C **42**
Cresswell Pl. *B'frd* —1C **42**
Cresswell Ter. *B'frd* —1C **42**
Cresswell Ter. *Hal* —5C **50**
Crest Av. *Wyke* —5A **51**
Crestfield Av. *Ell* —3E **61**
Crestfield Cres. *Ell* —4E **61**
Crestfield Dri. *Ell* —4E **61**
Crestfield Dri. *Hal* —2G **55**
Crestfield Rd. *Ell* —4E **61**
Crest Pl. Brigh —2C **58**
  (off Halifax Rd.)
Crest Rd. *Hud* —6G **61**
Crest Vw. *Brigh* —2C **58**
Crestville Clo. *Cytn* —4B **34**
Crestville Rd. *Cytn* —4A **34**
Crestville Ter. *Cytn* —4B **34**
Crestwood Clo. *B'frd* —2D **44**
Crib La. *Hal* —5C **48**
Crimble Clo. *Hal* —6C **50**
Crimshaw La. *Shipl* —2H **27**
Cripplegate. *Hal* —6D **48**
Croft Av. *Bgly* —5D **8**
Crofters Grn. *B'frd* —5C **18**
Croft Ho. Ell —2F **61**
  (off Southgate)
Crofthouse Clo. *B'frd* —3F **43**
Cft. House La. *Kei* —1C **6**
Crofthouse Rd. *B'frd* —3F **43**
Croftlands. *B'frd* —5C **18**
Crofton Rd. *B'frd* —4E **27**
Croft Pl. *B'frd* —2D **42**
Croft Pl. *Brigh* —3F **59**
Croft Rd. *Bgly* —5D **8**
Croft Rd. *E Mor* —3D **8**
Croft Row. *Denh* —3G **31**
Croft St. *B'frd* —3A **36** (6D **4**)
  (in two parts)
Croft St. *Brigh* —5E **59**
Croft St. *Haw* —6G **11**
Croft St. *Idle* —5E **19**
Croft St. *Kei* —5D **6**
Croft St. *Shipl* —6F **17**
Croft St. *Sower B* —3E **55**
Croft St. *Wibs* —2G **43**
Croft, The. *Oaken* —1B **52**
Cromer Av. Kei —6D **6**
  (off Cromer Rd.)
Cromer Gro. *Kei* —6D **6**
Cromer Rd. *Kei* —6D **6**
Cromer St. *Hal* —2H **55**
Cromer St. *Kei* —6D **6**
Cromwell Clo. *Hal* —3G **57**
Cromwell Ct. *B'frd* —2A **26**
Cromwell Rd. *S'wram* —3G **57**
Cromwell Ter. *Hal* —6B **48**
Cromwell Vw. *Hal* —3H **57**
Cromwell Wood La. *Brigh* —5B **58**
Crooked La. *B'frd* —4B **18**
  (in two parts)
Crooked La. *Hal* —5B **40**
Crooke La. *Wilsd* —3D **24**
Crook Farm Cvn. Pk. *Bail* —2D **16**
Cropredy Clo. *Q'bry* —2F **41**
Crosby St. *Kei* —3D **6**
Croscombe Wlk. *B'frd* —4A **36**
Crosley Ho. *Bgly* —3G **15**

Crosley Vw. *Bgly* —3H **15**
Crosley Wood Rd. *Bgly* —3H **15**
Cross Banks. *Shipl* —5F **17**
Cross Chu. St. *Cleck* —6G **53**
Cross Crown St. *Cleck* —6F **53**
Crossdale Av. *B'frd* —3C **42**
Cross Emily St. *Kei* —3E **7**
Cross Farm Ct. *Oxe* —4G **21**
Cross Fld. *Holy G* —5A **60**
Crossfield Clo. *Oxe* —4F **21**
Crossfield Rd. *Oxe* —4F **21**
Crossflatts. —5F 9
Cross Gates La. *Bgly* —1C **14**
Cross Grn. *B'frd* —5G **37**
Cross Hill. —2C 60
Cross Hill. *G'lnd* —2C **60**
Cross Hills. *Hal* —5C **48**
Crosshills Mt. *G'lnd* —2C **60**
Cross La. *Bgly* —1F **15**
Cross La. *B'frd* —5F **35**
(in two parts)
Cross La. *Ell* —3E **61**
Cross La. *Hal* —5G **41**
(nr. Cock Hill La.)
Cross La. *Hal* —1H **49**
(nr. West St.)
Cross La. *Oxe* —4G **21**
Cross La. *Q'bry* —3C **40**
Cross La. *Wilsd* —1C **24**
Cross Leeds St. *Kei* —4D **6**
Cross Leeds St. Kei —4E **7**
(off North St.)
Crossley Almshouses. *Hal* —1B **56**
Crossley Clo. Hal —6A **48**
(off Crossley Gdns.)
Crossley Gdns. *Hal* —6A **48**
(in three parts)
Crossley Hall. —2C 34
Crossley Hall St. *B'frd* —2B **34**
Crossley Hill. *Hal* —4D **56**
Crossley Hill La. Hal —4D **56**
(off Crossley Hill)
Crossley Retail Pk. *Hal* —5B **48**
Crossley St. *B'frd* —4F **35**
Crossley St. *Brigh* —4F **59**
Crossley St. *Hal* —6C **48**
Crossley St. *Q'bry* —2F **41**
Crossley Ter. N. *Hal* —1A **48**
Crossley Ter. S. *Hal* —1A **48**
Cross Pl. Brigh —3F **59**
(off Bradford Rd.)
Cross River St. *Kei* —2G **7**
Cross Rd. *B'frd* —6F **27**
Cross Rd. *Idle* —5E **19**
Cross Rd. *Oaken* —6B **44**
Cross Roads. —5B 12
Cross Roads. *Kei* —5B **12**
Cross Rosse St. *Shipl* —5F **17**
Cross Rydal St. *Kei* —5C **6**
Cross St. *B'frd* —4D **42**
Cross St. *Brigh* —3E **59**
Cross St. *Cytn* —5A **34**
Cross St. *G'lnd* —2D **60**
Cross St. *Hal* —1D **56**
Cross St. *Holy G* —5B **60**
Cross St. *Oaken* —1C **52**
Cross St. W. *Hal* —5G **47**
Cross Sun St. *B'frd* —1B **36** (2E **5**)
Cross, The. *B'ley* —5F **61**
Crossway. *Bgly* —5F **15**
Crowgill Rd. *Shipl* —5F **17**
Crown Dri. *Wyke* —6H **9**
Crow Nest. —2G 15
Crownest La. *Bgly* —1G **15**
Crownest Rd. *Bgly* —2G **15**
Crown Rd. *Hal* —3B **48**
Crown St. *B'frd* —2G **35** (3A **4**)
Crown St. *Brigh* —4E **59**
Crown St. *Cleck* —6F **53**
Crown St. *Ell* —2F **61**
Crown St. *Hal* —6C **48**
Crown St. *Wyke* —1G **51**
Crown Ter. *Hal* —1H **55**
(nr. Hopwood La.)
Crown Ter. Hal —1H **55**
(off Queen's Rd.)
Crowther Av. *C'ley* —1H **29**
Crowther Fold. *H'den* —4B **14**
Crowthers St. *Wyke* —1G **51**
Crowther St. *B'frd* —6F **19**
Crowther St. *Cleck* —5F **53**
Crow Tree Clo. *Bail* —2H **17**
Crow Tree La. *B'frd* —6C **26**
Crow Wood Pk. *Hal* —2F **55**
Croydon Rd. *B'frd* —5D **34**

Croydon St. *Q'bry* —2E **41**
Crumack La. *Oxe* —4A **22**
Crystal Ct. Hal —6A **48**
(off Hanson La.)
Crystal Ter. *B'frd* —6E **37**
Cuckoo Pk. La. *Oxe* —3A **22**
Cullingworth. —2F 23
Cullingworth Rd. *Cull* —2F **23**
Culver St. *Hal* —6C **48**
Cumberland Clo. *Hal* —1G **47**
Cumberland Ho. *B'frd* —2G **5**
Cumberland Rd. *B'frd* —4E **35**
Cunliffe Rd. *B'frd* —5G **27**
Cunliffe Ter. *B'frd* —5H **27**
Cunliffe Vs. *B'frd* —4H **27**
Cure Hill. *Oakw* —2F **11**
Curlew St. *B'frd* —6G **35**
Currer Av. *B'frd* —2D **44**
Currer St. *B'frd* —2B **36** (4E **5**)
Currer St. *Oaken* —1C **52**
Curzon Rd. *B'frd* —2D **36**
Cuthberts Clo. *Q'bry* —3D **40**
Cut La. *Hal* —6F **41**
Cutler Heights. —5F 37
Cutler Heights La. *B'frd* —6E **37**
Cutler Pl. *B'frd* —5F **37**
Cyprus Av. *B'frd* —4B **18**
Cyprus Dri. *B'frd* —4C **18**

Dacre St. *B'frd* —1B **36**
Daffels Wood Clo. *Bier* —3D **44**
Daffodil St. *All* —1H **33**
Dagenham Rd. *B'frd* —6E **37**
Daily Ct. *B'frd* —6F **35**
Daisy Bank. *Hal* —2B **56**
Daisy Hill. —5C 26
Daisy Hill. *Wyke* —2G **51**
Daisy Hill Bk. La. *B'frd* —5C **26**
Daisy Hill Gro. *B'frd* —5C **26**
Daisy Hill La. *B'frd* —5C **26**
Daisy Mt. *Sower B* —2C **54**
Daisy Pl. Shipl —5D **16**
(off Saltaire Rd.)
Daisy Rd. *Brigh* —6F **59**
Daisy St. *B'frd* —6E **35**
Daisy St. *Brigh* —5E **59**
Daisy St. *Hal* —1B **56**
Daisy St. *Haw* —6A **12**
Dalby Av. *B'frd* —6E **29**
Dalby St. *B'frd* —1E **37**
Dalcross Gro. *B'frd* —5B **36**
Dalcross St. *B'frd* —5A **36**
Dale Cft. Ri. *All* —5F **25**
Dale Gth. *B'frd* —2F **17**
Dale Gro. *B'frd* —4A **18**
Daleside. *G'lnd* —2A **60**
Daleside Clo. *Pud* —1H **37**
Daleside Gro. *Oaken* —1B **52**
Daleside Gro. *Pud* —1H **37**
Daleside Rd. *Pud* —6H **29**
Daleside Rd. *Riddl* —2A **8**
Daleside Rd. *Shipl* —4H **17**
Daleside Wlk. *B'frd* —1B **44**
Daleson Cres. *Hal* —2G **49**
Dale St. *B'frd* —2A **36** (3D **4**)
Dale St. *Kei* —2G **7**
Dale St. *Shipl* —6F **17**
Dale St. *Sower B* —3D **54**
Dale Ter. *B'frd* —1F **35**
Dalton Ter. Kei —3G **7**
(off Surrey St.)
Damask St. *Hal* —5B **48**
Damems La. *Oakw* —3B **12**
Damems Rd. *Kei* —3C **12**
Dam Head. —1E 49
Dam Head Rd. *Sower B* —2E **55**
Damon Av. *B'frd* —3G **29**
Damside. *Kei* —5D **6**

Danby Av. *B'frd* —3D **44**
Danebury Rd. *Brigh* —6F **59**
Dane Ct. *Hal* —6G **37**
Dane Hill Dri. *B'frd* —5G **37**
Daniel Ct. *B'frd* —1H **45**
Daniel St. *B'frd* —2F **37**
Danny La. *L'ft* —6A **46**
Danum Dri. *Bail* —3G **17**
Darcey Hey La. *Hal* —2G **55**
Darfield Ho. B'frd —1E **29**
(off Summerfield Rd.)
Darfield St. *B'frd* —1H **35** (2B **4**)
Dark La. *Hal* —1D **54**
Dark La. *Oxe* —4G **21**
Dark La. *Schol* —5D **10**
(in two parts)
Dark La. *S'wram* —6G **49**
(nr. Barrowclough La.)
Dark La. *S'wram* —3H **57**
(nr. Cain La.)
Darley St. *B'frd* —2A **36** (3C **4**)
(in two parts)
Darley St. *Hal* —2D **6**
Darnay La. *B'frd* —6A **36**
Darnes Av. *Hal* —2G **55**
Darren St. *B'frd* —3G **37**
Dartmouth Ter. *B'frd* —5G **27**
Darwin St. *B'frd* —6G **35**
Davenport Ho. *B'frd* —2G **5**
Dawnay Rd. *B'frd* —6F **35**
Dawson Av. *B'frd* —3G **43**
Dawson La. *B'frd* —2E **45**
Dawson Mt. *B'frd* —2E **45**
Dawson Pl. *B'frd* —2F **45**
Dawson Pl. *Kei* —6E **7**
Dawson Rd. *Kei* —6E **7**
Dawson St. *B'frd* —1E **45**
Dawson St. *Thack* —4D **18**
Dawson Ter. *B'frd* —2F **45**
Dawson Way. *Low M* —6H **43**
Deal St. *Hal* —1D **56**
Deal St. *Kei* —3G **7**
Dean Beck Av. *B'frd* —2A **44**
Dean Beck Ct. *B'frd* —3B **44**
Dean Clo. *B'frd* —1B **34**
Dean Clough. *Hal* —5C **48**
Dean Ct. *Hal* —5A **56**
Dean End. *G'lnd* —1C **60**
Deanery Gdns. *B'frd* —2E **29**
Dean Ho. La. *Hal* —3A **46**
Dean La. *Sower B* —5A **54**
Dean La. *T'tn* —6C **24**
Dean Rd. *B'frd* —3H **43**
Deans Ter. *Hal* —2B **48**
Deanstones Cres. *Q'bry* —3E **41**
Deanstones La. *Q'bry* —3D **40**
Dean St. *Ell* —3F **61**
Dean St. *G'lnd* —3C **60**
Dean St. *Haw* —6H **11**
Deanwood Av. *All* —5G **25**
Deanwood Cres. *All* —4G **25**
Deanwood Wlk. *All* —5G **25**
Dearden St. *Sower B* —2D **54**
Dee Ct. *Oakw* —2F **11**
Deepdale Clo. *Bail* —3E **17**
Deep La. *Cytn* —4A **34**
Deep La. *Hal* —6B **46**
Deep La. *T'tn* —5A **32**
Defarge Ct. B'frd —6A **36**
(off Newton St.)
De Lacy Av. *B'frd* —3D **44**
Delamere St. *B'frd* —1H **43**
Delf Clo. *Hal* —4C **42**
Delius Av. *B'frd* —2G **29**
Dell, The. *Cull* —1F **23**
(in two parts)
Delph Cres. *Cytn* —5H **33**
Delph Dri. *Cytn* —5H **33**
Delph Gro. *Cytn* —5H **33**
Delph Hill. —3A 56
(nr. Sowerby Bridge)
Delph Hill. —6G 43
(nr. Wyke)
Delph Hill. *Bail* —1G **17**
Delph Hill Fld. *Hal* —3H **55**
Delph Hill La. *Hal* —3A **46**
Delph Hill Rd. *Hal* —3H **55**
Delph Hill Ter. Hal —3H **55**
(off Delph Hill Rd.)
Delph Ho. *Kei* —6E **7**
Delph St. *Hal* —1B **56**
Delph Ter. *Cytn* —5H **33**
Delphwood Clo. *Bgly* —2A **16**
Delverne Gro. *B'frd* —4E **29**

Demontfort Ho. B'frd —5G **37**
(off Ned La.)
Denbrook Av. *B'frd* —2H **45**
Denbrook Clo. *B'frd* —2H **45**
Denbrook Cres. *B'frd* —3H **45**
Denbrook Wlk. *B'frd* —2H **45**
Denbrook Way. *B'frd* —2H **45**
Denbury Mt. *B'frd* —1G **45**
Denby Ct. *Oakw* —3F **11**
Denby Dri. *Bail* —4F **17**
Denby Hill. —3E 11
Denby Hill Rd. *Oakw* —3F **11**
Denby Ho. Bail —4G **17**
(off Denby Dri.)
Denby Ho. *B'frd* —2H **45**
Denby La. *B'frd* —6H **25**
Denby Mt. *Oxe* —5G **21**
Denby Rd. *Kei* —6E **7**
Denby St. *B'frd* —1G **35**
Dence Grn. *B'frd* —4G **37**
Dene Bank. *Bgly* —5G **9**
Dene Clo. *Ell* —4E **61**
Dene Cres. *B'frd* —5C **34**
Dene Hill. *Bail* —2D **16**
Denehill. *B'frd* —6B **26**
Dene Mt. *All* —6A **26**
Dene Pl. *Hal* —5B **48**
Dene Rd. *B'frd* —2B **42**
Deneside. Mt. *B'frd* —1H **43**
Deneside Ter. *B'frd* —1H **43**
Dene Vw. *L'ft* —5A **46**
Denfield Av. *Hal* —3G **47**
Denfield Cres. *Hal* —3H **47**
Denfield Edge. *Hal* —3H **47**
Denfield Gdns. *Hal* —3H **47**
Denfield La. *Hal* —3G **47**
Denfield Sq. *Hal* —3H **47**
Denham St. *Brigh* —6E **59**
Denholme. —6F 23
Denholme Clough. —3G 31
Denholme Gate. —4F 31
Denholme Ga. Rd. *Hal* —1A **50**
Denholme Rd. *Oxe* —5G **21**
Dennison Fold. *B'frd* —4G **37**
Denton Dri. *Bgly* —1A **16**
Denton Row. *Denh* —1F **31**
Denton Row. *Holy G* —5C **60**
Derby Pl. *B'frd* —2F **37**
Derby Rd. *B'frd* —2G **37**
Derby St. *B'frd* —5F **35**
Derby St. *Cytn* —5H **33**
Derby St. *Q'bry* —2D **40**
Derby St. *Sower B* —3F **55**
Derby Ter. *B'frd* —5G **19**
Derwent Av. *Bail* —4C **18**
Derwent Av. *Wilsd* —3C **24**
Derwent Ho. *Hal* —4A **48**
Derwent Pl. *Q'bry* —1C **40**
Derwent Rd. *B'frd* —4C **28**
Derwent St. *Kei* —3H **7**
Devonshire St. *Kei* —4C **6**
Devonshire St. W. *Kei* —4C **6**
Devonshire Ter. *B'frd* —5G **27**
Devon St. *Hal* —1H **55**
Devon Way. *Brigh* —1F **59**
Dewhirst Clo. *Bail* —3H **17**
Dewhirst Pl. *B'frd* —4F **37**
Dewhirst Rd. *Bail* —3H **17**
Dewhirst Rd. *Brigh* —3E **59**
Dewhurst St. *Wilsd* —2C **24**
Dewsbury Rd. *Cleck* —6G **53**
Dewsbury Rd. *Ell* —3G **61**
Diamond St. *Hal* —5A **48**
Diamond St. *Kei* —1C **12**
Diamond Ter. *Hal* —5A **48**
(HX1)
Diamond Ter. *Hal* —2H **55**
(HX2)
Dickens St. *B'frd* —6A **36**
Dickens St. *Hal* —6G **47**
Dick La. *B'frd & Thornb* —5F **37**
Dimples La. *E Mor* —3D **8**
Dimples La. *Haw* —6F **11**
Dirk Hill. —4G 35
Dirkhill Rd. *B'frd* —4G **35**
Dirkhill St. *B'frd* —4F **35**
Discovery Rd. *Hal* —1D **56**
Dispensary Wlk. *Hal* —6D **48**
Dixon Av. *B'frd* —4D **34**
Dixon Clo. *G'lnd* —1A **60**
Dobrudden Cvn. Pk. *Bail* —1D **16**
Dockfield Ind. Pk. *Bail* —4H **17**
Dockfield Pl. *Shipl* —5G **17**
Dockfield Rd. *Shipl* —5G **17**
Dockfield Ter. *Shipl* —5G **17**

Dock La.—Emmott Farm Fold

Dock La. *Bail* —5G **17**
Dock La. *Shipl* —5G **17**
Dockroyd La. *Oakw* —3G **11**
Doctor Hill. *Hal* —4F **47**
Doctor Hill. *Idle* —1C **28**
(in two parts)
Doctor La. *B'frd* —4D **18**
Dodge Holme Ct. Hal —1F 47
(off Dodge Holme Rd.)
Dodge Holme Dri. *Hal* —1F **47**
Dodge Holme Gdns. *Hal* —1F **47**
Dodge Holme Rd. *Hal* —1F **47**
Dodgson St. *Ell* —4F **61**
Doe Pk. *Denh* —6H **23**
Dog Kennel La. *Hal* —2E **57**
Doldram La. *Sower B* —6C **54**
Doles La. *Brigh* —3H **59**
Dole St. *T'tn* —3E **33**
Doll La. *Cull* —3G **23**
Dolphin La. *H'den* —5G **13**
Dolphin Ter. *Q'bry* —3C **40**
Dombey St. *Hal* —6A **48**
Donald Av. *B'frd* —3G **43**
Doncaster St. *Hal* —4D **56**
Donisthorpe St. *B'frd* —6H **35**
Don St. *Kei* —3D **6**
Dorchester Ct. *B'frd* —6G **37**
Dorchester Cres. *Bail* —1B **18**
Dorchester Cres. *B'frd* —6G **37**
Dorchester Dri. *Hal* —2G **55**
Dorian Clo. *B'frd* —1F **29**
Dorothy St. *Kei* —2C **12**
Dorset Clo. *B'frd* —6G **35**
Dorset St. *B'frd* —6G **35**
Douglas Cres. *Shipl* —1H **27**
Douglas Dri. *B'frd* —5E **37**
Douglas Rd. *B'frd* —5E **37**
Douglas St. *Cro R* —5A **12**
Douglas St. *Hal* —3B **48**
Douglas Towers. *B'frd* —6C **4**
Dovedale Clo. *Hal* —6H **41**
Dover St. *B'frd* —6B **28**
Dovesdale Gro. *B'frd* —1G **43**
Dovesdale Rd. *B'frd* —1H **43**
Dove St. *Haw* —6H **11**
Dove St. *Shipl* —6D **18**
Dowker St. *Hal* —2H **55**
Dowley Gap. —4A 16
Dowley Gap La. *Bgly* —4H **15**
Downham St. *B'frd* —3C **36** (5H 5)
Downing Clo. *B'frd* —2C **36** (3H 5)
Downside Cres. *All* —6G **25**
Dracup Av. *B'frd* —4C **34**
Dracup Rd. *B'frd* —6D **34**
Drake Fold. *Wyke* —2G **51**
Drakes Ind. Est. *Oven* —1A **48**
Drake St. *B'frd* —3B **36** (5E 5)
Drake St. *Hal* —3E **7**
Draughton Gro. *B'frd* —2H **43**
Draughton St. *B'frd* —2H **43**
Draycott Wlk. *B'frd* —1G **45**
Drewry Rd. *Kei* —4D **6**
Drewton St. *B'frd* —2H **35** (3B 4)
Driffield Ho. *B'frd* —6E **19**
Drill Pde. *B'frd* —6H **27**
Drill St. *Haw* —1H **21**
Drill St. *Kei* —4E **7**
Drive, The. *Bgly* —5E **9**
Drive, The. *B'frd* —1F **29**
Drive, The. *Hal* —5B **50**
Dross St. *B'frd* —4F **37**
Drove Rd. Ho. B'frd —6A 36
(off Bowling Old La.)
Drovers Way. *B'frd* —4A **28**
Drub. —3G 53
Drub La. *Cleck* —3G **53**
Druids St. *Cytn* —5H **33**
Druids Vw. *Bgly* —5D **8**
Drummond Rd. *B'frd* —6G **27**
Drury La. *Holy G* —5A **60**
Dryclough Clo. *Hal* —4C **56**
Dryclough La. *Hal* —4C **56**
Dryden St. *Bgly* —2F **15**
Dryden St. *B'frd* —3B **36** (6F 5)
Dubb La. *Bgly* —2G **15**
Duchy Av. *B'frd* —4C **26**
Duchy Cres. *B'frd* —4C **26**
Duchy Dri. *B'frd* —5C **26**
(in two parts)
Duchy Gro. *B'frd* —4C **26**
Duchy Vs. *B'frd* —4C **26**
Duchywood. *B'frd* —4C **26**
Ducie St. *B'frd* —4D **18**
Duckett Gro. *Pud* —1H **53**

Duck La. *B'frd* —2A **36** (4C 4)
Duckworth Gro. *B'frd* —5D **26**
Duckworth La. *D Hill* —6C **26**
Duckworth Ter. *B'frd* —5D **26**
Dudley Cres. *Hal* —6F **39**
Dudley Gro. *B'frd* —4G **37**
Dudley Hill. —6E 37
Dudley Hill Rd. *B'frd* —4D **28**
Dudley St. *B'frd* —5D **36**
(in three parts)
Dudley St. *Cut H* —4G **37**
Dudwell Av. *Hal* —5D **56**
Dudwell Gro. *Hal* —5C **56**
Dudwell La. *Hal* —5C **56**
Duich Rd. *B'frd* —5C **42**
Duinen St. *B'frd* —4B **36**
Duke St. *B'frd* —2A **36** (3D 4)
Duke St. *Ell* —3F **61**
Duke St. *Haw* —6H **11**
Duke St. *Kei* —2D **6**
Duke St. *L'ft* —4A **46**
Dulverton Gro. *B'frd* —6F **37**
Dunbar Cft. *Q'bry* —2F **41**
Duncan St. *B'frd* —4A **36**
Dunce Pk. Clo. *Ell* —4F **61**
Duncombe Rd. *B'frd* —2D **34**
Duncombe St. *B'frd* —2E **35**
Duncombe Way. *B'frd* —2E **35**
Dundas St. *Hal* —2H **55**
Dundas St. *Kei* —5F **7**
Dunkhill Cft. *Idle* —6D **18**
Dunkirk. —6E 41
Dunkirk Cres. *Hal* —1G **55**
Dunkirk Gdns. *Hal* —2G **55**
Dunkirk La. *Hal* —2G **55**
Dunkirk Ri. *Riddl* —1G **7**
Dunkirk St. *Hal* —1G **55**
Dunkirk Ter. *Hal* —1H **55**
Dunlin Way. *B'frd* —2A **34**
Dunmore Av. *Q'bry* —2C **40**
Dunnington Wlk. *B'frd* —5E **43**
Dunsford Av. *B'frd* —3D **44**
Durham Rd. *B'frd* —6E **27**
Durham St. *Hal* —6G **47**
Durham Ter. *B'frd* —6E **27**
Durley Av. *B'frd* —4E **27**
Durling Dri. *Wrose* —6A **18**
Durlston Gro. *Wyke* —1H **51**
Durlston Ter. *Wyke* —1H **51**
Durrance St. *Kei* —5B **6**
Dyehouse Dri. *West I* —3E **53**
Dyehouse Fold. *Oaken* —6C **44**
Dyehouse La. *Brigh* —6F **59**
Dye Ho. La. *Norl* —6G **55**
Dye Ho. La. *Wilsd* —2A **24**
Dyehouse Rd. *Oaken* —6B **44**
Dyer La. *Hal* —4H **47**
Dyson Pl. Hal —4E 57
(off Ashgrove Av.)
Dyson Rd. *Hal* —5H **47**
Dyson St. *B'frd* —2H **35** (3A 4)
(BD1)
Dyson St. *B'frd* —3E **27**
(BD9)
Dyson St. *Brigh* —4E **59**

Eaglesfield Dri. *B'frd* —5D **42**
Eagle St. *Haw* —6H **11**
Eagle St. *Kei* —4D **6**
Earl St. *Haw* —1G **21**
Earl St. *Kei* —3D **6**
Earl Ter. *Hal* —3A **48**
Easby Rd. *B'frd* —4H **35** (6A 4)
East Av. *Kei* —3E **7**
(in two parts)
East Bierley. —4H 45
East Bolton. *Hal* —4G **39**
Eastbourne Rd. *B'frd* —2F **27**
East Bowling. —1C 44
Eastbrook. —3B 36 (5F 5)
Eastbrook Well. *B'frd* —2B **36** (4E 5)
Eastbury Av. *B'frd* —2D **42**
East Byland. *Hal* —5G **39**
E. Church St. *Hal* —6D **48**
East Cft. *Wyke* —3H **51**
Eastfield Gdns. *B'frd* —6G **37**
Eastgate. *Ell* —2F **61**
Easthorpe Ct. *B'frd* —3F **29**
Eastleigh Gro. *B'frd* —6G **35**
Eastmoor Ho. *B'frd* —1H **45**
East Morton. —2D 8
East Mt. *Brigh* —4E **59**
E. Mount Pl. *Brigh* —4E **59**
East Pde. *Bail* —1H **17**

East Pde. *B'frd* —2B **36** (4F 5)
East Pde. *Kei* —4E **7**
East Pde. *Sower B* —3F **55**
E. Park Rd. *Hal* —4A **48**
East Riddlesden Hall. —2H **7**
East Rd. *Low M* —5A **44**
East Royd. Hal —4A 50
(off Groveville.)
East Royd. *Oakw* —3H **11**
E. Squire La. *B'frd* —6G **27**
East St. *Brigh* —6E **59**
East St. *Hal* —6E **51**
East St. *Sower B* —5A **54**
East Ter. *Cro R* —5A **12**
East Vw. *Light* —6E **51**
East Vw. *T'tn* —1C **32**
E. View Ter. *Wyke* —1A **52**
Eastwood. —3F 7
Eastwood Av. *Hal* —4G **39**
Eastwood Av. *Sower B* —4B **54**
Eastwood Clo. *Hal* —4G **39**
Eastwood Cres. *Bgly* —5H **15**
Eastwood Gro. *Hal* —4G **39**
Eastwood's Farm. Hal —4G 39
(off Causeway Foot)
Eastwood St. *B'frd* —4B **36**
Eastwood St. *Brigh* —4F **59**
Eastwood St. *Hal* —3A **48**
Eaton St. *Kei* —1C **12**
Ebenezer Pl. *B'frd* —5F **35**
Ebenezer St. *B'frd* —3B **36** (5E 5)
Ebor La. *Haw* —5G **11**
Ebridge Ct. Bgly —2G 15
(off Edward St.)
Eccles Ct. *B'frd* —3D **28**
Eccleshill. —2D 28
Edale Gro. *Q'bry* —3C **40**
Edderthorpe. *B'frd* —6H **5**
Edderthorpe Rd. *B'frd* —3C **36**
Eden Clo. *Wyke* —2H **51**
Edensor Rd. *Kei* —4C **6**
Edgar St. *Cytn* —5B **34**
Edgebank Av. *B'frd* —5D **42**
Edge Bottom. *Denh* —6F **23**
Edge End Gdns. *B'frd* —4C **42**
Edge End Rd. *B'frd* —3C **42**
Edgehill Clo. *Q'bry* —2F **41**
Edgeholme La. *Hal* —6D **46**
Edgemoor Clo. *Hal* —3E **56**
Edlington Clo. *B'frd* —6G **37**
Edmund St. *B'frd* —3H **35** (6B 4)
Edrich Clo. *Low M* —5A **44**
Edward Clo. *S'wram* —3G **57**
Edwards Rd. *Hal* —2G **55**
Edward St. *Bgly* —2G **15**
Edward St. *B'frd* —2G **45**
(nr. Tong St.)
Edward St. *B'frd* —3B **36** (6E 5)
(nr. Wakefield Rd.)
Edward St. *Brigh* —4E **59**
Edward St. *Clif* —5G **59**
Edward St. *Shipl* —4D **16**
Edward St. *Sower B* —3D **54**
Edward Turner Clo. *Low M*
  —5G **43**
Eel Holme Vw. St. *Kei* —1D **6**
Effingham Rd. *H'den* —4A **14**
Egerton Gro. *All* —6G **25**
Egerton St. *Sower B* —3D **54**
Eggleston Dri. *B'frd* —1H **45**
Egham Grn. B'frd —6D 18
(off Ley Fleaks Rd.)
Egremont Cres. *B'frd* —5D **42**
Egremont St. *Sower B* —4C **54**
Egremont Ter. Sower B —4C 54
(off Egremont St.)
Egypt. —1C 32
Egypt Rd. *T'tn* —1C **32**
Elam Wood Rd. *Riddl* —1F **7**
Eland Ho. Ell —2F 61
(off Southgate)
Elbow La. *B'frd* —5D **28**
Elbow La. *Hal* —4A **46**
Elder Bank. Cull —1F 23
(off Keighley Rd.)
Elder St. *B'frd* —6G **19**
Elder St. *Kei* —1G **6**
Eldon Pl. *B'frd* —1H **35** (2B 4)
Eldon Pl. *Cut H* —5F **37**
Eldon St. *Hal* —5C **48**
Eldon Ter. *B'frd* —1H **35** (2B 4)
Eldroth Mt. *Hal* —2A **56**
Eldroth Rd. *Hal* —2A **56**
Eldwick. —1A 16
Eleanor Dri. *C'ley* —6H **19**

Eleanor St. *Brigh* —6E **59**
Elia St. *Kei* —3F **7**
Eli St. *B'frd* —6B **36**
Elizabeth Av. *Wyke* —1H **51**
Elizabeth Clo. *Wyke* —1H **51**
Elizabeth Cres. *Wyke* —1H **51**
Elizabeth Ho. *Wyke* —1H **51**
Elizabeth Ho. Hal —2G 47
(off Furness Pl.)
Elizabeth St. *Bgly* —2G **15**
Elizabeth St. *B'frd* —4A **36**
Elizabeth St. *Ell* —3F **61**
Elizabeth St. *G'lnd* —2D **60**
Elizabeth St. *Oakw* —3H **11**
Elizabeth St. *Wyke* —1G **51**
Elland. —3F 61
Elland Bri. *Ell* —2F **61**
Elland Hall Farm Cvn. Pk. *Ell* —2E **61**
Elland La. *Ell* —2G **61**
(in two parts)
Elland Riorges Link. *Lfds B* —2G **61**
Elland Rd. *Brigh* —5E **59**
Elland Rd. *Ell* —6G **57**
Elland Upper Edge. —3H 61
Elland Wood Bottom. *G'lnd* —6D **56**
Ellar Carr Rd. *B'frd* —3E **19**
Ellar Carr Rd. *Cull* —6E **13**
Ella St. *Kei* —3F **7**
Ellen Holme Rd. *Hal* —1A **54**
Ellen Royd St. *Hal* —5C **48**
Ellen St. *Bgly* —2G **15**
Ellenthorpe Rd. *Bail* —3C **16**
Ellercroft Av. *B'frd* —3E **35**
Ellercroft Rd. *B'frd* —3E **35**
Ellercroft Ter. *B'frd* —3E **35**
Ellerton St. *B'frd* —2E **37**
Ellinthorpe St. *B'frd* —4D **36**
Elliot Ct. *Q'bry* —2D **40**
Elliott St. *Shipl* —5E **17**
Ellis Ct. *Nor G* —3D **50**
Ellison Fold. *Bail* —1G **17**
Ellison St. *Hal* —4A **48**
Ellis St. *B'frd* —6H **35**
Ellistones Gdns. *G'lnd* —2A **60**
Ellistones La. *G'lnd* —3A **60**
Ellistones Pl. *G'lnd* —3A **60**
Ellton Gro. *B'frd* —2E **43**
Elm Av. *Sower B* —2D **54**
Elm Cres. *E Mor* —3D **8**
Elmfield. *Bail* —1H **17**
Elmfield Dri. *B'frd* —3G **43**
Elmfield Ter. *Hal* —2B **56**
Elm Gdns. *Hal* —2C **56**
Elm Gro. *E Mor* —3D **8**
Elm Gro. *Hal* —5B **42**
Elm Gro. *Kei* —1C **12**
Elm Gro. *Shipl* —6A **18**
Elm Pl. *Sower B* —2D **54**
Elm Rd. *Shipl* —6H **17**
Elmsall St. *B'frd* —1H **35** (1B 4)
Elm St. *Holy G* —5A **60**
Elm St. *Oxe* —5G **21**
Elm Ter. *Brigh* —5F **59**
Elm Tree Av. *B'frd* —3G **43**
Elm Tree Clo. *B'frd* —3H **43**
Elm Tree Clo. *Kei* —5F **7**
Elm Tree Gdns. *B'frd* —3G **43**
Elmwood Dri. *Brigh* —4D **58**
Elmwood Dri. *Kei* —1B **12**
Elmwood Rd. *Kei* —2B **12**
Elm Wood St. *Brigh* —3F **59**
Elmwood St. *Hal* —2A **56**
Elmwood Ter. *Kei* —2B **12**
Elsdon Gro. *B'frd* —4A **36**
Elsie St. *Cro R* —5B **12**
Elsie St. *Kei* —1G **6**
Elsinore Av. *Ell* —3E **61**
Elsinore Ct. *Ell* —3E **61**
Elsworth Av. *B'frd* —6F **29**
Elsworth St. *B'frd* —4C **36**
Eltham Gro. *B'frd* —3E **43**
Elvey Clo. *B'frd* —3F **29**
Elwell Clo. *Hal* —4B **42**
Elwyn Gro. *B'frd* —6A **36**
Elwyn Rd. *B'frd* —6B **36**
Ely St. *G'lnd* —3D **60**
Emerald St. *Kei* —1C **12**
Emerson Av. *B'frd* —4B **26**
Emily Ct. B'frd —6F 35
(off Oakwell Clo.)
Emily St. *Kei* —3E **7**
Emmeline Clo. *B'frd* —5D **18**
Emmfield Dri. *B'frd* —3E **27**
Emm La. *B'frd* —4E **27**
Emmott Farm Fold. *Haw* —1G **21**

Foldings Gro. *Schol* —5A **52**
Foldings Pde. *Schol* —5A **52**
Foldings Rd. *Schol* —5A **52**
Fold, The. *Haw* —6F **11**
Folkestone St. *B'frd* —2D **36**
(in two parts)
Folkton Holme. *B'frd* —5F **29**
Folly Hall Av. *B'frd* —3F **43**
Folly Hall Clo. *B'frd* —3F **43**
Folly Hall Gdns., The. *B'frd* —3F **43**
Folly Hall Rd. *B'frd* —3F **43**
Folly Hall Wlk. *B'frd* —3F **43**
Folly Vw. Rd. *Haw* —1H **21**
Fontmell Clo. *B'frd* —1G **45**
Forber Gro. *B'frd* —4G **37**
Forbes Ho. B'frd —6G 37
(off Stirling Cres.)
Ford. *Q'bry* —3C **40**
Ford Hill. *Q'bry* —3C **40**
Ford St. *Kei* —2G **7**
Fore La. *Sower B* —4C **54**
Fore La. Av. *Sower B* —4B **54**
Foreside Bottom La. *Denh* —5F **31**
Foreside La. *Denh* —4D **30**
Forest Av. *Hal* —1G **47**
Forest Cres. *Hal* —1G **47**
Forester Ct. Denh —1F 31
(off Main Rd.)
Forester Sq. *Denh* —1F **31**
Forest Grn. *Hal* —2G **47**
Forest Gro. *Hal* —2H **47**
Forrester's Ter. *Holy G* —6A **60**
Forster Ct. *B'frd* —2A **36** (3E **5**)
Forster Sq. *B'frd* —2B **36** (4E **5**)
Foster Av. *T'tn* —3F **33**
Foster Gdns. *Kei* —4B **6**
Foster Pk. *Denh* —6G **23**
Foster Pk. Gro. *Denh* —6G **23**
Foster Pk. Rd. *Denh* —6G **23**
Foster Pk. Vw. *Denh* —6G **23**
(in two parts)
Foster Rd. *Kei* —1D **12**
Foster's Ct. Hal —6C 48
(off Union St.)
Foster Sq. *Denh* —1F **31**
Foster St. *Q'bry* —2E **41**
Foston Clo. *B'frd* —5G **29**
Foston La. *B'frd* —5F **29**
Foulds Ter. *Bgly* —1G **15**
Foundry Hill. *Bgly* —2F **15**
Foundry La. *B'frd* —5D **36**
Foundry St. *Brigh* —6G **59**
Foundry St. *Cleck* —5G **53**
Foundry St. *Hal* —6C **48**
Foundry St. *Sower B* —4D **54**
Foundry St. N. *Hal* —2H **47**
Foundry Ter. *Cleck* —6G **53**
Fountain St. *B'frd* —2A **36** (3C **4**)
Fountain St. *Hal* —6C **48**
Fountain St. *Low M* —5G **43**
Fountain St. *Q'bry* —2E **41**
Fountain St. *T'tn* —3D **32**
Fountain Ter. *Wyke* —2H **51**
Fountain Way. *Shipl* —6G **17**
Fourlands. —5E **19**
Fourlands Ct. *B'frd* —5E **19**
Fourlands Cres. *B'frd* —5E **19**
Fourlands Dri. *B'frd* —5E **19**
Fourlands Gdns. *B'frd* —5E **19**
Fourlands Gro. *B'frd* —5E **19**
Fourlands Rd. *B'frd* —5E **19**
Four Lane Ends. —1D **34**
Fourth Av. *B'frd* —6E **29**
Fourth Av. *Kei* —5C **6**
Fourth St. *Low M* —5A **44**
Fowler St. *B'frd* —4D **36**
* Fox Ct. *G'lnd* —2D **60**
Fox Cft. Clo. *Q'bry* —4C **40**
Foxcroft Dri. *Brigh* —6D **58**
Foxhill. *Bail* —2E **17**
Foxhill Av. *Q'bry* —2D **40**
Foxhill Clo. *Q'bry* —2D **40**
Foxhill Dri. *Q'bry* —2D **40**
Foxhill Gro. *Q'bry* —2D **40**
Foxstone Ri. *Bail* —2A **18**
Fox St. *Bgly* —2F **15**
Fox St. *Cleck* —6D **52**
Foxwood Ho. B'frd —4F 37
(off Westbury St.)
Frances St. *Brigh* —4E **59**
Frances St. *Ell* —3F **61**
Frances St. *Kei* —3C **6**
Francis Clo. *Hal* —6A **48**
Francis Ho. Hal —5D 28
(off Hatfield Rd.)

Francis Sq. *Cull* —1F **23**
(off Station Rd.)
Francis St. *B'frd* —4C **36** (6G **5**)
Francis St. *Hal* —6A **48**
Frankel Gdns. *Brigh* —4E **59**
Franklin Ho. *B'frd* —2F **5**
Franklin St. *Hal* —6H **47**
Frank Pl. *B'frd* —5F **35**
Frank St. *B'frd* —5F **35**
Frank St. *Hal* —1A **56**
Fraser Rd. *C'ley* —1H **29**
Fraser St. *B'frd* —1G **35**
Frederick Clo. *B'frd* —4B **18**
Frederick St. *Kei* —4F **7**
Fred's Pl. *B'frd* —6E **37**
Fred St. *Kei* —5D **6**
Freeman Rd. *Hal* —2G **57**
Free Schol La. *Hal* —2A **56**
Fremantle Gro. *B'frd* —4G **37**
Frensham Dri. *B'frd* —6B **34**
Frensham Gro. *B'frd* —6B **34**
Frensham Way. *B'frd* —6B **34**
Freshfield Gdns. *All* —6H **25**
Friar Ct. *B'frd* —1E **29**
Friars Ind. Est. *B'frd* —6D **18**
Friendly. —2C **54**
Friendly Av. *Sower B* —2C **54**
Friendly Fold. *Hal* —3A **48**
Friendly Fold Ho. Hal —3A 48
(off Lentilfield St.)
Friendly Fold Rd. *Hal* —3A **48**
Friendly St. *Hal* —3A **48**
Friendly St. *T'tn* —3D **32**
Frimley Dri. *B'frd* —1G **43**
Frith St. *Cro R* —5A **12**
Frizinghall. —2G **27**
Frizinghall Rd. *B'frd* —4G **27**
Frizley Gdns. *B'frd* —3G **27**
Frodingham Vs. *B'frd* —5F **29**
Frogmere Ter. *Oaken* —6B **44**
Frogmore Av. *Oaken* —6B **44**
Fruit St. *Hal* —3G **7**
Fulford Wlk. *B'frd* —5F **29**
Fullerton St. *B'frd* —3C **36** (5G **5**)
Fulmar M. *B'frd* —2A **34**
Fulton St. *B'frd* —2H **35** (4C **4**)
Furever Feline Museum. —5G **17**
Furnace Gro. *B'frd* —6B **44**
Furnace Inn St. *B'frd* —4F **37**
Furnace La. *B'shaw* —5H **45**
Furnace Rd. *Oaken* —6B **44**
(in three parts)
Furness Av. *Hal* —6F **39**
Furness Cres. *Hal* —6F **39**
Furness Dri. *Hal* —6F **39**
Furness Gdns. *Hal* —6F **39**
Furness Gro. *Hal* —1F **47**
Furness Pl. *Hal* —1G **47**
Fusden La. *Gom* —4H **53**
Futures Way. *B'frd* —4B **36**
Fyfe Cres. *Bail* —3H **17**
Fyfe Gro. *Bail* —3A **18**
Fyfe La. *Bail* —2A **18**

Gables, The. *Bail* —2A **18**
Gables, The. Bail —3A 18
(off Dewhirst Rd.)
Gainest. *Hal* —1H **55**
Gain La. *B'frd & Fag* —6F **29**
Gainsborough Clo. *B'frd* —5C **28**
Gaisby. —1H **27**
Gaisby La. *B'frd & Shipl* —3G **27**
Gaisby Mt. *Shipl* —2H **27**
Gaisby Pl. *Shipl* —1H **27**
Gaisby Ri. *Shipl* —1H **27**
Galefield Grn. *B'frd* —5D **42**
Gale St. *Cro R* —5B **12**
Gale St. *Kei* —3E **7**
Galloway Rd. *B'frd* —6F **19**
Galsworthy Av. *B'frd* —4A **26**
Gannerthorpe Clo. *Wyke* —2G **51**
Ganny Rd. *Brigh* —5F **59**
Gaol La. *Hal* —6C **48**
(in two parts)
Garden Clo. *Wyke* —1G **51**
Gardener's Sq. *Hal* —5A **50**
Garden Fld. *Wyke* —2G **51**
Garden Fold. *Hip* —5A **50**
Garden La. *B'frd* —4D **26**
Garden Rd. *Brigh* —3D **58**
Gardens, The. *Bgly* —2B **16**
Gardens, The. *Hal* —2C **56**
Garden St. *B'frd* —3D **26**
Garden St. *Cro R* —5B **12**

Garden St. N. *Hal* —5D **48**
Garden Ter. *B'frd* —4E **27**
Garden Vw. *Bgly* —2A **16**
Gardiner Row. *B'frd* —1D **44**
Garfield Av. *B'frd* —5F **27**
Garfield St. *B'frd* —5F **27**
Garfield Ho. B'frd —5H 35
(off Hutson St.)
Garfield St. *All* —6G **25**
Garfield St. *Hal* —4A **48**
Garforth Rd. *Kei* —3G **7**
Garforth St. *All* —6H **25**
Gargrave Ho. *B'frd* —2G **5**
Garibaldi St. *B'frd* —2G **37**
(in two parts)
Garnett St. *B'frd* —2C **36** (4G **5**)
Garrowby Ho. B'frd —5D 18
(off Thorp Gth.)
Garsdale Av. *B'frd* —6E **19**
Garsdale Cres. *Bail* —1A **18**
Gth. Barn Clo. *B'frd* —4E **27**
Garth Fold. *B'frd* —5D **18**
Gth. Land Way. *B'frd* —6E **37**
Garth St. *Kei* —4D **6**
Garthwaite Mt. *All* —5H **25**
Garton Dri. *B'frd* —2F **29**
Garvey Vw. *B'frd* —5A **36**
Garwick Ter. *G'lnd* —2D **60**
Gas Ho. Yd. *Oaken* —6A **44**
Gas Works La. *Ell* —2F **61**
Gas Works Rd. *Kei* —3H **7**
(in two parts)
Gas Works Rd. *Sower B* —3F **55**
Gatefield Mt. *B'frd* —5E **43**
Ga. Head La. *G'lnd* —3A **60**
Gathorne St. *B'frd* —5F **35**
Gathorne St. *Brigh* —4F **59**
Gaukroger La. *Hal* —2D **56**
Gavin Clo. *B'frd* —2G **37**
Gawcliffe Rd. *Shipl* —6G **17**
Gawthorpe Av. *Bgly* —6G **9**
Gawthorpe Dri. *Bgly* —6G **9**
Gawthorpe La. *Bgly* —1G **15**
Gawthorpe St. *Wilsd* —1B **24**
Gayle Clo. *Wyke* —3G **51**
Gaynor St. *B'frd* —2H **35** (3A **4**)
Gaythorne Rd. *B'frd* —6A **36**
Gaythorne Rd. *Fag* —4E **29**
Gaythorne Ter. *Cytn* —5A **34**
Gaythorn Ter. *Hal* —4A **50**
Geelong Clo. *B'frd* —4B **28**
George's Pl. *B'frd* —4A **36**
George Sq. *Hal* —6C **48**
George's Sq. *Cull* —1F **23**
George's St. *Hal* —2H **47**
George St. *Bail* —4G **17**
George St. *B'frd* —3B **36** (5F **5**)
George St. *Brigh* —5G **59**
George St. *Cleck* —5F **53**
George St. *Denh* —6F **23**
George St. *Ell* —3F **61**
George St. *G'lnd* —2D **60**
George St. *Hal* —6C **48**
George St. *Hip* —6B **50**
George St. *Ras* —6E **59**
George St. *Shipl* —5D **16**
George St. *Sower B* —4D **54**
George St. *T'tn* —3D **32**
Geraldton Av. *B'frd* —4A **28**
Gerard Ho. B'frd —6E 19
(off Fairhaven Grn.)
Gerard St. *Hal* —6B **48**
Ghyll Lodge. *Bgly* —5G **15**
Ghyll, The. *Bgly* —5G **15**
Ghyll Wood Dri. *Bgly* —5G **15**
Gibbet St. *Hal* —6F **47**
Gibb La. *Hal* —2D **46**
Gibraltar Av. *Hal* —1G **55**
Gibraltar Rd. *Hal* —6G **47**
Gibson St. *B'frd* —3D **36**
Giles Hill La. *Hal* —4G **41**
(in two parts)
Giles St. *B'frd* —4H **35**
Giles St. *Wibs* —2E **43**
Gill Beck Clo. *Bail* —1A **18**
Gillingham Grn. *B'frd* —6G **37**
Gill La. *Cowl* —1E **11**
Gill La. *T'tn* —4C **32**
Gill La. *Yead* —1G **19**
Gillrene Av. *Wilsd* —3D **24**
Gillroyd Ri. *Q'bry* —2F **35**
Gill's Ct. *Hal* —6C **48**
Gillstone Dri. *Haw* —6H **11**
Gilmour St. *Hal* —4A **48**
Gilpin St. *B'frd* —1D **36**

Gilstead. —2A **16**
Gilstead Ct. *Bgly* —2A **16**
Gilstead Dri. *Bgly* —2A **16**
Gilstead La. *Bgly* —2H **15**
Gilynda Clo. *B'frd* —2C **34**
Gipsy St. *B'frd* —1G **37**
Girlington. —6E **27**
Girlington Rd. *B'frd* —6D **26**
Gisburn St. *Kei* —3D **6**
Glade, The. *S'ley* —5H **29**
Gladstone Pl. *Denh* —1F **31**
Gladstone Rd. *Hal* —6A **48**
Gladstone St. *All* —6H **25**
Gladstone St. *Bgly* —3F **15**
Gladstone St. *B'frd* —3E **37**
Gladstone St. *Cleck* —6F **53**
Gladstone St. *Holy G* —5A **60**
Gladstone St. *Kei* —5D **6**
Gladstone St. *Q'bry* —2F **41**
Gladstone Vw. *Hal* —4E **57**
Glaisdale Ct. *All* —4G **25**
Glaisdale Gro. *Hal* —6B **50**
Glaisdale Ho. B'frd —6E 19
(off Garsdale Av.)
Glazier Rd. *B'frd* —1C **40**
Gleanings Av. *Hal* —6E **47**
Gleanings Dri. *Hal* —6D **46**
Glebe Fold. *Riddl* —1H **7**
Gledcliffe. Hal —5D 48
(off Charlestown Rd.)
Gleddings Clo. *Hal* —4A **56**
Gledhill Rd. *B'frd* —3D **36**
Gledhills Yd. Hal —2H 55
(off King Cross Rd.)
Gledhow Dri. *Oxe* —3G **21**
Glenaire. *Shipl* —4A **18**
Glenaire Dri. *Bail* —4E **17**
Glenbrook Dri. *B'frd* —2C **34**
Glendale. *Bgly* —6F **15**
Glendale Clo. *B'frd* —4E **43**
Glendale Dri. *B'frd* —4E **43**
Glendare Av. *B'frd* —3D **34**
Glendare Rd. *B'frd* —3D **34**
Glendare Ter. *B'frd* —3D **34**
Glendene. *Bgly* —6F **15**
Glenfield. *Shipl* —4A **18**
Glenfield Av. *B'frd* —3H **43**
Glenfield Mt. *B'frd* —3H **43**
Glen Gdn. *Kei* —6F **7**
Glenholme. *Shipl* —4A **18**
Glenholme Heath. *Hal* —6G **47**
Glenholme Rd. *B'frd* —6F **27**
Glenholm Rd. *Bail* —3G **17**
Glenhurst. *B'frd* —2F **45**
Glenhurst Av. *Kei* —6E **7**
Glenhurst Dri. *Kei* —6F **7**
Glenhurst Gro. *Kei* —6F **7**
Glenhurst Rd. *Shipl* —5C **16**
Glen Lee La. *Kei* —1F **13**
Glenlee Rd. *B'frd* —2D **34**
Glenlyon Av. *Kei* —2C **6**
Glenlyon Dri. *Kei* —2C **6**
Glenmore Clo. *B'frd* —6E **29**
Glenmount. *Bgly* —6F **15**
Glen Mt. Clo. *Hal* —3G **47**
Glen Ri. *Bail* —3D **16**
Glen Rd. *Bail* —1B **16**
Glen Rd. *Bgly* —1A **16**
Glenrose Dri. *B'frd* —3C **34**
Glenroyd. *Shipl* —4A **18**
Glenroyd Av. *B'frd* —3H **43**
Glenside Av. *Shipl* —4A **18**
Glenside Rd. *Shipl* —4A **18**
Glenstone Gro. *B'frd* —2D **34**
Glen Ter. *B'frd* —2B **56**
Glen Ter. *Hip* —6A **50**
Glenton Sq. *B'frd* —5F **27**
Glen Vw. *Hal* —2B **56**
Glen Vw. *H'den* —4B **14**
Glenview Av. *B'frd* —4C **26**
Glenview Clo. *Shipl* —6A **16**
Glenview Dri. *Shipl* —1A **26**
(in two parts)
Glenview Gro. *Shipl* —6B **16**
Glen Vw. Rd. *Bgly* —6H **9**
Glenview Rd. *Shipl* —1A **26**
Glenview Ter. *Shipl* —5D **16**
Glen Way. *Eld* —1B **16**
Glenwood Av. *Bail* —3C **16**
Globe Fold. *B'frd* —1G **35**
Gloucester Av. *B'frd* —6F **29**
Gloucester Rd. *Bgly* —2H **15**
Glover Ct. *B'frd* —5A **36**
Glydegate. *B'frd* —3A **36** (5C **4**)
Glyndon Ct. *Brigh* —6F **59**

Glynn Ter. *B'frd* —1F **35**
Gobind Marg. *B'frd* —2C **36**
Godfrey Rd. *Hal* —5C **56**
Godfrey St. *B'frd* —2B **34**
Godley Branch Rd. *Hal* —5E **49**
Godley Gdns. *Hal* —4F **49**
Godley La. *Hal* —5E **49**
Godley Rd. *Hal* —5D **48**
Godwin St. *B'frd* —2A **36** (4C **4**)
Goff Well La. *Kei* —2E **13**
Gog Hill. *Ell* —2F **61**
Goit Side. *B'frd* —2H **35**
(in two parts)
Goit Stock La. *H'den* —5B **14**
Goit Stock Ter. *H'den* —5B **14**
Goldcrest Av. *B'frd* —2H **33**
Golden Vw. Dri. *Kei* —5H **7**
Goldfields Av. *G'lnd* —1B **60**
Goldfields Clo. *G'lnd* —1B **60**
Goldfields Vw. *G'lnd* —1B **60**
Goldfields Way. *G'lnd* —1B **60**
Golf Av. *Hal* —6E **47**
Golf Cres. *Hal* —6E **47**
Gomersal La. *Cleck* —6H **53**
Gondal Ct. *B'frd* —6G **35**
Gooder La. *Brigh* —6E **59**
Gooder St. *Brigh* —5E **59**
Goodley. —3F 11
Goodwin Ho. *Q'bry* —2E **41**
(off Minstrel Dri.)
Goose Cote La. *Oakw* —2A **12**
Goose Hill. —1D 44
Goose Nest La. *Norl* —5D **54**
Goose Pond La. *Norl* —6G **55**
Gordale Clo. *B'frd* —6H **37**
Gordon St. *B'twn* —3B **48**
Gordon St. *B'frd* —4B **36**
Gordon St. *Cytn* —5H **33**
Gordon St. *Cro R* —5A **12**
Gordon St. *Ell* —3F **61**
Gordon St. *Kei* —4D **6**
Gordon Ter. *B'frd* —4D **18**
Gorse Av. *Bail* —4C **16**
Gothic St. *Q'bry* —2E **41**
Gotts Ter. *Kei* —1C **6**
Gott St. *Cro R* —5B **12**
Goulbourne St. *Kei* —5D **6**
Gower St. *B'frd* —5A **36**
Goy Rd. *Ell* —3F **61**
Gracechurch St. *B'frd* —1H **35** (2A **4**)
Grace St. *Kei* —4F **7**
Gracey La. *B'frd* —2D **42**
Grafton Clo. *Bail* —1H **17**
Grafton Pl. *Hal* —2A **48**
Grafton Rd. *Kei* —6C **6**
Grafton St. *B'frd* —4A **36**
Grafton St. *Kei* —6D **6**
Graham St. *B'frd* —5E **27**
Grain St. *B'frd* —1F **43**
Grammar School St. *B'frd*
—1A **36** (2C **4**)
Granby Dri. *Riddl* —2H **7**
Granby La. *Kei* —2H **7**
Granby St. *B'frd* —4B **36**
(in two parts)
Granby St. *Q'bry* —2E **41**
Grandage Ter. *B'frd* —1F **35**
Grandsmere Pl. *Hal* —3B **56**
Grand Vw. *Hal* —4A **48**
(off Ovenden Av.)
Grand Vw. *Q'bry* —6C **32**
Grand Vw. *Sower B* —4D **54**
(off Clyde St.)
Grange Av. *All* —1A **34**
Grange Av. *B'frd* —1H **37**
(BD3)
Grange Av. *B'frd* —3H **45**
(BD4)
Grange Av. *Hal* —6H **39**
Grange Av. *Shipl* —5C **16**
Grange Bank. *She* —5H **41**
Grange Ct. *Bgly* —6G **15**
Grange Ct. *Hal* —4G **57**
Grange Cres. *Riddl* —2G **7**
Grange Dri. *All* —1A **34**
Grange Fold. *All* —1H **33**
Grange Gro. *Riddl* —2G **7**
Grange Heights. *Hal* —4G **57**
Grange La. *Brigh* —5H **59**
Grange La. *Oakw* —2C **10**
Grange Pk. *Bail* —2A **18**
Grange Pk. *Hal* —4B **56**
Grange Pk. Dri. *Bgly* —5G **15**

Grange Pk. Rd. *Bgly* —5G **15**
Granger Ct. *Hal* —5G **47**
Granger Gdns. *Kei* —5C **6**
Grange Rd. *All* —1A **34**
Grange Rd. *Bgly* —1H **15**
Grange Rd. *Cleck* —5E **53**
Grange Rd. *Riddl* —2G **7**
Grange St. *Hal* —4A **48**
Grange St. *Kei* —3E **7**
Grange Ter. *All* —1A **34**
Grange Ter. *Shipl* —1F **27**
Grange, The. *Hal* —4B **56**
Grange Vw. *B'frd* —1H **37**
Grange Way. *All* —1A **34**
Grange Yd. *Sower B* —3E **55**
(off Wharf St.)
Granny Hall Gro. *Brigh* —3D **58**
Granny Hall La. *Brigh* —3D **58**
Granny Hall Pk. *Brigh* —3D **58**
Granny Hill. *Hal* —2G **55**
Grantham Pl. *B'frd* —4G **35**
Grantham Pl. *Hal* —3B **48**
Grantham Rd. *B'frd* —4G **35** (6A **4**)
Grantham St. *Hal* —3B **48**
Grantham Ter. *B'frd* —4G **35**
Granton St. *B'frd* —2E **37**
Grant St. *B'frd* —2C **36** (3H **5**)
Grant St. *Kei* —4C **6**
Grant St. *Oxe* —5G **21**
Granville Pl. *All* —6H **25**
Granville Rd. *Shipl & B'frd* —2F **27**
Granville St. *Cytn* —4A **34**
Granville St. *Ell* —3F **61**
Granville St. *Hal* —4D **6**
(off Drewery Rd.)
Granville Ter. *Bgly* —2G **15**
Granville Ter. *Shipl* —2F **27**
Grape St. *All* —6A **26**
Grape St. *Hal* —6B **48**
Grape St. *Kei* —3G **7**
Grasleigh Av. *All* —5G **25**
Grasleigh Way. *All* —5F **25**
Grasmere Dri. *Ell* —2H **61**
Grasmere Rd. *Hal* —1A **48**
Grasmere Rd. *B'frd* —4C **28**
Grasmere Rd. *Wyke* —4A **52**
Gratrix La. *Sower B* —2E **55**
Grattan Rd. *B'frd* —2H **35** (4A **4**)
Gray Av. *Shipl* —2H **27**
Grayshon Dri. *Wibs* —2G **43**
Grayswood Cres. *B'frd* —6F **37**
Grayswood Dri. *B'frd* —5F **37**
Gt. Albion St. *Hal* —6C **48**
Gt. Cross St. *B'frd* —3B **36** (5E **5**)
Gt. Edge Rd. *Hal* —6B **46**
Great Horton. —5E 35
Gt. Horton Rd. *B'frd* —1B **42** (6A **4**)
Gt. Northern Rd. *Kei* —5E **7**
Gt. Russell Ct. *Field B* —2G **35**
Gt. Russell St. *B'frd* —2G **35**
Greave Ho. Dri. *L'ft* —6A **46**
Greave Ho. Fields. *L'ft* —5A **46**
Greaves Fold. *Holy G* —5C **60**
Greaves St. *B'frd* —6H **35**
Greenacre Av. *Wilsd* —2H **51**
Green Acre Clo. *Bail* —2H **17**
Greenacre Clo. *Wyke* —3H **51**
Greenacre Dri. *Wyke* —3H **51**
Greenacres. *She* —5B **42**
Greenacres Av. *Hal* —5B **42**
Greenacres Dri. *Hal* —5B **42**
Greenacres Dri. *Kei* —2D **6**
Greenacres Gro. *Hal* —5B **42**
Greenacre Way. *Wyke* —3H **51**
Greenaire Pl. *B'frd* —2H **35** (4B **4**)
Greenbank. *Bail* —4F **17**
Green Bank. *Cleck* —6H **53**
Greenbank Rd. *Bail* —1A **34**
Greencliffe Av. *Bail* —2F **17**
Green Clo. *B'frd* —1C **34**
Green Ct. *B'frd* —4D **34**
Green Ct. *Schol* —5B **52**
Greencroft Av. *Hal* —2H **49**
Green End. —2E 9
Green End. *Brigh* —6E **59**
Green End. *Cytn* —5H **33**
Green End Rd. *B'frd* —3F **43**
Green End Rd. *E Mor* —2E **9**
Greenfell Clo. *Kei* —5B **6**
Green Fld. *Bail* —3F **17**
Greenfield. *Haw* —6G **11**
Greenfield Av. *Hal* —6E **51**
Greenfield Av. *Shipl* —1G **27**
Greenfield Clo. *N'wram* —2G **49**
Greenfield Ct. *Kei* —4C **6**

Greenfield Cres. *Cull* —1G **23**
Greenfield Dri. *Schol* —5B **52**
(off New Rd. E.)
Greenfield La. *Bier* —5D **44**
Greenfield La. *Gt Hor* —5D **34**
Greenfield La. *Idle* —4D **18**
Greenfield Pl. *B'frd* —6G **27**
Greenfield Pl. *Hal* —6E **51**
Greenfield Ter. *Haw* —6G **11**
Greenfinch Way. *All* —2H **33**
Greengate Rd. *Kei* —5E **7**
Greengates. —1F 29
Greengates Av. *Wyke* —4G **51**
Green Hall Pk. *She* —6B **42**
Green Head Av. *Kei* —1C **6**
Green Head Dri. *Kei* —1C **6**
Grn. Head La. *Kei* —1C **6**
Grn. Head Rd. *Kei* —1C **6**
Green Hill. *Warley* —1D **54**
Greenhill Dri. *Bgly* —4E **9**
Greenhill La. *Bgly* —5F **9**
Greenhill La. *B'frd* —2E **37**
Grn. Hill Pk. *Hal* —3B **42**
Greenhill St. *B'frd* —2E **37**
Greenholme La. *B'frd* —1H **45**
Greenland Av. *Q'bry* —3E **41**
Greenland Vs. *Q'bry* —3E **41**
Green La. *Bail* —4E **17**
(in two parts)
Green La. *B Top* —1E **57**
Green La. *B'frd* —4E **35**
(BD7)
Green La. *B'frd* —6G **27** (1A **4**)
(BD8)
Green La. *Bshw* —3G **39**
Green La. *Brigh* —2C **58**
Green La. *Fag* —4F **29**
Green La. *G'lnd* —3C **60**
Green La. *Hal* —2G **55**
(HX2)
Green La. *Hal* —4B **42**
(HX3)
Green La. *Huns* —3F **53**
Green La. *Idle* —5E **19**
(nr. Apperley La.)
Green La. *Idle* —6C **18**
(nr. Highfield Rd.)
Green La. *N'wram* —6E **41**
Green La. *Oaken* —1B **52**
Green La. *Oakw* —3H **11**
(nr. Keighley Rd.)
Green La. *Oakw* —1D **10**
(nr. Whitehill Rd.)
Green La. *Oxe* —5C **20**
(nr. Bodkin La.)
Green La. *Oxe* —6H **21**
(nr. Isle La.)
Green La. *Q'bry* —5E **41**
Green La. *Ragg* —1B **40**
Green La. *She* —5B **42**
(in two parts)
Green La. *Shipl* —1E **17**
Green La. *T'tn* —4E **33**
Green La. *Wyke* —3F **51**
Greenley Hill. *Wilsd* —3B **24**
Green Mdw. *Wilsd* —3D **24**
Green Mt. *Bail* —3E **17**
Green Mt. *Cut H* —6F **37**
Greenmount Retail Pk. *Hal* —6B **48**
Green Mt. Rd. *T'tn* —3E **33**
Green Pk. Av. *Hal* —5C **56**
Green Pk. Dri. *Hal* —5C **56**
Green Pk. Ga. *Hal* —5C **56**
Green Pk. Rd. *Hal* —4C **56**
Green Pl. *B'frd* —5D **28**
Green Rd. *Bail* —3E **17**
Green Row. *B'frd* —1D **28**
Green Royd. *G'lnd* —3C **60**
(in two parts)
Green Royd. *Nor G* —3E **51**
Greenroyd Av. *Cleck* —3F **53**
Greenroyd Av. *Hal* —4B **56**
Greenroyd Clo. *Hal* —5B **56**
Greenroyd Cres. *Hal* —4H **47**
Greenroyd La. *Hal* —4G **47**
Green Side. —2D 34
Greenside. *Bail* —3F **17**
Greenside. *Cleck* —6G **53**
Greenside. *Oaken* —1C **52**
Greenside La. *B'frd* —2D **34**
Greenside La. *Cull* —1F **23**
Green's Sq. *Hal* —5G **47**
Green's Ter. *Oaken* —1B **52**
Green St. *B'frd* —2B **36** (4F **5**)

Green St. *Haw* —1G **21**
Green St. *Holy G* —5C **60**
Green St. *Oxe* —5G **21**
Green Ter. *B'frd* —5D **28**
Green Ter. Sq. *Hal* —3A **56**
Green, The. *Bgly* —5G **9**
(nr. College Rd.)
Green, The. *Bgly* —2B **16**
(nr. Sheriff La.)
Green, The. *B'frd* —5D **18**
Green, The. *E Bier* —4H **45**
Green, The. *M'wte* —4E **9**
Greenton Av. *Schol* —4A **52**
Greenton Cres. *Q'bry* —3D **40**
Green Top St. *B'frd* —2C **34**
Greentrees. *B'frd* —5F **43**
Greenups Ter. *Sower B* —3D **54**
Greenville Dri. *Low M* —4A **44**
Greenway. *B'frd* —1C **36** (1G **5**)
Green Way. *Hal* —3G **39**
Greenway Dri. *All* —2H **33**
Greenway Rd. *B'frd* —1A **44**
Greenwell Row. *Cytn* —5H **33**
Greenwood Av. *B'frd* —2C **28**
Greenwood Ct. *B'frd* —3A **36** (5E **5**)
Greenwood Dri. *B'frd* —3C **28**
Greenwood Mt. *B'frd* —3C **28**
Greenwood Rd. *Bail* —4F **17**
Greenwood's Ter. *Hal* —4H **47**
Greetland. —2A 60
Gregory Ct. *Cytn* —5A **34**
Gregory Cres. *B'frd* —1C **42**
Grenfell Dri. *B'frd* —1F **37**
Grenfell Rd. *B'frd* —1F **37**
Grenfell Ter. *B'frd* —1F **37**
Gresham Av. *B'frd* —3B **28**
Gresley Rd. *Kei* —4E **7**
Greycourt Clo. *Hal* —1C **28**
Greycourt Clo. *Hal* —1A **56**
Greycourt Ho. *Hal* —1A **56**
(off King Cross Rd.)
Greytriar Wlk. *B'frd* —6C **34**
Greyhound Dri. *B'frd* —3F **35**
Grey Scar Rd. *Oakw* —3E **11**
Greystone Av. *Ell* —4E **61**
Greystone Cres. *B'frd* —1E **29**
Greystones Dri. *Kei* —3B **12**
Greystones Mt. *Kei* —3B **12**
Greystones Ri. *Kei* —2B **12**
Griffe Dri. *Wyke* —4G **51**
Griffe Gdns. *Oakw* —2F **11**
Griffe Head Cres. *Wyke* —3G **51**
Griffe Head Rd. *Wyke* —3G **51**
Griffe Rd. *Oldf* —5B **10**
Griffe Rd. *Wyke* —3G **51**
Griffe Ter. *Wyke* —4G **51**
Griffe Vw. *Oakw* —2F **11**
Grimescar Rd. *Hud* —5H **61**
Grosvenor Rd. *Shipl* —5D **16**
Grosvenor Rd. *B'frd* —6H **27**
Grosvenor Rd. *Shipl* —6D **16**
Grosvenor St. *B'frd* —6H **27**
Grosvenor St. *Ell* —3F **61**
Grosvenor Ter. *B'frd* —6H **27**
Grosvenor Ter. *Hal* —6A **48**
Grouse Moor La. *Q'bry* —1C **40**
Grouse St. *Kei* —3F **7**
Grove Av. *Hal* —3H **47**
Grove Av. *Shipl* —2F **27**
Grove Clo. *B'frd* —3C **28**
Grove Ct. *Hal* —2A **48**
Grove Cotts. *Brigh* —5C **58**
Grove Cres. *L'ft* —6A **46**
Grove Cft. *Hal* —3H **47**
Grove Dri. *Hal* —3H **47**
Grove Edge. *Hal* —3H **47**
Grove Gdns. *Hal* —3A **48**
Gro. House Cres. *B'frd* —3C **28**
Gro. House Dri. *B'frd* —4C **28**
Gro. House Rd. *B'frd* —3C **28**
Grovelands. *B'frd* —3C **28**
Grove Mill La. *Hal* —3A **48**
Grove Pk. *Hal* —2A **48**
Grove Rd. *Bgly* —3H **15**
Grove Rd. *Shipl* —2F **27**
Grove Royd. *Hal* —3A **48**
Grove Sq. *Hal* —3H **47**
Grove St. *Brigh* —5F **59**
Grove St. *Hal* —2A **48**
Grove St. *Sower B* —3F **55**
Gro. Street S. *Hal* —6H **47**
Grove Ter. *Brigh* —5C **58**
Grove Ter. *B'frd* —3H **35** (5B **4**)
Grove Ter. *Brigh* —5C **58**
Grove, The. *Hal* —1G **17**
Grove, The. *Bgly* —5E **9**

Grove, The. *Gre* —6F **19**
Grove, The. *Hip* —5B **50**
Grove, The. *Idle* —6D **18**
Grove, The. *Q'bry* —2D **40**
  (off New Pk. Rd.)
Grove, The. *Shipl* —6C **16**
Groveville. *B'frd* —3C **28**
Guard House. —4A 6
Guard Ho. Av. *Kei* —4C **6**
Guard Ho. Dri. *Kei* —4C **6**
Guard Ho. Gro. *Kei* —4B **6**
Guard Ho. Rd. *Kei* —4C **6**
Guide Post Farm. *Hal* —4G **39**
  (off Keighley Rd.)
Guild Way. *Hal* —1D **54**
Guisborough Ho. *B'frd* —6E **19**
  (off Idlethorp Way)
Gurbax Ct. *B'frd* —2G **37**
Gurney Clo. *B'frd* —6H **35**
Guy St. *B'frd* —3B **36** (6E **5**)
Gwynne Av. *B'frd* —6G **29**

Hadassah St. *Hal* —3D **56**
Haddon Av. *Hal* —4C **56**
Hag La. *Hal* —2C **48**
Haigh Beck Vw. *B'frd* —6E **19**
Haigh Corner. *B'frd* —6F **19**
Haigh Fold. —4E 29
Haigh Fold. *B'frd* —4E **29**
Haigh Hall. *B'frd* —6F **19**
Haigh Hall Rd. *B'frd* —6F **19**
Haigh House Hill. —6E 61
Haigh Ho. Hill. *Hud* —6E **61**
Haigh Ho. Rd. *Hud* —6E **61**
Haigh La. *Hal* —3D **56**
Haigh St. *B'frd* —6D **36**
Haigh St. *Brigh* —4E **59**
Haigh St. *G'lnd* —2B **60**
Haigh St. *Hal* —5H **47**
Haincliffe Pl. *Kei* —1D **12**
Haincliffe Rd. *Kei* —1D **12**
Hainsworth Moor Cres. *Q'bry* —3D **40**
Hainsworth Moor Dri. *Q'bry* —3D **40**
Hainsworth Moor Gth. *Q'bry* —3D **40**
Hainsworth Moor Gro. *Q'bry* —3D **40**
Hainsworth Moor Vw. *Q'bry* —3D **40**
Hainworth. —2D 12
Hainworth Crag Rd. *Kei* —3C **12**
Hainworth La. *Kei* —2D **12**
Hainworth Rd. *Kei* —2D **12**
Hainworth Shaw. *Kei* —2D **12**
Hainworth Wood Rd. *Kei* —2D **12**
Hainworth Wood Rd. N. *Kei* —6E **7**
Halcyon Way. *B'frd* —6G **35**
Halesworth Cres. *B'frd* —1G **45**
Haley Hill. *Hal* —4C **48**
Half Acre Rd. *T'tn* —2B **32**
Half Ho. La. *Brigh* —2B **58**
Half St. *Kei* —3D **6**
Halifax. —6C 48
Halifax Blue Sox Rugby League
  Football Club. —2C **56**
Halifax Ind. Cen., The. *Hal* —5A **48**
Halifax La. *L'ft* —5A **46**
Halifax Old Rd. *Hal* —1H **49**
Halifax Rd. *Butt* —4C **42**
Halifax Rd. *Cleck & Liv* —6A **52**
Halifax Rd. *Cro R & Kei* —4B **12**
  (in two parts)
Halifax Rd. *Cro R & Cull* —5B **12**
  (nr. Hardgate La.)
Halifax Rd. *Denh* —2F **31**
  (in two parts)
Halifax Rd. *G'lnd & Ell* —1D **60**
Halifax Rd. *Hal* —2H **49**
Halifax Rd. *Hip & Brigh* —1B **58**
  (nr. Broad Oak La.)
Halifax Rd. *Hip* —5H **49**
  (nr. Leeds Rd.)
Halifax Rd. *Hud* —6H **61**
Halifax Rd. *Q'bry* —5C **40**
Halifax Town Football Club. —2C **56**
Hallas La. *Cull* —2G **23**
  (in two parts)
Hall Av. *B'frd* —2F **29**
Hallbank Clo. *B'frd* —2H **43**
Hall Bank Dri. *Bgly* —1G **15**
Hallbank Dri. *B'frd* —2H **43**
Hall Cliffe. *Bail* —1H **17**
Hallcroft. *Bgly* —5F **9**
Hallfield Dri. *Bail* —2G **17**
Hallfield Rd. *B'frd* —1H **35** (1C **4**)
Hallfield Rd. *B'frd* —1H **35** (2B **4**)

Hallfield St. *B'frd* —1A **36** (2C **4**)
Hallgate. *B'frd* —1A **36**
Hall Ings. *B'frd* —3A **36** (5D **4**)
Hall Ings. *Hal* —4G **57**
Hall La. *B'frd* —4B **36** (6F **5**)
Hall La. *B'frd* —1F **49**
Hall La. *Shipl* —5G **17**
Hallowes Gro. *Cull* —2F **23**
Hallowes Pk. Rd. *Cull* —2F **23**
Hallows Rd. *Kei* —2G **7**
Hallows, The. *Kei* —3C **6**
Hall Rd. *B'frd* —2E **29**
Hall Royd. *Shipl* —6E **17**
Hall Stone Ct. *She* —6A **42**
Hall St. *B'frd* —2G **43**
Hall St. *Brigh* —5F **59**
Hall St. *Hal* —6B **48**
Hall St. *Haw* —1G **21**
Hall St. *Oakw* —3H **11**
  (off Clough La.)
Hall St. N. *Hal* —3B **48**
Hallwood Grn. *B'frd* —2G **29**
Halstead Pl. *B'frd* —6F **35**
Halton Pl. *B'frd* —6F **35**
Hambledon Av. *B'frd* —2D **44**
Hambleton Bank. *Hal* —5D **38**
Hambleton Cres. *Hal* —6D **38**
Hambleton Dri. *Hal* —6C **38**
Hambleton La. *Oxe* —2B **30**
Hame, The. *Holy G* —6A **60**
Hamilton St. *B'frd* —1H **35** (1B **4**)
Hammerstone Leach La. *Holy G & Ell*
  —4D **60**
Hammerstones Rd. *Ell* —3D **60**
Hammerton Clo. *Ell* —2F **61**
Hammerton St. *B'frd* —3C **36** (5G **5**)
Hammond Pl. *B'frd* —4E **27**
Hammond St. *Hal* —1H **55**
Hamm Strasse. *B'frd* —1A **36** (2D **4**)
Hampden Pl. *B'frd* —5H **35**
Hampden Pl. *Hal* —6B **48**
Hampden St. *B'frd* —5H **35**
Hampton Pl. *B'frd* —5D **18**
Hampton Dri. *Oakw* —3H **11**
Handel St. *List* —2G **35**
Hanging Ga. La. *Oxe* —2E **21**
Hanging Wood Way. *West I* —3E **53**
Hangram St. *Brigh* —5F **59**
Hannah Ct. *Wyke* —2G **51**
Hanover Clo. *B'frd* —6E **27**
Hanover Sq. *B'frd* —1H **35** (1B **4**)
Hanover Sq. *Wyke* —2G **51**
Hanover St. *Hal* —1B **56**
Hanover St. *Kei* —4E **7**
Hanover St. *Sower B* —3F **55**
Hanson Ct. *Wyke* —3G **51**
Hanson Fold. *Wyke* —2G **51**
Hanson La. *Hal* —6G **47**
Hanson Mt. *Wyke* —3G **51**
Hanson Pl. *Wyke* —2G **51**
Hanson Rd. *Brigh* —5C **58**
Hanworth Rd. *Low M* —5H **43**
Hapsburg Ct. *B'frd* —4A **36**
  (off Elsdon Gro.)
Harbeck Dri. *H'den* —5B **14**
Harborough Grn. *App B* —5G **19**
  (off Leavens, The)
Harbour Cres. *B'frd* —3E **43**
Harbour Pk. *B'frd* —3D **42**
Harbour Rd. *Wibs* —3D **42**
Harclo Rd. *Kei* —3G **7**
Harcourt Av. *T'tn* —2D **32**
Harcourt St. *B'frd* —6D **36**
Hardaker Rd. *Bail* —3E **17**
Hardaker Rd. *B'frd* —2A **4**
Hardaker St. *B'frd* —1H **35**
Harden. —4B 14
Harden & Bingley Cvn. Pk. *H'den*
  —6A **14**
Harden Brow La. *H'den* —4A **14**
Harden Gro. *Idle* —4G **29**
Harden Gro. *Kei* —6G **7**
Harden La. *Wilsd* —6B **14**
Harden Rd. *H'den* —4B **14**
Harden Rd. *Kei* —6G **7**
Hardgate La. *Cro R* —6B **12**
  (in two parts)
Hardhill Ho. *H'den* —4B **14**
  (off Ferrands Pk. Way)
Hard Ings Rd. *Kei* —2E **7**
Hardknot Clo. *B'frd* —6C **34**
Hard Nese La. *Oxe* —6D **20**
  (in two parts)
Hardwick St. *Kei* —5C **6**

Hardy Av. *B'frd* —3G **43**
Hardy Pl. *Hov E* —2C **58**
Hardy St. *B'frd* —3B **36** (6E **5**)
Hardy St. *Brigh* —4F **59**
Hardy St. *Wibs* —2G **43**
Harehill Clo. *B'frd* —4D **18**
Hare Hill Edge. *Oldf* —4A **10**
Harehill Rd. *B'frd* —4D **18**
Harehills La. *B'frd* —4D **18**
Hare St. *Hal* —6H **47**
Harewood Av. *Hal* —5F **47**
Harewood Cres. *Oakw* —2A **12**
Harewood Pl. *Hal* —1G **55**
Harewood Ri. *Oakw* —2B **12**
Harewood Rd. *Oakw* —3A **12**
Harewood St. *B'frd* —2D **36** (3H **5**)
  (in two parts)
Harker Rd. *Low M* —4B **44**
Harland Clo. *B'frd* —5A **28**
Harley Pl. *Brigh* —6E **59**
  (off Harley St.)
Harley St. *Brigh* —6E **59**
Harlow Rd. *B'frd* —4E **35**
Harmon Clo. *B'frd* —3E **45**
Harold Pl. *Shipl* —5D **16**
Harold St. *Bgly* —1E **15**
Harper Av. *Idle* —4D **18**
Harper Cres. *Idle* —4E **19**
Harper Royd La. *Sower B* —5D **54**
Harp La. *Q'bry* —1D **40**
Harrier Clo. *B'frd* —2H **33**
Harriet St. *B'frd* —1F **35**
Harriet St. *Brigh* —3E **59**
Harris Ct. *B'frd* —6E **35**
Harrison Rd. *Hal* —1C **56**
Harrison St. *Bgly* —3G **15**
Harrison Va. *Bgly* —2G **15**
Harris St. *Bgly* —3G **15**
Harris St. *B'frd* —2C **36** (4G **5**)
Harrogate Av. *B'frd* —5C **28**
Harrogate Pl. *B'frd* —5C **28**
Harrogate Rd. *B'frd* —5D **28**
Harrogate St. *B'frd* —5C **28**
Harrogate Ter. *B'frd* —5C **28**
Harrop Edge. —5C 24
Harrop La. *Wilsd* —4A **24**
Harrow St. *Hal* —6H **47**
Harry La. *Cytn* —5G **33**
Harry La. *Oxe* —4G **21**
Harry St. *B'frd* —6E **37**
Harsley Fold. *Brigh* —5H **59**
Hartington St. *Kei* —3E **7**
Hartington Ter. *B'frd* —4E **35**
Hartland Rd. *B'frd* —5G **37**
Hartley Bank La. *Hal* —3C **48**
Hartley's Sq. *E Mor* —2D **8**
Hartley St. *B'frd* —4C **36**
Hartley St. *Hal* —5A **48**
Hartlington Ct. *Bail* —2A **18**
Hartman Pl. *B'frd* —5D **26**
Hartshead Moor Top. —6A 52
Hart St. *B'frd* —5B **36**
Haslam Clo. *B'frd* —1C **36** (2H **5**)
Haslam Gro. *Shipl* —1A **28**
Haslemere Clo. *B'frd* —6F **37**
Haslingden Dri. *B'frd* —5D **26**
Hastings Av. *B'frd* —1H **43**
Hastings Pl. *B'frd* —1H **43**
Hastings St. *B'frd* —1H **43**
Hastings Ter. *B'frd* —1H **43**
Hatchet La. *Oaken* —1C **52**
Hatfield Rd. *B'frd* —5D **28**
Hathaway Av. *B'frd* —4B **26**
Hatters Fold. *Hal* —6D **48**
Hatton Clo. *B'frd* —4B **44**
Haugh End La. *Sower B* —5C **54**
Haugh Shaw Cft. *Hal* —2A **56**
Haugh Shaw Rd. *Hal* —2A **56**
Havelock Sq. *T'tn* —3E **33**
Havelock St. *B'frd* —5D **34**
Havelock St. *T'tn* —3E **33**
Haven, The. *B'frd* —1E **29**
Hawes Av. *B'frd* —1G **43**
Hawes Cres. *B'frd* —1G **43**
Hawes Dri. *B'frd* —1G **43**
Hawes Gro. *B'frd* —1G **43**
Hawes Mt. *B'frd* —1G **43**
Hawes Rd. *B'frd* —1F **43**
Hawes Ter. *B'frd* —1G **43**
Hawke Way. *Low M* —5A **44**
Hawksbridge La. *Oxe* —4E **11**
Hawkshead Clo. *B'frd* —4A **36**
Hawkshead Dri. *B'frd* —4A **36**
Hawkshead Wlk. *B'frd* —4A **36**

Hawkshead Way. *B'frd* —4A **36**
  (off Hawkshead Clo.)
Hawkstone Dri. *Kei* —2C **6**
Hawk St. *Kei* —3F **7**
  (off Pheasant St.)
Hawks Wood Av. *B'frd* —4D **26**
Hawksworth Rd. *Bail* —1G **17**
Hawley Ter. *B'frd* —3G **29**
Haworth. —1H 21
Haworth Gro. *B'frd* —4C **26**
Haworth Rd. *All* —4G **25**
Haworth Rd. *B'frd* —4C **26**
Haworth Rd. *Cro R* —5A **12**
Haworth Rd. *Cull* —1B **22**
Haworth Rd. *Wilsd* —3H **23**
Hawthorn Av. *B'frd* —1G **37**
Hawthorn Clo. *Brigh* —4G **59**
Hawthorn Cres. *Bail* —2H **17**
Hawthorn Dri. *B'frd* —6E **19**
Hawthorne Av. *Shipl* —2H **27**
Hawthorne Way. *E Mor* —3E **9**
Hawthorn St. *B'frd* —1G **37**
Hawthorn St. *Hal* —2A **56**
Hawthorn St. *Hip* —5B **50**
Hawthorn Vw. *Bail* —2A **18**
Haycliffe Dri. *B'frd* —1E **43**
Haycliffe Gro. *B'frd* —1D **42**
Haycliffe Gro. *B'frd* —1E **43**
Haycliffe Hill. —1F 43
Haycliffe Hill Rd. *B'frd* —1F **43**
Haycliffe La. *B'frd* —1E **43**
Haycliffe Rd. *B'frd* —1E **43**
Haycliffe Ter. *B'frd* —1F **35**
Hayclose Mead. *B'frd* —5E **43**
Hayden St. *B'frd* —3D **36**
Haydn Pl. *Q'bry* —2E **41**
Hayfield Clo. *Bail* —1A **18**
Hayfields, The. *Haw* —5G **11**
Hayley Ct. *Hal* —5C **48**
  (off Hayley Hill)
Haynes St. *Kei* —5F **7**
Hays La. *Hal* —4D **38**
Hazebrouck Dri. *Bail* —1F **17**
Hazel Beck. *Bgly* —5F **15**
Hazelcroft. *B'frd* —3F **29**
Hazel Cft. *Shipl* —1G **27**
Hazel Dene. *Holy G* —5B **60**
  (off Cross St.)
Hazeldene. *Q'bry* —3D **40**
Hazel Gro. *Hal* —6E **51**
Hazelheads. *Bail* —1G **17**
Hazelhurst Brow. *B'frd* —5B **26**
Hazelhurst Ct. *B'frd* —3E **37**
  (BD3)
Hazelhurst Ct. *B'frd* —5B **26**
  (BD9)
Hazelhurst Gro. *Q'bry* —4D **40**
Hazelhurst Rd. *B'frd* —5B **26**
Hazelhurst Rd. *Q'bry* —4D **40**
Hazelhurst Ter. *B'frd* —5B **26**
Hazelmere Av. *Bgly* —5G **15**
Hazel Mt. *Shipl* —6G **17**
Hazel Wlk. *B'frd* —5B **26**
Hazelwood Av. *Riddl* —2H **7**
Hazelwood Rd. *B'frd* —4A **26**
Headland Gro. *B'frd* —2D **42**
Headley La. *T'tn* —5C **32**
Healey Av. *Bgly* —3G **15**
Healey La. *Bgly* —3G **15**
Healey Wood Cres. *Brigh* —6E **59**
Healey Wood Gro. *Brigh* —6F **59**
Healey Wood Rd. *Brigh* —6F **59**
Heap La. *B'frd* —2C **36** (3G **5**)
Heap St. *B'frd* —2C **36** (3G **5**)
Heap St. *Hal* —3C **48**
Hearn Gth. *Hal* —6C **48**
Heath Av. *Hal* —3B **56**
Heathcliff. *Haw* —6F **11**
Heath Cres. *Hal* —2C **56**
Heatherbank Av. *Oakw* —1B **12**
Heather Bank Clo. *Cull* —2F **23**
Heather Ct. *Bgly* —6G **9**
Heather Dri. *Mt Tab* —2C **46**
Heather Gro. *B'frd* —3H **25**
Heather Gro. *Kei* —3B **6**
Heatherlands Av. *Denh* —5F **23**
Heather Pl. *Q'bry* —1B **40**
Heather Rd. *Bail* —1F **17**
Heatherside. *Bail* —1F **17**
Heatherstones. *Hal* —3B **56**
Heather Vw. *Bgly* —1B **16**
Heathfield. —2G 61
Heathfield Av. *Ell* —2H **61**
Heathfield Clo. *Bgly* —1G **15**

Heathfield Gro. *B'frd* —5C **34**
Heathfield Gro. Hal —*3C 56*
 (off Heath Rd.)
Heathfield Ind. Est. *Ell* —2G **61**
Heathfield Pl. *Hal* —3C **56**
Heathfield St. *Ell* —3G **61**
Heathfield Ter. *Hal* —2C **56**
Heathfield Vw. *B'frd* —5C **26**
Heath Gdns. *Hal* —3C **56**
Heath Gro. *E Mor* —3D **8**
Heath Hall. *Hal* —2C **56**
Heath Hall Av. *B'frd* —2D **44**
Heath Hill Rd. *Hal* —5C **46**
Heath La. *Hal* —3C **56**
Heath Lea. *Hal* —2C **56**
Heathmoor Clo. *Hal* —6F **39**
Heathmoor Clo. *Idle* —5C **18**
Heathmoor Mt. *Hal* —5F **39**
Heathmoor Pk. Rd. *Hal* —4F **39**
Heathmoor Way. *Hal* —5F **39**
Heath Mt. *Hal* —3B **56**
Heath Pk. Av. *Hal* —2C **56**
Heath Rd. *B'frd* —6D **28**
Heath Rd. *Hal* —3C **56**
Heath Royd. *Hal* —3C **56**
Heath St. *Bgly* —2G **15**
Heath St. *B'frd* —2E **37**
Heath St. *Hal* —3B **56**
Heath Ter. *B'frd* —2D **36**
Heath Vs. *Hal* —3C **56**
Heathy Av. *Hal* —6A **40**
Heathy La. *Hal* —5H **39**
Heaton. —4E 27
Heaton Av. *Cleck* —6E **53**
Heaton Av. *Sandb* —4C **8**
Heaton Clo. *Bail* —1F **17**
Heaton Clo. *Bgly* —1H **15**
Heaton Cres. *Bail* —1F **17**
Heaton Cres. *Bgly* —1H **15**
Heaton Dri. *Bail* —1F **17**
Heaton Dri. *Bgly* —1H **15**
Heaton Grove. —3F 27
Heaton Gro. *B'frd* —3F **27**
Heaton Gro. *Cleck* —6E **53**
Heaton Gro. *Shipl* —6G **17**
Heaton Hill. *B'frd* —4C **42**
Heaton Pk. Dri. *B'frd* —4D **26**
Heaton Pk. Rd. *B'frd* —4D **26**
Heaton Rd. *B'frd* —4E **27**
Heaton Royds. —2D 26
Heaton Royds La. *B'frd* —2D **26**
Heaton Shay. —2D 26
Heaton St. *B'frd* —4C **36** (6G **5**)
Heaton St. *Cleck* —5D **53**
Heatons Yd. *Brigh* —6F **59**
Hebble Brook Clo. *Mix* —1E **47**
Hebble Cotts. *Hal* —4G **47**
Hebble Ct. *Hal* —1F **47**
Hebble Dean. *Hal* —4H **47**
Hebble Gdns. *Hal* —4G **47**
Hebble La. *Hal* —4H **47**
Hebble Row. Oakw —*4G 11*
 (off Providence La.)
Hebble Va. Dri. *Hal* —3G **47**
Hebble Vw. *Hal* —3G **47**
Hebb Vw. *B'frd* —1C **42**
Hebden Bri. Rd. *H Bri* —6E **21**
Hebden Rd. *Haw* —1H **21**
Heber St. *Kei* —5D **6**
Hector Clo. *B'frd* —2G **43**
Heddon Clo. *B'frd* —4A **36**
Heddon Gro. *B'frd* —4A **36**
Hedge Clo. *B'frd* —6B **26**
Hedge Nook. *Wyke* —1G **51**
Hedge Side. *B'frd* —1C **34**
Hedge Top La. *Hal* —2G **49**
Hedge Way. *B'frd* —6C **26**
Heidelberg Rd. *B'frd* —5E **27**
Height Grn. *Sower B* —3D **54**
Height La. *Oxe* —5H **21**
Heights La. *Bgly* —2F **9**
Heights La. *B'frd* —4B **26**
Heights La. *B'frd* —6F **37**
Helena Way. *B'frd* —3E **45**
Helen Rose Ct. *Shipl* —4A **18**
Helen St. *Shipl* —5D **16**
Helen Ter. *Brigh* —4D **58**
Hellewell St. *B'frd* —4D **42**
Helmshore Dri. *B'frd* —1H **34**
Helmsley St. *B'frd* —5C **36**
Hemingway Rd. *B'frd* —5F **19**
Hemsby Gro. Kei —*1D 12*
 (off Hemsby St.)
Hemsby St. *Kei* —1D **12**
Henacrewood Ct. *Q'bry* —4E **41**

Henage St. *Q'bry* —2D **40**
Henderson Pl. *B'frd* —2G **43**
Hendford Dri. *B'frd* —2C **36** (3H **5**)
Hendy Cotts. *G'lnd* —2D **60**
Henfield Av. *B'frd* —6C **18**
Henley Av. *B'frd* —1A **44**
Henley Ct. *B'frd* —1B **44**
Henley Gro. *B'frd* —1A **44**
Henley Rd. *B'frd* —1B **44**
Henry St. *Brigh* —3E **59**
Henry St. *Cytn* —5A **34**
Henry St. *Hal* —1B **56**
Henry St. *Kei* —4E **7**
Henry St. *T'tn* —3D **32**
Herbert Pl. *B'frd* —1G **37**
Herbert St. *Bgly* —2G **15**
Herbert St. *B'frd* —5H **35**
Herbert St. *Cytn* —6A **34**
Herbert St. *Ctly* —1H **25**
Herbert St. *Hal* —1H **55**
Herbert St. *Shipl* —4D **16**
Hereford Way. *B'frd* —5C **36**
Heritage Pk. *Bgly* —5G **9**
Heritage Way. *Oakw* —3G **11**
Hermit Hole. —3C 12
Hermit St. *Oakw* —3C **12**
Hermon Av. *Hal* —1A **56**
Hermon Gro. *Hal* —1A **56**
Heron Clo. *Q'bry* —1C **40**
Herschel Rd. *B'frd* —2B **34**
Heshbon St. *B'frd* —6E **37**
Hesketh Pl. *Hal* —6E **51**
Hessle Ho. B'frd —*6E 19*
 (off Idlethorp Way)
Hew Clews. *B'frd* —6C **34**
Heybeck Wlk. *B'frd* —1H **45**
Heyford Ct. *B'frd* —4H **27**
Heygate Clo. *Bail* —1H **17**
Heygate La. *Bail* —1H **17**
Hey La. *Stanb* —5D **10**
Heys Av. *T'tn* —3F **33**
Heys Cres. *T'tn* —3G **33**
Heysham Dri. *B'frd* —1G **45**
Heys Ho. Hal —*5A 48*
 (off Crossley Gdns.)
Hey St. *B'frd* —2H **35** (4A **4**)
Hey St. *Brigh* —3F **59**
Heywood Clo. *Hal* —3G **49**
Hick St. *B'frd* —2B **36** (4F **5**)
Higgin La. *Hal* —2E **57**
Higham & Dob La. *Sower B*
 —4A **54**
High Ash. *Shipl* —6A **18**
High Ash Pk. *All* —6E **25**
High Bank La. *Shipl* —1B **26**
High Banks Clo. *Riddl* —1H **7**
High Binns La. *Oxe* —5H **21**
Highbridge Ter. *B'frd* —2B **44**
Highbury Clo. *Q'bry* —3C **40**
High Busy La. *Shipl & B'frd* —5A **18**
 (in three parts)
High Cliffe Clo. *T'tn* —3E **33**
Highcliffe Dri. *Hal* —6F **47**
High Cote. *Riddl* —1F **7**
High Cft. *Q'bry* —2E **41**
Highcroft Gdns. *Kei* —5H **7**
High Cross La. *Q'bry* —4F **41**
Highdale Cft. *B'frd* —5D **18**
Higher Brockwell. *Sower B* —4B **54**
Higher Coach Rd. *Bail* —3A **16**
 (in two parts)
Higher Downs. *B'frd* —1B **34**
Higher Intake Rd. *B'frd* —6E **29**
Higher School St. *Shipl* —5D **16**
Higherwood Clo. *Kei* —5G **7**
Highfell Ri. *Kei* —6A **6**
High Fernley Rd. *Wyke* —1G **51**
High Fernley Rd. *Wyke* —2E **51**
 (in two parts)
Highfield. —4C 6
Highfield. B'frd —2F **45**
Highfield. S'wram —6H **41**
Highfield Av. *B'frd* —6C **18**
Highfield Av. *Brigh* —5F **51**
Highfield Av. *G'lnd* —2B **60**
Highfield Av. *Hal* —4B **42**
Highfield Clo. *E Mor* —2D **8**
Highfield Clo. *Oakw* —3G **11**
Highfield Cres. *Bail* —1G **17**
Highfield Cres. *B'frd* —3B **26**
Highfield Dri. *B'frd* —3B **26**
Highfield Dri. *L'ft* —5A **46**
Highfield Gdns. *B'frd* —4B **26**
Highfield Gro. *B'frd* —1C **28**
Highfield Gro. *Ell* —1E **61**

Highfield Ho. B'frd —*6G 27*
 (off Church St.)
Highfield La. *Kei* —3C **6**
High Fld. La. *Oakw* —2G **11**
Highfield M. *Bail* —1G **17**
Highfield M. *E Mor* —2D **8**
Highfield Pl. B'frd —*6G 27*
 (off Church St.)
Highfield Pl. *Hal* —1H **55**
Highfield Rd. *Cleck* —6E **53**
Highfield Rd. *Ell* —3F **61**
Highfield Rd. *Five E & Idle* —2C **28**
Highfield Rd. *Friz* —2G **27**
Highfield Rd. *Kei* —4C **6**
Highfield Rd. *L'ft* —5A **46**
High Fields. *Sower B* —3G **55**
Highfield St. *Kei* —4D **6**
Highfield Ter. *Bgly* —2G **15**
Highfield Ter. *Cleck* —6E **53**
Highfield Ter. *Cull* —1F **23**
Highfield Ter. Hal —*1H 55*
 (off Highfield Pl.)
Highfield Ter. *Q'bry* —3D **40**
Highfield Ter. *Shipl* —5C **16**
High Fold. *Bail* —1G **17**
High Fold. *Bgly* —3E **9**
High Fold. *Kei* —6B **6**
High Fold. *Yead* —1H **19**
High Fold La. *Kei* —1C **6**
Highgate. *B'frd* —3D **26**
Highgate. *Denh* —3G **31**
Highgate Clo. *Q'bry* —1A **42**
Highgate Gro. *Q'bry* —1A **42**
Highgate Rd. *Q'bry* —2G **41**
High Gro. La. *Hal* —2E **57**
High Ho. Av. *B'frd* —3C **28**
High Ho. Rd. *B'frd* —3C **28**
Highlands Clo. *B'frd* —6C **34**
Highlands Gro. *B'frd* —6C **34**
Highlands La. *Hal* —5H **39**
Highlands Pk. *Hal* —5H **39**
Highland Ville. *Hal* —6B **50**
High La. *Hal* —5D **46**
High Lees Rd. *Hal* —6D **38**
High Level Way. *Hal* —5H **47**
Highley Hall Cft. *Clif* —4H **59**
Highley Pk. *Clif* —5H **59**
High Mdw. *Kei* —2C **6**
High Meadows. *G'lnd* —2C **60**
High Meadows. *Wilsd* —2C **24**
Highmoor. *Bail* —2E **17**
Highmoor Cres. *Brigh* —4H **59**
Highmoor La. *Brigh & Cleck* —4H **59**
 (in two parts)
Highmoor Wlk. *Bail* —3E **17**
High Pk. Cres. *B'frd* —4C **26**
High Pk. Dri. *B'frd* —4C **26**
High Pk. Gro. *B'frd* —4C **26**
High Poplars. *B'frd* —3B **28**
Highroad Well. —5F 47
Highroad Well. *Hal* —6F **47**
Highroad Well Ct. *Hal* —6F **47**
Highroad Well La. *Hal* —6E **47**
High Shaw Rd. W. *Hal* —2H **55**
High Spring Gdns. La. *Kei* —2C **6**
High Spring Rd. *Kei* —5H **7**
High St. Idle. *Idle* —5D **18**
High St. Brighouse. *Brigh* —4E **59**
High St. Cleckheaton. *Cleck* —5F **53**
High St. Ct. *Ludd* —4A **46**
High St. Greetland. *G'lnd* —3D **60**
High St. Halifax. *Hal* —1B **56**
High St. Keighley. *Kei* —4D **6**
High St. Luddenden. *Ludd* —4A **46**
High St. Pl. *Idle* —5D **18**
High St. Queensbury. *Q'bry* —2E **41**
High St. Shipley. *Shipl* —6G **17**
High St. Thornton. *T'tn* —3D **32**
High St. Wibsey. *Wibs* —2F **43**
High Sunderland La. *Hal* —4D **48**
Highthorne Av. *B'frd* —6E **29**
Hightown Rd. *Cleck & Liv* —6F **53**
High Utley. —2C 6
High Wicken Clo. *T'tn* —3D **32**
Hilda St. *H'tn* —3E **27**
Hillam Rd. *B'frd* —4H **27**
Hillam St. *B'frd* —6F **35**
Hillary Rd. *Shipl* —6A **18**
Hill Brow Clo. *All* —6G **25**
Hill Clo. *Bail* —3F **17**
Hillcote Dri. *B'frd* —5A **36**
Hill Cres. *Hal* —2F **57**
Hill Crest. Sower B —*2D 54*
 (off Dalton St.)
Hill Crest Av. *Denh* —6G **23**

Hillcrest Av. *Q'bry* —3F **41**
Hill Crest Av. Sower B —*2D 54*
 (off Dearden St.)
Hill Crest Dri. *Denh* —6F **23**
Hillcrest Dri. *Q'bry* —3F **41**
Hill Crest Mt. *Denh* —6F **23**
Hillcrest Mt. *Schol* —6B **52**
Hill Crest Rd. *Denh* —6F **23**
Hillcrest Rd. *Q'bry* —3F **41**
Hill Crest Vw. *Denh* —6F **23**
Hill Cft. *T'tn* —2E **33**
Hill End Clo. *Hip* —6A **50**
Hill End Clo. *Nor G* —3E **51**
Hill End Gro. *B'frd* —6C **34**
Hill End La. *H'den* —6G **13**
Hill End La. *Q'bry* —3D **40**
Hillfoot. *Shipl* —6C **16**
Hill Ho. Edge La. *Oxe* —6F **21**
Hill Ho. La. *Oxe* —6G **21**
Hill Ho. La. *Sower B* —5B **54**
Hill Lands. *Wyke* —6G **43**
Hill Pk. Av. *Hal* —4H **47**
Hill Rd. *Hal* —6E **49**
Hillside Av. *L'ft* —6A **46**
Hillside Av. *Oakw* —3F **11**
Hillside Gro. *Oakw* —3F **11**
Hillside Rd. *Bgly* —1F **15**
Hill Side Rd. *B'frd* —2C **36** (3G **5**)
Hillside Rd. *Shipl* —1G **27**
Hillside Ter. *Bail* —2C **16**
Hill Side Ter. *B'frd* —2C **36** (2G **5**)
Hillside Vw. *Sower B* —3C **54**
Hillside Villas. —6H 5
Hillside Works Ind. Est. *Cleck* —3F **53**
Hill St. *B'frd* —4D **36**
 (BD4)
Hill St. *B'frd* —2E **43**
 (BD6)
Hill St. *Cleck* —6E **53**
Hill St. *Hal* —1B **56**
Hill St. *Haw* —1G **21**
Hill Top. —2C 32
Hill Top. *Hal* —2G **55**
Hill Top. *Q'bry* —1D **40**
Hill Top Cotts. *B'frd* —5C **26**
Hill Top Gro. *All* —6G **25**
Hill Top La. *All* —6G **25**
Hill Top La. *Bgly* —3F **9**
 (in two parts)
Hill Top Rd. *Hain* —4C **12**
Hill Top Rd. *Oakw* —3F **11**
Hill Top Rd. *T'tn* —2B **32**
Hill Top Wlk. *Kei* —4B **6**
Hill Top Way. *Kei* —4B **6**
Hill Vw. *Hal* —4H **39**
Hillview Gdns. *Hal* —4G **49**
Hill Vw. Ri. *B'frd* —5G **37**
Hilton Av. *Shipl* —2F **27**
Hilton Cres. *Bail* —3G **17**
Hilton Dri. *Shipl* —2F **27**
Hilton Gro. *B'frd* —3E **35**
Hilton Gro. *Shipl* —2F **27**
Hilton Rd. *B'frd* —3E **35**
Hilton Rd. *Shipl* —2F **27**
Hinchcliffe St. *B'frd* —1D **36**
Hinchliffe Av. *Bail* —3H **17**
Hindley Wlk. *B'frd* —1B **42**
Hind St. *B'frd* —1G **35** (2A **4**)
Hind St. *Wyke* —3G **51**
Hions Clo. *Brigh* —6E **59**
Hipperholme. —4B 50
Hipswell St. *B'frd* —1E **37**
Hird Av. *B'frd* —3G **43**
Hird Rd. *Low M* —5H **43**
Hird St. *Kei* —6D **6**
Hird St. *Shipl* —5F **17**
Hirst La. *Shipl* —4F **17**
Hirst Lodge Ct. *B'frd* —2B **28**
Hirst Mill Cres. *Shipl* —4C **16**
Hirst Wood Cres. *Shipl* —5C **16**
Hirst Wood Rd. *Shipl* —5B **16**
Hive St. *Kei* —5C **6**
Hobb End. *T'tn* —1C **32**
Hob Cote La. *Oakw* —4D **10**
Hob La. *Sower B* —6D **54**
Hob La. *Stanb* —6A **10**
Hobson Fold. *Wyke* —3H **51**
Hockney Rd. *B'frd* —1F **35**
Hodgson Av. *B'frd* —1F **37**
Hodgson Fold. *B'frd* —3B **28**
Hodgson Yd. *B'frd* —2E **29**
Holborn Ct. *Low M* —5G **43**
Holden La. *Bail* —1H 17
 (in two parts)

Jermyn St. *B'frd* —2B **36** (3F **5**)
Jerry La. *Sower B* —4C **54**
Jerusalem La. *Hal* —1A **46**
Jervaulx Cres. *B'frd* —1G **35** (1A **4**)
Jerwood Hill Clo. *Hal* —4D **48**
Jerwood Hill Gro. *Hal* —4D **48**
Jesmond Av. *B'frd* —5D **26**
Jesmond Gro. *B'frd* —5D **26**
Jesse St. *B'frd* —4A **36**
 (BD5)
Jesse St. *B'frd* —2B **34**
 (BD8)
Jester Pl. *Q'bry* —1C **40**
Jew La. *Oxe* —5G **21**
Joba Av. *B'frd* —2D **36**
John Escritt Rd. *Bgly* —3G **15**
John Naylor La. *Hal* —2A **54**
Johns La. *Ell* —5F **61**
Johnson St. *Bgly* —1F **15**
Johnson St. *B'frd* —2F **37**
John St. *Bail* —4G **17**
John St. *B'frd* —2A **36** (3C **4**)
 (BD1)
John St. *B'frd* —2G **45**
 (BD4)
John St. *Brigh* —4E **59**
John St. *Cytn* —5A **34**
John St. *Cull* —1F **23**
John St. *Denh* —6F **23**
John St. *Ell* —3F **61**
John St. *G'lnd* —2C **60**
John St. *Hal* —6C **48**
John St. *Oakw* —3H **11**
John St. *Shipl* —5E **17**
John St. *T'tn* —3D **32**
John St. Mkt. *B'frd* —2A **36** (3C **4**)
John William St. *Cleck* —5F **53**
John William St. *Ell* —3F **61**
Joseph Av. *Hal* —3G **49**
Joseph St. *B'frd* —2G **45**
 (BD4)
Joseph St. *B'frd* —2C **36** (4G **5**)
 (in two parts)
Joseph Vs. *Cytn* —5H **33**
Joseph Wright Ct. *B'frd* —4C **18**
 (off Greenfield La.)
Jowett Pk. Cres. *B'frd* —3C **18**
Jowett St. *B'frd* —2G **35** (3A **4**)
Jubilee Dri. *Kei* —6C **6**
Jubilee Mt. *Brigh* —5D **58**
Jubilee Rd. *Hal* —5D **56**
Jubilee St. *B'frd* —6H **27** (1B **4**)
Jubilee St. *Cut H* —5F **37**
Jubilee St. *Hal* —1D **56**
Jubilee St. N. *Hal* —2A **48**
Jubilee Ter. *Hal* —1D **56**
 (off Jubilee St.)
Jubilee Way. *Shipl* —5H **17**
Julian Dri. *Q'bry* —1A **42**
Jumples. *Hal* —1F **47**
Jumples Clo. *Hal* —1F **47**
Jumples Ct. *Hal* —1E **47**
Jumples Crag. *Hal* —1F **47**
Junction Rd. *B'frd* —3D **28**
Junction Row. *B'frd* —3D **28**
 (off Bolton Rd.)
Junction Ter. *B'frd* —3D **28**
 (off Bolton Rd.)
June St. *Kei* —3E **7**
Juniper Clo. *B'frd* —1F **35**

Katherine St. *Shipl* —5D **16**
Kaycell St. *B'frd* —1D **44**
Kaye Hill. *Cull* —1F **23**
Kay St. *Shipl* —2G **27**
Keeble Ho. B'frd —5F 29
 (off St Clare's Av.)
Keeldar Clo. *B'frd* —6F **35**
Keelham. —4G **31**
Keelham La. *Kei* —1C **6**
Keelham Pl. *Denh* —4H **31**
Keighley. —6F **7**
Keighley Clo. *Hal* —5G **39**
Keighley Dri. *Hal* —6G **39**
Keighley Ind. Pk. *Kei* —2F **7**
Keighley Retail Pk. *Kei* —2E **7**
Keighley Rd. *Bgly* —1H **13**
Keighley Rd. *B'frd* —3F **27**
Keighley Rd. *Cull* —6E **13**
Keighley Rd. *Denh* —4E **23**
Keighley Rd. *Oakw* —3H **11**
Keighley Rd. *Ogden* —2F **39**
 (in two parts)

Keighley Rd. *Oxe* —4G **21**
Keighley & Worth Valley Railway.
 —4F **7**
Kelbrook Ho. B'frd —1G 45
 (off Muirhead Dri.)
Kelburn Gro. *Oakw* —2F **11**
Kellett Bldgs. *Low M* —6H **43**
Kell La. *Stum X* —2F **49**
Kelloe St. *Cleck* —4F **53**
Kell St. *Bgly* —2G **15**
Kellymoor Wlk. Idle —6B 18
Kelmore Gro. *B'frd* —5C **42**
Kelmore Ho. B'frd —5E 19
 (off Albion Rd.)
Kelsall Ho. *B'frd* —2F **5**
Kelsey St. *Hal* —5H **47**
Kelton Ho. B'frd —1C 44
 (off Spring Wood Gdns.)
Kelvin Av. *Hal* —6F **47**
Kelvin Cres. *Hal* —1F **55**
Kelvin Ho. *B'frd* —6H **37**
Kelvin Pl. *B'frd* —4C **36**
Kelvin Rd. *Ell* —3E **61**
Kelvin Way. *B'frd* —5E **29**
Kendall Av. *Shipl* —5C **16**
Kendal Mellor Ct. *Kei* —4D **6**
Kendal St. *Kei* —1A **7**
Kenilworth Dri. *Hal* —1E **59**
Kenilworth St. *B'frd* —5D **36**
Kenley Av. *B'frd* —1E **43**
Kenley Mt. *B'frd* —1E **43**
Kenley Pde. *B'frd* —1D **42**
Kenmore Av. *Cleck* —5E **53**
Kenmore Clo. *Cleck* —5E **53**
Kenmore Cres. *B'frd* —1E **43**
Kenmore Cres. *Cleck* —5E **53**
Kenmore Dri. *B'frd* —1E **43**
Kenmore Dri. *Cleck* —5E **53**
Kenmore Gro. *Cleck* —5E **53**
Kenmore Gro. *B'frd* —1E **43**
Kenmore Rd. *Cleck* —5E **53**
Kenmore Vw. *Cleck* —5E **53**
Kenmore Wlk. *B'frd* —1E **43**
Kenmore Way. *Cleck* —5E **53**
Kennedy Ho. Kei —1D 12
 (off Hainworth La.)
Kennel La. *Oxe* —5C **20**
 (in two parts)
Kennerleigh Wlk. *B'frd* —1H **45**
Kennion St. *B'frd* —5H **35**
Kensington Clo. *Hal* —3A **56**
Kensington Gdns. *Ell* —3E **61**
Kensington Rd. *Hal* —3A **56**
Kensington St. *B'frd* —6E **27**
Kensington St. *Kei* —5D **6**
Kenstone Cres. *B'frd* —6C **18**
Kentmere Av. *Wyke* —4A **52**
Kenton Way. *B'frd* —5F **37**
Kent Rd. *Bgly* —3H **15**
Kent St. *B'frd* —3A **36** (6D **4**)
Kent St. *Hal* —1B **56**
Kenya Mt. *Kei* —3B **6**
Kenyon La. *Hal* —6F **47**
Kepler Ho. B'frd —1E 45
 (off Railway St.)
Kershaw Ct. *L'ft* —5A **46**
Kershaw Cres. *L'ft* —6A **46**
Kershaw Dri. *L'ft* —5A **46**
Kershaw St. *B'frd* —2F **37**
Kesteven Clo. *B'frd* —1H **45**
Kesteven Ct. *B'frd* —1H **45**
Kesteven Rd. *B'frd* —1G **45**
Kestrel Clo. *B'frd* —3C **28**
Kestrel Mt. *B'frd* —3C **28**
Kestrel Vw. *Cleck* —4F **53**
Keswick Clo. *Sid* —3E **57**
Keswick St. *B'frd* —4F **37**
Kettlewell Dri. *B'frd* —6F **35**
Keverne Ho. B'frd —5H 35
 (off Hutson St.)
Kew Hill. —5F **61**
Kew Hill. *Hud* —6F **61**
Kilburn Ho. *B'frd* —1E **29**
Kildale Ho. B'frd —6E 19
 (off Garsdale Av.)
Kildare Cres. *All* —6G **25**
Killinghall Av. *B'frd* —6D **28**
Killinghall Dri. *B'frd* —6D **28**
Killinghall Gro. *B'frd* —6D **28**
Killinghall Rd. *B'frd* —5D **28**
Kilncroft. Holy G —6A 60
 (off Stainland Rd.)
Kilner Ho. *B'frd* —5F **29**
 (off St Clares Av.)

Kilner Rd. *B'frd* —2E **43**
 (in two parts)
Kiln Fold. *Brigh* —4H **59**
Kilnsea Mt. *B'frd* —6G **37**
Kilnsey Rd. *B'frd* —3D **36**
Kilroyd Av. *Cleck* —3F **53**
Kilroyd Dri. *Cleck* —3G **53**
Kimberley Pl. *Hal* —1A **48**
Kimberley St. *B'frd* —3E **37**
Kimberley St. *Brigh* —4F **59**
Kimberley St. *Hal* —1A **48**
King Cross. —2G **55**
King Cross Rd. *Hal* —2H **55**
King Cross St. *Hal* —2A **56**
King Edward Rd. *T'tn* —3D **32**
King Edward St. *Hal* —6C **48**
King Edward Ter. *T'tn* —3D **32**
Kingfisher Gro. *B'frd* —2A **34**
Kingsbury Pl. *Hal* —1H **55**
King's Ct. *Bgly* —2F **15**
Kings Ct. *Hal* —1B **56**
Kingsdale Av. *B'frd* —1F **45**
Kingsdale Cres. *B'frd* —4C **28**
Kingsdale Dri. *B'frd* —4C **28**
Kingsdale Gro. *B'frd* —4B **28**
King's Dri. *B'frd* —1B **28**
King's Ga. *B'frd* —6A **28**
Kings Gro. *Bail* —4C **16**
Kings Gro. *Bgly* —1G **15**
Kings Lea. *Hal* —5B **56**
Kingsley Av. *B'frd* —6A **28**
Kingsley Av. *Sower B* —4B **54**
Kingsley Cres. *Bail* —3G **17**
Kingsley Pl. *Hal* —1A **56**
King's Rd. *Bgly* —6E **9**
King's Rd. *B'frd* —5A **28**
Kingston Clo. *Hal* —1H **55**
Kingston Clo. *Wilsd* —2C **24**
Kingston Ct. *Hal* —1H **55**
Kingston Dri. *Hal* —1H **55**
Kingston Gro. *Thack* —4D **18**
Kingston Ho. B'frd —1E 29
 (off Rowantree Dri.)
Kingston Rd. *B'frd* —4D **18**
Kingston St. *Hal* —1H **55**
Kingston Ter. *Hal* —1H **55**
King St. *B'frd* —2E **39**
King St. *Brigh* —5F **59**
King St. *Cleck* —6G **53**
King St. Ell —3G 61
 (off Brook St.)
King St. *Hal* —6D **48**
King St. *Haw* —1G **21**
King St. *Kei* —6D **6**
King St. *Sower B* —4A **54**
Kings Vw. *Hal* —3G **57**
Kingsway. *Bgly* —2G **15**
Kingsway. *B'frd* —6B **18**
Kingsway. *Riddl* —2A **8**
Kingswood Pl. *B'frd* —5E **35**
Kingswood St. *B'frd* —5E **35**
Kingswood Ter. *B'frd* —5E **35**
Kinnaird Clo. *Ell* —1F **61**
Kinross Ho. B'frd —1G 45
 (off Muirhead Dri.)
Kinsey M. *Bail* —2F **17**
 (off West La.)
Kipling Ct. *B'frd* —6F **19**
Kipping La. *T'tn* —3D **32**
Kipping Pl. *T'tn* —3D **32**
Kirby St. *Hal* —6F **47**
Kirkbourne Gro. *Bail* —3A **18**
Kirkburn Pl. *B'frd* —3F **35**
Kirkby Leas. *Hal* —1C **56**
Kirkdale Ho. B'frd —1E 29
 (off Rowantree Dri.)
Kirk Dri. *Bail* —1H **17**
Kirkfields. *Bail* —1A **18**
Kirk Ga. *B'shaw* —4H **45**
Kirkgate. *B'frd* —2A **36** (4C **4**)
 (in three parts)
Kirkgate. *Shipl* —6E **17**
Kirkgate Cen. *B'frd* —2A **36**
Kirkham Ho. B'frd —1B 44
 (off Parkway)
Kirkham Rd. *B'frd* —4F **35**
Kirklands Av. *Bail* —2A **18**
Kirklands Clo. *Bail* —3A **18**
Kirklands Gdns. *Bail* —3A **18**
Kirklands La. *Bail* —2A **18**
Kirklands Rd. *Bail* —2H **17**
Kirk La. *Hal* —5A **50**
Kirklees Rd. *All* —2H **33**
Kirklees Way. *Hud* —6H **61**
Kirkley Av. *Wyke* —4G **51**

Kirkstall Gro. *B'frd* —2B **34**
Kirkstone Dri. *Hal* —5D **46**
Kirkwall Dri. *B'frd* —6G **37**
Kismet Gdns. *B'frd* —1E **37**
Kitchener St. *Oaken* —6C **44**
Kite M. *B'frd* —2A **34**
Kitson La. *Sower B* —6F **55**
Kitson St. *Shipl* —1G **27**
Kitten Clough. *Hal* —4G **47**
Kitwood Clo. *B'frd* —1H **45**
Kliffen Pl. *Hal* —3D **56**
Knightsbridge Wlk. *B'frd* —4D **44**
Knight's Fold. *B'frd* —5E **35**
Knight St. *Hal* —1H **55**
Knoll Gdns. *Bail* —4F **17**
Knoll Pk. Dri. *Bail* —4F **17**
Knoll Ter. *Bail* —4F **17**
Knoll, The. *C'ley* —5H **29**
Knoll Vw. *Bail* —3F **17**
Knowle La. *Wyke* —3H **51**
Knowle Park. —6D **6**
Knowles Av. *B'frd* —1F **45**
Knowles La. *B'frd* —1E **45**
Knowle Spring Rd. *Kei* —1D **12**
 (nr. Foster Rd.)
Knowle Spring Rd. *Kei* —6D **6**
 (nr. Selborne Rd.)
Knowles St. *B'frd* —1E **45**
Knowles St. *Denh* —1F **31**
Knowles Vw. *B'frd* —1F **45**
Knowle Top. *Holy G* —6A **60**
Knowle Top Dri. *Hal* —5C **50**
Knowle Top Rd. *Hal* —5C **50**
Knowsley St. *B'frd* —2C **36** (5H **5**)
Knutsford Gro. *B'frd* —1G **45**
Kyffin Pl. *B'frd* —4G **37**

Laburnum Dri. *Bail* —1H **17**
Laburnum Gro. *Cro R* —5A **12**
Laburnum Gro. *Hal* —1E **59**
Laburnum Pl. *App B* —5G **19**
Laburnum Pl. *Mann* —6G **27**
Laburnum Rd. *Shipl* —2H **27**
Laburnum St. *B'frd* —6G **27**
Laburnum Ter. Hal —3E 51
 (off Village St.)
Lacey M. *B'frd* —1E **45**
Lacy Way. *Lfds B* —1G **61**
Ladbroke Gro. *B'frd* —2G **45**
Ladderbanks La. *Bail* —1H **17**
 (in two parts)
Ladstone Towers. Sower B —3D 54
 (off Greenups Ter.)
Lady Fld. T'tn —3D 32
 (off West La.)
Lady La. *Bgly* —5G **9**
Lady Pk. Av. *Bgly* —5G **9**
Ladyroyd Dri. *E Bier* —5G **45**
Ladysmith Rd. *Q'bry* —3C **40**
Ladywell Clo. *B'frd* —6A **36**
Ladywood Ter. *Hal* —5A **48**
Laisterdyke. —3F **37**
Laisterdyke. *Lais* —3F **37**
Laisteridge La. *B'frd* —3G **35** (6A **4**)
Laithe Gro. *B'frd* —2E **43**
Laithe Rd. *B'frd* —2F **43**
Lake Row. *B'frd* —4D **36**
Lakeside. *E Mor* —1E **9**
Lake St. *B'frd* —4D **36**
Lake St. *Kei* —2G **7**
Lake Vw. *Hal* —5B **48**
Lambert Clo. *G'lnd* —2D **60**
Lambert Pl. B'frd —5D 28
 (off Thirlmere Gdns.)
Lambert St. *G'lnd* —2D **60**
Lambourne Av. *B'frd* —2F **29**
Lampards Clo. *All* —5G **25**
Lancaster Ct. Kei —6D 6
 (off Rutland St.)
Landford Ho. B'frd —5H 35
 (off Park La.)
Landor St. *Kei* —3F **7**
Landscove Av. *B'frd* —1G **45**
Lands Head La. *Hal* —1F **49**
Landsholme Ct. *B'frd* —1H **45**
Lands La. *B'frd* —2E **29**
Landsmoor Gro. *Bgly* —6H **9**
Lane Ct. B'frd —4F 59
 (off Old La.)
Lane End. —6H **33**
 (nr. Horton Bank)
Lane End. —3F **11**
 (nr. Oakworth)
Lane End. *Bail* —2G **17**

Lane End. *H'den* —4B **14**
(off Spring Row)
Lane End. *T'tn* —3D **32**
Lane Ends Clo. *B'frd* —1D **34**
Lane Ends Grn. *Hal* —5H **49**
Lane Head. —4E 59
Lane Head La. *Caus F* —3E **39**
Lane Ho. Gro. *L'ft* —5A **46**
Laneside. *Holy G* —5B **60**
Lane Side. *Q'bry* —6C **32**
Lane Side. *Wyke* —1F **51**
Lane Top. *Denh* —5F **23**
Langbar Av. *B'frd* —4B **26**
Langdale Av. *B'frd* —1C **34**
Langdale Av. *Wyke* —4A **52**
Langdale Ct. *Bgly* —1G **15**
Langdale Cres. *Hal* —4G **47**
Langdale Dri. *Q'bry* —2D **40**
Langdale Rd. *B'frd* —3G **29**
Langdale St. *Ell* —3F **61**
Langela Ter. *Hal* —5A **50**
Langlands Rd. *Bgly* —6G **15**
Lang La. *B'frd* —3H **27**
Langley Av. *Bgly* —1G **15**
Langley Av. *B'frd* —2D **44**
Langley Cres. *Bail* —2A **18**
Langley Gro. *Bgly* —1G **15**
Langley Rd. *Bgly* —1G **15**
Langport Clo. *Q'bry* —2F **41**
Langton Av. *B'frd* —2D **44**
Langton St. *Sower B* —2D **54**
Lanrick Ho. *B'frd* —5G **37**
(off Broadstone Way)
Lansdale Ct. *B'frd* —1H **45**
Lansdowne Clo. *Bail* —2B **18**
Lansdowne Pl. *B'frd* —3H **35**
Lansdown Pl. *B'frd* —6B **4**
Lapage St. *B'frd* —2E **37**
Lapage Ter. *B'frd* —3E **37**
Lapwing Clo. *B'frd* —2H **33**
Larch Clo. *Oakw* —3H **11**
Larch Dri. *B'frd* —4G **43**
Larch Gro. *Bail* —4C **16**
Larch Gro. *Bgly* —6G **9**
Larch Hill. *B'frd* —4H **43**
Larch Hill Cres. *B'frd* —3H **43**
Larchmont. *Cytn* —5A **34**
Larch St. *Kei* —1D **12**
Larkfield. *B'frd* —4D **26**
Larkfield Ter. *Kei* —5G **7**
Lark Hill Av. *Cleck* —6D **52**
Lark Hill Clo. *Cleck* —6D **52**
Lark Hill Dri. *Cleck* —6D **52**
Lark St. *Bgly* —2F **15**
Lark St. *Haw* —6H **11**
Lark St. *Kei* —4D **6**
Lark St. *Oakw* —3H **11**
Larne Ho. *B'frd* —5H **35**
(off Roundhill St.)
Larwood Av. *B'frd* —3G **29**
Lastingham Grn. *B'frd* —2C **42**
Latham La. *Gom* —2H **53**
Latimer Ho. *B'frd* —5A **36**
(off Manchester Rd.)
Launceston Dri. *B'frd* —1G **45**
Launton Way. *B'frd* —5H **35**
Laura St. *Brigh* —6E **59**
Laura St. *Hal* —4C **48**
Laurel Bank. *Wyke* —5G **51**
Laurel Bank Clo. *H'fld* —5A **40**
Laurel Clo. *Ell* —3E **61**
Laurel Clo. *Hal* —4A **42**
Laurel Cres. *Hal* —2H **47**
Laurel Gro. *Bgly* —6E **9**
Laurel Mt. *Hal* —2A **48**
Laurel Pk. *Wilsd* —3C **24**
Laurel St. *B'frd* —3E **37**
Laurel St. *Hal* —2A **56**
Laurel Ter. *Holy G* —5A **60**
Lavender Hill. *B'frd* —2E **29**
Laverack Fld. *Wyke* —2G **51**
Laverock Cres. *Brigh* —2D **58**
Laverock La. *Brigh* —2D **58**
Laverock Pl. *Brigh* —2D **58**
(off Huntock Pl.)
Laverton Rd. *B'frd* —5D **36**
Lavinia Ter. *Cytn* —5B **34**
Lawcliffe Cres. *Haw* —5H **11**
Lawkholme Cres. *Kei* —4E **7**
Lawkholme La. *Kei* —4E **7**
Law La. *Brigh* —1G **59**
Law La. *B'frd* —2F **57**
Lawler Clo. *Oven* —2H **47**
(off Rugby Ter.)

Lawnswood Rd. *Kei* —6C **6**
Lawrence Dri. *B'frd* —1C **42**
Lawrence Rd. *Hal* —4B **56**
Lawrence St. *Hal* —4A **48**
Lawson Rd. *Brigh* —5F **59**
Lawson St. *B'frd* —1B **36** (1E **5**)
Law St. *B'frd* —1E **45**
Law St. *Cleck* —4F **53**
Laxton Ho. *B'frd* —5H **35**
(off Launton Wlk.)
Laythorp Ter. *E Mor* —2D **8**
Layton Ho. *B'frd* —5H **35**
(off Newall St.)
Lea Av. *Hal* —4C **56**
Leach Cres. *Riddl* —1G **7**
Leach Ri. *Riddl* —1G **7**
Leach Rd. *Riddl* —1F **7**
Leach Way. *Riddl* —1G **7**
Lea Clo. *Brigh* —3E **59**
Lea Ct. *B'frd* —1C **42**
Leadenhall St. *Hal* —2H **55**
Leafield Av. *B'frd* —3E **29**
Leafield Cres. *B'frd* —3D **28**
Leafield Dri. *B'frd* —3E **29**
Leafield Gro. *B'frd* —4E **29**
Leafield St. *B'frd* —5H **35**
(off Newall St.)
Leafield Ter. *B'frd* —4E **29**
Leafield Way. *B'frd* —4E **29**
Leafland St. *Hal* —6A **48**
Leaf St. *Haw* —5A **12**
Leamington Dri. *B'frd* —5E **19**
Leamington St. *B'frd* —5F **27**
Leamside Wlk. *B'frd* —1G **45**
Leaside Dri. *T'tn* —2D **32**
Leathley Ho. *B'frd* —5H **35**
(off Hutson St.)
Leavens, The. *App B* —5F **19**
Leaventhorpe. —3A 34
Leaventhorpe Av. *B'frd* —2A **34**
Leaventhorpe Clo. *B'frd* —2B **34**
Leaventhorpe Gro. *T'tn* —3A **34**
Leaventhorpe La. *T'tn* —3H **33**
Leaventhorpe Way. *B'frd* —2B **34**
Leavington Clo. *B'frd* —5F **43**
Leconfield Ho. *B'frd* —6E **19**
Ledbury Pl. *B'frd* —5D **36**
Lee Bank. *Hal* —4B **48**
Lee Bri. *Dean C* —5B **48**
Lee Bri. Ind. Est. *Hal* —5B **48**
Leech La. *H'den* —5H **13**
Lee Clo. *Wilsd* —1C **24**
Lee Ct. *Kei* —5H **7**
Leeds Old Rd. *B'frd* —1F **37**
(in two parts)
Leeds Rd. *B'frd* —2B **36**
Leeds Rd. *Eccl* —3D **28**
Leeds Rd. *Hal* —4F **49**
(nr. Godley La.)
Leeds Rd. *Hal* —5H **50**
(nr. Halifax Rd., in two parts)
Leeds Rd. *Idle* —3D **18**
Leeds Rd. *Shipl* —5G **17**
Leeds St. *Kei* —4D **6**
Lee La. *Bgly* —6C **14**
Lee La. *Hal* —2C **48**
Lee La. *Oxe* —4D **20**
Lee La. *Wilsd* —1B **24**
Leeming. —6H 21
Leeming St. *B'frd* —1B **36** (2E **5**)
Lee Mount. —4A 48
Lee Mt. Gdns. *Hal* —4A **48**
Lee Mt. Rd. *Hal* —4A **48**
Lees. —5A 12
Lees Bank Av. *Cro R* —5A **12**
Lees Bank Dri. *Cro R* —5A **12**
Lees Bank Hill. *Cro R* —5A **12**
Lees Bank Rd. *Cro R* —5A **12**
Lees Bldgs. *Hal* —5A **50**
Lees Clo. *Cull* —1E **23**
Lees La. *Hal* —4C **50**
Lees La. *Haw* —6H **11**
Lees Moor Rd. *Cull* —1E **23**
Lee St. *B'frd* —3A **36** (4C **4**)
Lee St. *Brigh* —3E **59**
Lee St. *Q'bry* —3D **40**
Lee Ter. *Oaken* —6B **48**
Legrams Av. *B'frd* —4D **34**
Legrams La. *B'frd* —4E **35**
Legrams Mill La. *B'frd* —3E **35**
Legrams St. *B'frd* —2F **35**
Legrams Ter. *Field B* —2G **35**
Leicester St. *B'frd* —5C **36**
Leicester Ter. *Hal* —3B **56**
Leigh St. *Sower B* —2E **55**

Leith Ho. *B'frd* —6G **37**
(off Stirling Cres.)
Leith St. *Kei* —3D **6**
Lemington Av. *Hal* —1A **56**
Lemon St. *B'frd* —6G **35**
Lemon St. *Hal* —6H **47**
Lennie St. *Kei* —5D **6**
Lennon Dri. *B'frd* —1F **35**
Lens Dri. *Bail* —1G **17**
Lentilfield St. *Hal* —3A **48**
Lentilfield Ter. *Hal* —3A **48**
Lenton Vs. *B'frd* —4D **18**
Leonard's Pl. *Bgly* —3G **15**
Leonard St. *Bgly* —3G **15**
Leonard St. *Wyke* —2H **51**
Lesmere Gro. *B'frd* —1D **42**
Lessarna Ct. *B'frd* —4E **37**
Lever St. *B'frd* —2E **43**
Levita Gro. *B'frd* —5F **37**
Levita Pl. *B'frd* —4G **37**
Lewis Clo. *Q'bry* —2D **40**
Lewis St. *Hal* —6B **48**
Leyburn Av. *Hal* —5C **50**
Leyburne St. *B'frd* —6G **27**
Leyburn Gro. *Bgly* —1G **15**
Leyburn Gro. *Shipl* —6E **17**
Leyden Ri. *All* —1H **33**
Leyfield. *Bail* —2E **17**
Ley Fleaks Rd. *B'frd* —6D **18**
(in two parts)
Leylands Av. *B'frd* —4D **26**
Leylands Gro. *B'frd* —4D **26**
Leylands Ho. *Kei* —5F **7**
Leylands La. *B'frd* —4D **26**
Leylands La. *Kei* —5F **7**
Leylands Ter. *B'frd* —4D **26**
Leys Clo. *Thack* —4C **18**
Leyside Dri. *All* —5H **25**
Leys, The. *Bail* —1G **17**
Leyton Cres. *B'frd* —6D **18**
Leyton Dri. *B'frd* —6D **18**
Leyton Gro. *B'frd* —6D **18**
Leyton Ter. *B'frd* —6D **18**
Ley Top La. *All* —1A **34**
Lichen Clo. *B'frd* —6E **35**
Lichfield Mt. *B'frd* —3A **28**
Lidget. —3H 11
Lidget Av. *B'frd* —4D **34**
Lidget Green. —3E 35
Lidget Pl. *B'frd* —4D **34**
Lidget Ter. *B'frd* —4D **34**
Lidget Ter. *Cytn* —5B **34**
Lightcliffe. —5D 50
Lightcliffe Rd. *Brigh* —2E **59**
Lightowler Clo. *Hal* —6A **48**
Lightowler Rd. *Hal* —6A **48**
Lightowler St. *B'frd* —2G **43**
Lilac Clo. *Brigh* —4G **59**
Lilac Gro. *B'frd* —3F **37**
Lilac Gro. *Gom* —4H **53**
Lilac Gro. *Shipl* —2H **27**
Lilac St. *Hal* —4A **48**
Lilian St. *B'frd* —6E **37**
Lillands Av. *Brigh* —5D **58**
Lillands La. *Brigh* —6D **58**
Lillands Ter. *Brigh* —5D **58**
Lilly La. *Hal* —1D **56**
Lilly St. *Sower B* —4D **54**
Lilycroft Pl. *B'frd* —6F **27**
Lilycroft Pl. *B'frd* —5F **27**
Lilycroft Rd. *B'frd* —6E **27**
Lilycroft Wlk. *B'frd* —5E **27**
(in two parts)
Lily St. *B'frd* —5F **27**
Lilythorne Av. *B'frd* —5E **19**
Lime Clo. *Kei* —2C **6**
Lime Ct. *Bgly* —5E **9**
(off Aire St.)
Limes Av. *Hal* —3C **56**
Lime St. *Bgly* —2F **15**
Lime St. *B'frd* —5E **35**
Lime St. *Haw* —1G **21**
Lime St. *Kei* —4D **6**
Lime Tree Av. *Ell* —3G **61**
Limetree Gro. *B'shaw* —4H **45**
Lime Tree Sq. *Shipl* —4B **16**
Lincoln Clo. *B'frd* —6G **27**
Lincoln Clo. *B'frd* —1G **35**
Lincoln St. *All* —1A **34**
Lincoln Way. *B'twn* —4B **48**
Linden Av. *B'frd* —1G **37**
Linden Clo. *Brigh* —4G **59**
Linden Ri. *Kei* —6G **7**
Linden Rd. *Hal* —3C **56**

Lindholme Gdns. *All* —1H **33**
Lindisfarne Rd. *Shipl* —6D **16**
Lindley Av. *Hud* —6G **61**
Lindley Dri. *B'frd* —1D **42**
Lindley Rd. *B'frd* —6H **35**
Lindley Rd. *Ell* —5F **61**
Lindon St. *Haw* —1G **21**
Lindrick Clo. *Hal* —4H **39**
Lindrick Gro. *Hal* —4H **39**
Lindrick Way. *Hal* —4H **39**
Lindwell. —1D 60
Lindwell Av. *G'Ind* —2C **60**
Lindwell Gro. *G'Ind* —2C **60**
Lindwell Pl. *G'Ind* —2C **60**
(off Wellgate)
Lingard St. *B'frd* —1B **36** (2E **5**)
Ling Bob. *Hal* —5F **47**
Ling Bob Clo. *Hal* —5F **47**
Ling Bob Cft. *Hal* —4F **47**
Lingcroft Grn. *B'frd* —1C **44**
(off Tristram Av.)
Lingdale Rd. *B'frd* —5E **43**
Lingfield Clo. *Q'bry* —1A **42**
Lingfield Dri. *Cro R* —4C **12**
Lingfield Gro. *Wilsd* —2D **24**
Lingfield Ho. *B'frd* —1E **29**
(off Savile Av.)
Lingfield Rd. *Wilsd* —3C **24**
Lingfield Ter. *Q'bry* —1A **42**
Ling Pk. App. *Wilsd* —3C **24**
Ling Pk. Av. *Wilsd* —3C **24**
Ling Royd Av. *Hal* —5F **47**
Lingwood Av. *B'frd* —6D **26**
Lingwood Rd. *B'frd* —1D **34**
Lingwood Ter. *B'frd* —1D **34**
Links Av. *Cleck* —4F **53**
Linkway. *Bgly* —6G **15**
Linnet Clo. *B'frd* —1A **34**
Linnet St. *Kei* —3E **7**
Linnhe Av. *B'frd* —5D **42**
Linton St. *B'frd* —5B **36**
Lion Chambers. *Cleck* —5F **53**
(off Whitcliffe Rd.)
Lismore Rd. *Kei* —3D **6**
Lister Av. *B'frd* —6D **36**
Lister Ct. *Hal* —6C **48**
(off Chapeltown)
Lister Hills. —2G 35
Listerhills Rd. *B'frd* —3G **35** (4A **4**)
Lister La. *B'frd* —5B **28**
Lister La. *Hal* —6A **48**
Lister's Clo. *Hal* —6A **48**
Listers Rd. *Hal* —5E **49**
Lister St. *B'frd* —1E **45**
Lister St. *Brigh* —4E **59**
Lister St. *Kei* —5C **6**
Lister St. *Tong* —2G **45**
Lister Vw. *B'frd* —6G **27**
Lister Ville. *Wilsd* —2C **24**
Lit. Baines St. *Hal* —6A **48**
Littlebeck Dri. *Bgly* —2A **16**
Lit. Bradley. *G'Ind* —3C **60**
Little Cote. *B'frd* —4H **43**
Lit. Cross St. *B'frd* —1A **44**
Littlefield Wlk. *B'frd* —3F **43**
Little Horton. —5F 35
Little Horton Green. —4H 35
Lit. Horton Grn. *B'frd* —4H **35**
Lit. Horton La. *B'frd* —1F **43**
(in four parts)
Littlelands. *Bgly* —6G **15**
Littlelands Ct. *Bgly* —6G **15**
Little La. *B'frd* —5D **26**
Little La. *E Mor* —2E **9**
Little La. *Hal* —6G **49**
Little Moor. —2G 41
Little Moor. *Q'bry* —2G **41**
Littlemoor Gdns. *Hal* —5G **39**
Littlemoor Rd. *Hal* —4G **39**
Little Pk. *B'frd* —4G **19**
Little St. *Haw* —6G **11**
Littlewood Clo. *B'frd* —4G **43**
Lit. Woodhouse. *Brigh* —6E **59**
Littondale Clo. *Bail* —1A **18**
Litton Rd. *Kei* —5C **6**
Liversedge Row. *B'frd* —6E **35**
(off Perseverance La.)
Livingstone Clo. *B'frd* —1B **28**
Livingstone Rd. *B'frd* —2B **28**
(nr. Cheltenham Rd.)
Livingstone Rd. *B'frd* —3H **27**
(nr. Gaisby La.)
Livingstone St. *Hal* —4A **48**
Livingstone St. N. *Hal* —6A **40**
Livingston Ho. *B'frd* —1E **29**

Lloyds Dri. *Low M* —5A **44**
Locarno Av. *B'frd* —5C **26**
Locherbie Grn. *All* —6H **25**
Lochy Rd. *B'frd* —5D **42**
Locksley Rd. *Brigh* —6H **59**
Locks, The. *Bgly* —1F **15**
Lock St. *Hal* —1D **56**
Lock Vw. Bgly —1E **15**
(off Cemetery Rd.)
Lockwood St. *B'frd* —2G **43**
Lockwood St. *Low M* —6A **44**
Lockwood St. *Shipl* —5D **16**
Lode Pit La. *Bgly* —1B **16**
Lodge Av. *Ell* —2H **61**
Lodge Dri. *Ell* —2H **61**
Lodge Ga. Clo. *Denh* —6G **23**
Lodge Hill. *Bail* —2D **16**
Lodge Pl. *Ell* —2H **61**
Lodge St. *Cull* —1F **23**
Lodore Av. *B'frd* —4C **28**
Lodore Pl. *B'frd* —4D **28**
Lodore Rd. *B'frd* —4C **28**
Loft St. *B'frd* —1D **34**
Lombard St. *Hal* —2H **55**
London Rd. *Norl* —4F **55**
Longbottom Av. *Sower B* —4A **54**
Longbottom Ter. *Hal* —3D **56**
Long Causeway. *Hal* —6F **31**
Long Causeway. *Oxe* —6B **22**
Long Clo. *Wyke* —1F **51**
Longcroft. *Kei* —5E **7**
Longcroft Link. *B'frd* —2H **35** (3B **4**)
Longcroft Pl. *B'frd* —2H **35** (4B **4**)
Longfield. *Holy G* —5B **60**
Longfield Av. *Hal* —4G **49**
Longfield Dri. *B'frd* —6E **37**
Longfield Ter. Hal —4G **49**
(off Longfield Av.)
Longford Ter. *B'frd* —4D **34**
Long Heys. *G'lnd* —3C **60**
Longhouse Dri. *Denh* —1F **31**
Longhouse La. *Denh* —1F **31**
Long Ho. Rd. *Hal* —5E **39**
Longlands Dri. *Haw* —5H **11**
Longlands La. *Denh* —6E **23**
Longlands St. *B'frd* —2H **35** (3B **4**)
(in two parts)
Long La. *All* —6D **24**
Long La. *B'frd* —2B **26**
Long La. *H'den* —4A **14**
Long La. *Q'bry* —4D **40**
Long La. *S'wram* —6E **49**
Long La. *Sower B* —6C **54**
Long La. *Wheat* —3G **47**
Long Lee. —5G **7**
Long Lee La. *Kei* —6F **7**
Longley La. *Sower B* —6B **54**
Long Lover La. *Hal* —5G **47**
Long Meadows. *B'frd* —3A **28**
Long Preston Chase. *App B* —6F **19**
Long Reach. *Hal* —2C **46**
Long Row. *Low M* —6H **43**
Longrow. *T'tn* —2C **32**
Long Row Ct. B'frd —6A **36**
(off Gaythorne Rd.)
Longroyd. *Thack* —5B **18**
Long Royd Dri. *Bail* —1A **18**
Longroyde Clo. *Brigh* —6D **58**
Longroyde Gro. *Brigh* —6D **58**
Longroyde Rd. *Brigh* —6D **58**
Longside Hall. *B'frd* —3G **35**
Longside La. *B'frd* —3G **35** (5A **4**)
Long St. *B'frd* —4D **36**
Long Wall. *G'lnd* —2D **60**
Longwood Av. *Bgly* —6D **8**
Longwood Vw. *Bgly* —6E **9**
Lonsdale St. *B'frd* —1D **36**
Lord La. *Haw* —4E **11**
Lordsfield Pl. *B'frd* —2F **45**
Lord's La. *Brigh* —6F **59**
Lord St. *Hal* —6C **48**
Lord St. *Haw* —6H **11**
Lord St. *Kei* —4E **7**
Lord St. *Sower B* —2E **55**
Loris St. *B'frd* —2F **45**
Lorne St. *B'frd* —6D **36**
Lorne St. Cro R —5B **12**
(off Bingley Rd.)
Lorne St. *Kei* —3G **7**
Lot St. *Haw* —6H **11**
Loughrigg St. *B'frd* —6A **36**
Louisa St. *B'frd* —5D **18**
Louis Av. *B'frd* —5G **35**
Love La. *Hal* —2B **56**
Low Ash Av. *Shipl* —6H **17**

Low Ash Cres. *Shipl* —6H **17**
Low Ash Dri. *Shipl* —6H **17**
Low Ash Gro. *Shipl* —6H **17**
Low Ash Rd. *Shipl* —1A **28**
Low Baildon. —2H 17
Low Bank. —2F 11
Low Bank Dri. *Oakw* —2F **11**
Low Bank La. *Oakw* —2F **11**
Low Banks. —1H 7
Low Clo. *Bgly* —3H **15**
Lowell Av. *B'frd* —4D **34**
Lwr. Ainley. *Hal* —5H **39**
Lwr. Ashgrove. *B'frd* —3H **35** (6B **4**)
Lwr. Balfour St. *B'frd* —5C **36**
Lwr. Bentley Royd. *Sower B* —3C **54**
Lwr. Brockwell La. *Sower B* —5B **54**
Lwr. Clay Pits. *Hal* —5H **47**
Lwr. Clifton St. *Sower B* —3E **55**
Lwr. Clyde St. *Sower B* —4D **54**
Lwr. Copy. *All* —6H **25**
Lwr. Crow Nest Dri. *Hal* —6F **51**
Lower Edge Bottom. —2H 61
Lwr. Edge Rd. *Ell & B'frd* —2H **61**
Lwr. Ellistones. G'lnd —2A **60**
(off Saddleworth Rd.)
Lower Fagley. —4G 29
Lwr. Finkil St. *Brigh* —2C **58**
Lwr. Fleet. *Q'bry* —2C **40**
Lwr. George St. *B'frd* —2F **43**
Lwr. Globe St. *B'frd* —1G **35**
Lower Grange. —2H 33
Lwr. Grange Clo. *B'frd* —2A **34**
Lwr. Grattan Rd. *B'frd*
—2H **35** (4A **4**)
Lower Grn. *Bail* —3E **17**
Lwr. Green Av. *Schol* —5B **52**
Lwr. Heights Rd. *T'tn* —1C **32**
Lwr. Holme. *Bail* —4G **17**
Lwr. House Clo. *Thack* —4B **18**
Lower Ings. *Hal* —2E **39**
Lwr. Kipping La. *T'tn* —3D **32**
Lwr. Kirkgate. *Hal* —6D **48**
Lower La. *B'frd* —5C **36**
Lower La. *E Bier* —6F **45**
Lwr. Lark Hill. *Cleck* —6D **52**
Lwr. Newlands. *Brigh* —6F **59**
Lwr. Range. *Hal* —4C **48**
Lwr. Rushton Rd. *B'frd* —2G **37**
Lwr. School St. *B'frd* —5G **43**
Lwr. School St. *Shipl* —5D **16**
Lower Town. —5H 21
Lowertown. *Oxe* —5G **21**
Lwr. Wellgate. *G'lnd* —2C **60**
Lwr. Westfield Rd. *B'frd* —6E **27**
Lower Woodlands. —6C 44
Lower Wyke. —5G 51
Lwr. Wyke Grn. *Wyke* —5F **51**
Lwr. Wyke La. *Wyke* —5F **51**
Loweswater Av. *B'frd* —5D **42**
Lowfield Clo. *Low M* —6A **44**
Lowfields Way. *Lfds B* —1G **61**
Low Fold. *B'frd* —4B **28**
Low Fold. *Schol* —5B **52**
Low Grn. *B'frd* —6E **35**
Low Grn. Ter. *B'frd* —6F **35**
Low Ho. Flats. Cleck —6F **53**
(off Westgate)
Low La. *Cytn* —4F **33**
Low La. *Q'bry* —6C **32**
Low Mill La. *Kei* —4F **7**
Low Moor. —5H 43
Low Moor St. *Low M* —5H **43**
Low Moor Ter. *Hal* —1F **55**
Lowry Vw. *Kei* —5E **7**
Low Spring Rd. *Kei* —5G **7**
Low St. *Kei* —4E **7**
(in two parts)
Lowther St. *B'frd* —5D **28**
Low Utley. —1C 6
Low Well St. *B'frd* —6H **35**
Low Wood. *Wilsd* —3D **24**
Low Wood Ct. *Utley* —1D **6**
Lucy Hall Dri. *Bail* —3C **16**
Lucy St. *Hal* —5D **48**
Luddenden. —4A 46
Luddenden La. *L'ft* —6A **46**
Luddendon Pl. Q'bry —1C **40**
(off Mill La.)
Ludlam St. *B'frd* —4A **36**
Luke Rd. *B'frd* —5G **35**
Lulworth Gro. *B'frd* —1F **45**
(in two parts)
Lumbfoot Rd. *Stanb* —6C **10**
Lumb La. *B'frd* —6G **27** (1A **4**)
Lumb La. *Hal* —3B **48**

Lumb La. *Wains* —5B **38**
Lumbrook Clo. *Hal* —2A **50**
Lumby St. *B'frd* —5D **18**
Lund St. *Bgly* —2F **15**
Lund St. *B'frd* —2C **34**
Lund St. *Kei* —3E **7**
Lundy Ct. *B'frd* —6H **35**
Lune St. *Cro R* —5B **12**
Lupton St. *B'frd* —6A **28**
Lustre St. *Kei* —4C **6**
Luther Way. *B'frd* —4B **28**
Luton St. *Hal* —6H **47**
Luton St. *Kei* —4D **6**
Lydbrook Pk. *Cop* —5A **56**
Lydgate. —6C 50
Lydgate. *N'wram* —2G **49**
Lydgate Pk. *Light* —6C **50**
Lydgate St. *C'ley* —6H **19**
Lymington Dri. *B'frd* —5G **37**
Lynch Av. *Gt Hor* —6D **34**
Lyncroft. *B'frd* —3B **28**
Lyndale Dri. *Shipl* —6B **18**
Lyndean Gdns. *Idle* —6C **18**
Lynden Av. *Shipl* —5A **18**
Lynden Ct. *B'frd* —4E **43**
Lyndhurst Gro. *All* —6A **26**
Lyndon Ter. *Bgly* —2G **15**
Lynfield Dri. *B'frd* —4A **26**
Lynfield Mt. *Shipl* —5A **18**
Lynsey Gdns. *B'frd* —4D **44**
Lynthorne Rd. *B'frd* —3G **27**
Lynton Av. *B'frd* —5D **26**
Lynton Dri. *B'frd* —5C **26**
Lynton Dri. *Kei* —2H **7**
Lynton Rd. *Shipl* —6E **17**
Lynton Gro. *B'frd* —5D **26**
Lynton Gro. *Bshw* —2H **39**
Lynton Ter. *Cleck* —5F **53**
Lynton Vs. *B'frd* —5D **26**
Lynwood Av. *Shipl* —5A **18**
Lynwood Ct. *B'frd* —6C **18**
Lynwood Ct. *Kei* —6A **6**
Lynwood Cres. *Hal* —2H **55**
Lynwood M. *B'frd* —1H **45**
Lyons St. *Q'bry* —2F **41**
Lyon St. *T'tn* —2D **32**
Lytham Dri. *Q'bry* —1H **41**
Lytham St. *Hal* —6H **47**
Lythe Ho. *B'frd* —2G **5**
Lytton Rd. *B'frd* —1D **34**

Mabel Royd. *B'frd* —4D **34**
McBurney Clo. *Hal* —3B **48**
Mackingstone Dri. *Oakw* —2F **11**
Mackingstone La. *Oakw* —1F **11**
Mackintosh St. *Hal* —1H **55**
McMahon Dri. *Q'bry* —1H **41**
Macturk Gro. *B'frd* —6E **27**
Maddocks St. *Shipl* —5E **17**
Madewel Ho. *Ell* —4G **55**
Madison Av. *B'frd* —2G **45**
Madni Clo. *Hal* —6B **48**
Mafeking Ter. *Shipl* —2H **27**
Magnolia Dri. *All* —3F **25**
Maidstone St. *B'frd* —2E **37**
Main Rd. *Denh* —1F **31**
Main Rd. *E Mor* —3D **8**
Mainspring Rd. *Wilsd* —2C **24**
Main St. *Bgly* —2F **15**
Main St. *Haw* —6G **11**
Main St. *Low M* —5A **44**
Main St. *Stanb* —1B **20**
Main St. *Wilsd* —2C **24**
Main St. *Wyke* —1G **51**
Maitland Clo. *All* —2H **33**
Maize St. *Kei* —1C **12**
Malham Av. *B'frd* —4A **26**
Mallard Clo. *B'frd* —2E **29**
Mallard Ct. *B'frd* —2A **34**
Mallard Vw. *Oxe* —5G **21**
Mallory Clo. *B'frd* —3D **34**
Malmesbury Clo. *B'frd* —2G **45**
Malsis Cres. *Kei* —5C **6**
Malsis Rd. *Kei* —5C **6**
Maltby Ho. *B'frd* —5H **35**
(off Park La.)
Maltings Rd. *Hal* —3F **47**
Maltings, The. *Cleck* —5E **53**
Malt Kiln La. *T'tn* —4B **32**
Malton Ho. B'frd —1E **29**
(off Rowantree Dri.)
Malton St. *Hal* —3C **48**
Malton St. *Sower B* —2D **54**

Malt St. *Kei* —1C **12**
Malvern Brow. *B'frd* —5B **26**
Malvern Cres. *Riddl* —1G **7**
Malvern Gro. *B'frd* —6B **26**
Malvern Rd. *B'frd* —6B **26**
Malvern St. *B'frd* —4G **5**
Manchester Rd. *B'frd* —1H **43** (6D **4**)
Mancot Ho. B'frd —5A **36**
(off Manchester Rd.)
Mandale Dri. *B'frd* —3B **42**
Mandale Rd. *B'frd* —3B **42**
Mandeville Cres. *B'frd* —3D **42**
Manley St. *Brigh* —4E **59**
Manley St. Pl. Brigh —4E **59**
(off Manley St.)
Mannheim Rd. *B'frd* —5E **27**
Manningham. —5G 27
Manningham La. *B'frd* —5G **27** (1B **4**)
Mann's Ct. *B'frd* —4D **4**
Mannville Gro. *Kei* —6C **6**
Mannville Pl. *Kei* —5C **6**
Mannville Rd. *Kei* —6C **6**
Mannville St. *Kei* —5C **6**
Mannville Ter. *B'frd* —3H **35** (5B **4**)
Mannville Wlk. Kei —5C **6**
(off Mannville St.)
Mannville Way. *Kei* —5C **6**
Manor Clo. *B'frd* —1B **34**
Manor Clo. *Hal* —3B **56**
Manor Ct. *Bgly* —6G **15**
Manor Ct. *Schol* —6B **52**
Manor Dri. *Bgly* —6G **15**
Manor Dri. *Hal* —3B **56**
Mnr. Farm Clo. *Bgly* —1H **25**
Manor Gdns. *Cull* —2F **23**
Manor Gro. *Riddl* —3A **8**
Mnr. Heath Rd. *Hal* —3B **56**
Mnr. House Rd. *Wilsd* —1C **24**
Manor La. *Shipl* —6F **17**
(in two parts)
Manorley La. *B'frd* —5C **42**
Manor Pk. *B'frd* —1B **34**
Manor Pk. *Gom* —3G **11**
Manor Pl. *Kei* —1C **6**
Manor Rd. *Bgly* —6G **15**
Manor Rd. *Kei* —1C **6**
Manor Row. *B'frd* —2A **36** (2C **4**)
Manor Row. *Low M* —4G **43**
Manor Royd. *Hal* —3C **56**
Manor St. *Eccl* —4D **28**
Manor Ter. *B'frd* —4D **28**
Manor Ter. *Schol* —6B **52**
Manscombe Rd. *All* —6A **26**
Mansel M. *B'frd* —2G **45**
Manse St. *B'frd* —2E **37**
Mansfield Av. *Bgly* —6H **9**
Mansfield Rd. *B'frd* —5G **27**
Mansion La. *Hal* —3C **56**
Manywells Brow. *Cull* —3E **23**
(in two parts)
Manywells Brow Ind. Est. *Cull* —2F **23**
Manywells Cres. *Cull* —2F **23**
Manywells La. *Cull* —2D **22**
Maple Av. *B'frd* —1G **37**
Maple Av. *Oakw* —3H **11**
Maple Ct. Bgly —3F **15**
(off Ash Ter.)
Maple Gro. *Bail* —4C **16**
Maple Gro. *Gom* —4A **53**
Maple Gro. *Kei* —2C **6**
Maple St. *Hal* —2H **55**
Marbridge Ct. *B'frd* —1F **43**
Marchbank Rd. *B'frd* —1E **37**
March Cote La. *Bgly* —1G **25**
Marchwood Gro. *Cytn* —4B **34**
Margaret St. *Hal* —6B **48**
Margaret St. *Kei* —3C **6**
Margate Rd. *B'frd* —5C **36**
Margate St. *Sower B* —4C **54**
Margram Bus. Cen. Hal —5B **48**
(off Horne St.)
Marina Gdns. Sower B —3F **55**
(off Park Rd.)
Marion Dri. *Shipl* —6G **17**
Marion St. *Bgly* —2G **15**
Marion St. *B'frd* —2G **35**
Marion St. *Brigh* —3E **59**
Mark Clo. *B'frd* —5E **19**
Market Ct. *T'tn* —3E **33**
Market Pl. Cleck —6G **53**
(off Albion St.)
Market Pl. *Kei* —4E **7**
Market St. *Shipl* —5F **17**
Market Sq. *Shipl* —6F **17**
Market St. *Bgly* —2F **15**

Market St. B'frd —3A 36 (5C 4)
  (in two parts)
Market St. Brigh —5F 59
Market St. Cleck —6G 53
Market St. Hal —6C 48
Market St. Kei —5E 7
Market St. Shipl —6F 17
Market St. T'tn —3E 33
Market St. Wibs —2G 43
Marktfield Av. Low M —6G 43
Marktfield Clo. Low M —6G 43
Marktfield Cres. Low M —6G 43
Marktfield Dri. Low M —6G 43
Mark St. B'frd —6A 36
Marland Rd. Kei —3G 7
Marlborough Av. Hal —3B 56
Marlborough Ho. Ell —2F 61
  (off Southgate)
Marlborough Rd. B'frd —6G 27
Marlborough Rd. Idle —5E 19
Marlborough Rd. Shipl —6E 17
Marldon Rd. Hal —4G 49
Marley Clo. B'frd —1C 34
Marley Ct. Bgly —4D 8
Marley La. Cytn —6E 33
Marley Rd. Kei —3H 7
Marley St. B'frd —2C 36
Marley St. Kei —5D 6
Marley Vw. Bgly —4D 8
Marling Rd. Hud —6H 61
Marlott Rd. Shipl —5H 17
Marmion Av. B'frd —2A 34
Marne Av. Cytn —6A 34
Marne Cres. B'frd —6D 18
Marquis Av. Oaken —6D 44
Marriner Rd. Kei —5E 7
Marriner's Dri. B'frd —3F 27
Marriner Wlk. Kei —6E 7
Marsh. —6G 53
  (nr. Cleckheaton)
Marsh. —3F 21
  (nr. Oxenhope)
Marshall St. Kei —2D 6
Marsh Delph La. Hal —1F 57
Marsh Delphs. Hal —1F 57
Marshfield Pl. B'frd —6H 35
Marshfields. —1H 43
Marshfield St. B'frd —6H 35
Marsh Gro. B'frd —6G 35
Marsh La. B'shaw —6H 45
Marsh La. Hal —1E 57
Marsh La. Oxe —4E 21
Marsh St. B'frd —1H 43
Marsh, The. B'frd —4H 45
Marsh Top. —3G 21
Marshway. Hal —5A 48
Marsland Ct. Cleck —3F 53
Marsland Pl. B'frd —2F 37
Marston Clo. Q'bry —2F 41
Marten Rd. B'frd —6G 35
Martin Grn. La. G'lnd —2A 60
Martin St. Brigh —4F 59
Martlett Dri. B'frd —1B 44
Mary St. B'frd —4E 37
Mary St. Brigh —3E 59
Mary St. Denh —6G 23
Mary St. Oxe —5G 21
  (off Denholme Rd.)
Mary St. Shipl —5D 16
Mary St. T'tn —3D 32
Mary St. Wyke —1G 51
Maryville Av. Brigh —2C 58
Masefield Av. B'frd —4A 26
Masham Pl. B'frd —5D 26
Masonic St. Hal —1G 55
Mason Sq. Hal —2H 47
  (off Keighley Rd.)
Master La. Hal —3H 55
Matlock St. Hal —4A 48
Matron Heights. Sower B —3C 54
Matthew Clo. Kei —2G 7
Mattyfields Clo. Hal —4G 39
Maude Av. Bail —3G 17
Maude Cres. Sower B —4A 54
Maude St. G'lnd —2D 60
Maude St. Hal —2A 48
Maudsley St. B'frd —2C 36 (4H 5)
Maud St. B'frd —3D 36
Maurice Av. Brigh —3D 58
Mavis St. B'frd —2D 36 (3H 5)
Mawson St. Shipl —5D 16
Maw St. B'frd —4B 36
Maxwell Rd. B'frd —3D 42
May Av. T'tn —3E 33

Mayfair. B'frd —5H 35
Mayfair Way. B'frd —4F 37
Mayfield. Hip —4A 50
Mayfield Av. Brigh —5F 51
Mayfield Av. Hal —1A 56
Mayfield Av. Wyke —2G 51
Mayfield Dri. Hal —1A 56
Mayfield Dri. Sandb —3C 8
Mayfield Gdns. Hal —1A 56
Mayfield Gdns. Sower B —3F 55
  (off Park Rd.)
Mayfield Gro. Bail —2H 17
Mayfield Gro. Brigh —5F 51
Mayfield Gro. Hal —1A 56
Mayfield Gro. Wilsd —1B 24
Mayfield Mt. Hal —1A 56
  (nr. Parkinson La.)
Mayfield Mt. Hal —2A 56
  (off King Cross Rd.)
Mayfield Pl. Wyke —2G 51
Mayfield Ri. Wyke —2H 51
Mayfield Rd. Kei —3D 6
Mayfield St. Hal —2A 56
Mayfield Ter. Cytn —6A 34
Mayfield Ter. Cleck —6G 53
Mayfield Ter. Hal —6H 47
Mayfield Ter. Wyke —2H 51
Mayfield Ter. St. Hal —2A 56
Mayfield Vw. Wyke —2H 51
Mayo Av. B'frd —1H 43
Mayo Cres. B'frd —2A 44
Mayo Dri. B'frd —2A 44
Mayo Gro. B'frd —2A 44
Mayo Rd. B'frd —2A 44
May St. Cleck —5F 53
May St. Hal —4B 48
May St. Haw —1H 21
May St. Kei —3E 7
Maythorne Cres. Cytn —5B 34
Maythorne Dri. Cytn —5C 34
May Tree Clo. Cytn —5B 34
Mayville Av. Sandb —3B 8
Mazebrook Av. Cleck —3G 53
Mazebrook Cres. Cleck —3G 53
Meadowbank Av. All —6H 25
Meadow Clo. H'den —6B 14
Meadow Clo. She —5B 42
Meadow Ct. All —3G 25
Meadow Ct. T'tn —3D 32
  (off Chapel St.)
Meadow Cres. Hal —3G 47
Meadowcroft. B'frd —2B 44
Meadow Cft. Hal —5A 6
Mdw. Croft Clo. B'frd —5B 18
Meadowcroft Ri. B'frd —3E 45
Meadow Dri. Hal —3G 47
Meadowlands. Schol —4A 52
Meadow La. Hal —3G 47
Meadow Rd. B'frd —5G 19
Meadowside Rd. Bail —1A 18
Meadows, The. Wibs —2G 43
Meadow Vw. Oakw —3H 11
Meadow Vw. Wyke —4G 51
Meadow Wlk. Hal —3G 47
  (off Meadow La.)
Mead Vw. B'frd —6G 37
Meadway. B'frd —5C 42
Mean La. OLdf —4A 10
Mearclough Rd. Sower B —3F 55
Medley La. Hal —1F 49
Medway. Q'bry —3F 41
Meggison Gro. B'frd —5G 35
Megna Way. B'frd —5A 36
Melba Rd. B'frd —6F 35
Melbourne Gro. B'frd —1G 37
Melbourne Pl. B'frd —4H 35 (6B 4)
Melbourne St. Hal —4A 48
Melbourne St. Shipl —5E 17
Melbourne Ter. B'frd
  —4A 36 (6C 4)
Melbury Ho. B'frd —2H 5
Melcombe Ho. B'frd —3G 5
Melcombe Wlk. B'frd —5G 37
Melford St. B'frd —1E 45
Mellor Mill La. Holy G —5B 60
Mellor St. Brigh —5F 59
Mellor St. Hal —2A 56
Mellor Ter. Hal —2A 56
Melrose Ct. Ell —3E 61
Melrose St. B'frd —5E 35
Melrose St. Hal —4A 48
Melrose Ter. Ell —3F 61
  (off Savile Rd.)

Melsonby Ho. B'frd —6E 19
  (off Cavendish Rd.)
Melton Ter. B'frd —3G 29
Melville St. B'frd —2G 35
Mendip Way. Low M —5F 43
Menin Dri. Bail —1G 17
Menstone St. B'frd —1G 35 (2A 4)
Merchants Ct. B'frd —4C 36
Merlin Gro. B'frd —2A 34
Merlinwood Dri. Bail —1H 17
Merrion Cres. Hal —2E 57
Merrion St. Hal —2E 57
Merrivale Rd. All —1G 33
Merrydale Rd. Euro I —5C 44
Merton Fold. B'frd —5A 36
Merton Rd. B'frd —4H 35 (6A 4)
Merville Av. Bail —1G 17
Metcalfe St. B'frd —5D 36
Methuen Oval. Wyke —4G 51
Mexborough Ho. Ell —2F 61
  (off Gog Hill)
Mexborough Rd. B'frd —2H 27
Meynell Ho. B'frd —1E 29
Miall St. Hal —5A 48
Michael Gth. B'frd —2F 43
Mickledore Ridge. B'frd —6C 34
Micklemoss Dri. Q'bry —1C 40
Micklethwaite. —4F 9
Micklethwaite Dri. Q'bry —3E 41
Micklethwaite La. Bgly —5E 9
Middlebrook Clo. B'frd —2C 34
Middlebrook Cres. B'frd —3B 34
Middlebrook Dri. B'frd —2B 34
Middlebrook Hill. B'frd —2B 34
Middlebrook Ri. B'frd —2B 34
Middlebrook Vw. B'frd —2C 34
Middlebrook Wlk. B'frd —2C 34
Middlebrook Way. B'frd —2B 34
Middle Dean St. G'lnd —3C 60
Middle Ellistones. G'lnd —2A 60
  (off Saddleworth Rd.)
Middle La. Cytn —4A 34
Middle St. B'frd —2A 36 (3D 4)
Middle St. Sower B —6A 54
Middleton St. B'frd —6F 27
Middle Way. Kei —4G 7
Midgeham Gro. H'den —4A 14
Midgeley Rd. Bail —4E 17
Midgley Row. B'frd —2D 44
Midland Hill. Bgly —2F 15
Midland Rd. Bail —3H 17
Midland Rd. B'frd —5H 27 (1C 4)
Midland Rd. Friz —2G 27
Midland Ter. B'frd —4H 27
Midland Ter. Kei —3E 7
Midway Av. Bgly —6G 15
Mildred St. B'frd —6C 28 (1G 5)
Mile Cross Gdns. Hal —1G 55
Mile Cross Pl. Hal —1G 55
Mile Cross Rd. Hal —1G 55
Mile Cross Ter. Hal —1G 55
Miles Hill Cres. B'frd —2E 45
Miles Hill Dri. B'frd —2E 45
Mile Thorn St. Hal —6H 47
Milford Pl. B'frd —4E 27
Millbeck Clo. B'frd —3A 34
Millbeck Clo. T'tn —3A 34
Mill Carr Hill Rd. Oaken —6D 44
Mill Clo. La. Q'bry —3C 40
Mill Ct. Oxe —5G 21
  (off Yate La.)
Millergate. B'frd —2A 36 (4C 4)
Millersdale Clo. Euro I —4C 44
Millgate. Bgly —2F 15
Millgate. Ell —2F 61
Mill Gro. Brigh —3D 58
Mill Hey. Haw —6H 11
Mill Hill. Haw —6G 11
Mill Hill La. Brigh —3D 58
Mill Hill Top. H'den —5B 14
Mill Ho. Ri. B'frd —2D 44
Milligan Av. B'frd —2B 28
Mill La. B'shaw —5H 45
Mill La. B'twn —3B 48
Mill La. B'frd —4A 36
Mill La. Brigh —5F 59
Mill La. Cleck —2F 53
Mill La. Holy G —5C 60
Mill La. Ludd —3A 46
Mill La. Mix —4E 39
Mill La. Oakw —3F 11
Mill La. Oxe —4G 21
Mill La. Q'bry —1C 40
Millmoor Clo. D Hill —5B 26

Mill Royd St. Brigh —5F 59
Mill St. B'frd —1B 36 (2E 5)
Mill St. Cull —1F 23
Mill St. Hal —6A 56
Mill St. Wibs —2E 43
Milner Clo. G'lnd —2C 60
Milner Ing. Wyke —1G 51
Milner La. G'lnd —2C 60
Milner Rd. Bail —4F 17
Milner Royd La. Norl —4G 55
Milner St. Hal —6B 48
Milne St. B'frd —2G 35
Milton Av. Sower B —2D 54
Milton Pl. Hal —6B 48
Milton St. B'frd —2G 35
Milton St. Denh —1G 31
Milton St. Sower B —2D 54
Milton Ter. Cleck —5E 53
Milton Ter. Hal —6B 48
Minnie St. Haw —1G 21
Minnie St. Kei —5D 6
Minorca Mt. Denh —6F 23
Mint St. B'frd —5D 28
Mirfield Av. B'frd —2C 28
Mission St. Brigh —6G 59
Mistral Clo. Wyke —3G 51
Mitcham Dri. B'frd —5E 27
Mitchell Clo. B'frd —4E 19
Mitchell La. B'frd —4E 19
Mitchell Sq. B'frd —5A 36
Mitchell St. Brigh —4E 59
Mitchell St. Kei —3F 7
Mitchell St. Sower B —3E 55
Mitchell Ter. Bgly —4F 15
Mitre Ct. B'frd —6F 37
Mitton St. Bgly —1H 25
Mitton St. B'frd —6G 35
Mixenden. —6E 39
Mixenden Clo. Hal —6E 39
Mixenden Ct. Hal —1F 47
  (off Mixenden Rd.)
Mixenden La. Hal —5F 39
Mixenden Rd. Hal —5E 39
Moffat Clo. B'frd —4D 42
Moffat Clo. Hal —2G 47
Monckton Ho. B'frd —1B 44
  (off Parkway)
Mond Av. B'frd —6F 29
Monk Barn Clo. Bgly —1G 15
Monk St. B'frd —2G 35 (4A 4)
Montague St. B'frd —6G 35
Montague St. Sower B —4C 54
Monterey Dri. All —4F 25
Mont Gro. B'frd —6G 35
  (off Montague St.)
Montrose Pl. Q'bry —1C 40
Montrose St. B'frd —3H 27
Montserrat Rd. B'frd —2H 45
Moody St. B'frd —4B 36
Moor Bank. B'frd —4H 45
Moorbottom. —6D 52
Moorbottom. Cleck —6D 52
Moor Bottom La. Bgly —2G 15
Moor Bottom La. G'lnd —6A 56
  (in two parts)
Moor Bottom La. Kei —3D 12
Moor Bottom La. Sower B —6D 54
Moor Bottom Rd. Hal —5H 39
Moor Clo. Av. B'frd —2A 44
Moor Clo. Farm M. Q'bry —3C 40
Moor Clo. Pde. Q'bry —2C 40
Moor Clo. Rd. B'frd —2A 44
Moorcroft. Bgly —6H 9
Moorcroft Av. B'frd —6F 29
Moorcroft Av. Oakw —2A 12
Moorcroft Dri. E Bier —2H 45
Moorcroft Rd. B'frd —2H 45
Moorcroft Ter. B'frd —2H 45
Moor Dri. Oakw —2G 11
Moore Av. B'frd & Wibs —6D 34
Moor Edge. —3A 14
Moor Edge High Side. H'den —3A 14
Moor Edge Low Side. H'den —3A 14
Moorend. —5F 53
  (nr. Cleckheaton)
Moor End. —6D 38
  (nr. Mixenden)
Moor End. —1C 28
  (nr. Springfield)
Moor End Av. Hal —4E 47
Moor End Gdns. Hal —4F 47
Moor End La. Norl —5F 55
  (in two parts)
Moor End Rd. Hal —6D 38
Moor End Vw. Hal —5G 47

Moore St. *Kei* —5E **7**
Moore Vw. *B'frd* —6D **34**
Moorfield Av. *B'frd* —6F **29**
Moorfield Av. *Schol* —6A **52**
Moorfield Dri. *Bail* —1G **17**
Moorfield Dri. *Oakw* —2H **11**
Moorfield Pl. *B'frd* —5D **18**
(in two parts)
Moorfield Rd. *Bgly* —6G **15**
Moorfield St. *Hal* —3A **56**
Moorfield Way. *Schol* —6A **52**
Moorgarth Av. *B'frd* —6F **29**
Moorgate. *Bail* —1G **17**
Moorgate Av. *B'frd* —6E **29**
Moorgate St. *Hal* —2H **55**
Moor Gro. *Hal* —4A **42**
Moorhead. —6C 16
Moorhead Clo. *Shipl* —6C **16**
Moorhead La. *Shipl* —6C **16**
Moorhead Ter. *Shipl* —6C **16**
Moor Hey La. *Ell* —4H **61**
Moorhouse Av. *B'frd* —2C **28**
Moor Ho. Clo. *Oxe* —4G **21**
Moorhouse Ct. *Oxe* —4G **21**
Moorhouse Dri. *B'shaw* —4H **45**
Moorhouse La. *B'shaw* —4H **45**
Moorhouse La. *Oxe* —3F **21**
Moorings, The. *App B* —5F **19**
Moorland Av. *Bail* —1H **17**
Moorland Av. *Bgly* —6H **9**
Moorland Clo. *Hal* —2G **47**
Moorland Cres. *Bail* —1H **17**
Moorland Cres. *Pud* —1H **37**
Moorland Gro. *Pud* —6H **29**
Moorland Mills. *Cleck* —4F **53**
Moorland Pl. *Low M* —6A **44**
Moorland Rd. *Pud* —6H **29**
Moorlands Av. *B'frd* —6F **29**
Moorlands Av. *Hal* —2G **47**
Moorlands Av. *Oakw* —1B **12**
Moorlands Ct. *G'lnd* —1B **60**
Moorlands Cres. *Hal* —2G **47**
Moorlands Dri. *Hal* —3G **47**
Moorlands Ind. Cen. *Cleck* —4F **53**
Moorlands Pl. *Hal* —2B **56**
Moorlands Rd. *B'shaw* —4H **45**
Moorlands Rd. *G'lnd* —1B **60**
Moorlands Vw. *Hal* —2B **56**
Moorland Ter. *Kei* —5H **7**
Moorland Vw. *Hal* —6A **44**
Moorland Vw. *Wilsd* —3D **24**
Moorland Villa. *Sower B* —6B **54**
Moor La. *Hal* —1G **47**
Moorlea Dri. *Bail* —2H **17**
Moor Pk. Clo. *B'frd* —1E **37**
Moor Pk. Dri. *B'frd* —1F **37**
Moor Pk. Rd. *B'frd* —1E **37**
Moor Royd. *Hal* —3A **56**
Moor Side. —5E 29
(nr. Bradford)
Moor Side. —6G 43
(nr. Wyke)
Moorside. *D Hill* —5C **26**
Moorside Av. *B'shaw* —4H **45**
Moorside Av. *B'frd* —5E **29**
Moorside Clo. *B'frd* —4E **29**
Moorside Cft. *B'frd* —5E **29**
Moorside Gdns. *B'frd* —4E **29**
Moorside Gdns. *Hal* —1H **47**
Moorside Ho. Wilsd —3C **24**
(off Crooke La.)
Moorside La. *B'frd* —2F **37**
Moor Side La. *Oxe* —2D **20**
Moorside M. *B'frd* —4E **29**
Moorside Pl. *B'frd* —2F **37**
Moorside Ri. *Cleck* —6D **52**
Moorside Rd. *B'frd* —3E **29**
Moorside Rd. *Wilsd* —3C **24**
Moorside St. *Low M* —5F **43**
Moorside Ter. *B'frd* —5F **29**
Moor Stone Pl. *She* —6A **42**
Moor St. *Oakw* —2H **11**
Moor St. *Q'bry* —2E **41**
Moor Ter. B'frd —6E **29**
(off Glenmore Clo.)
Moorthorpe Av. *B'frd* —6F **29**
Moor Top. —5F 43
Moor Top Gdns. *Hal* —3G **39**
Moor Top Rd. *Hal* —5D **46**
Moor Top Rd. *Low M* —5F **43**
Moor Vw. *B'frd* —6F **29**
Moor Vw. Av. *Shipl* —5E **17**
Moor Vw. Ct. *Sandb* —4C **8**
Moor Vw. Cres. *Bgly* —1E **25**

Moorview Dri. *Bgly* —1E **25**
Moorview Dri. *Shipl* —6B **18**
Moorview Gro. *Kei* —6F **7**
Moor Vw. Ter. *Stanb* —6B **10**
Moorville Av. *B'frd* —6F **29**
Moorville Dri. *B'shaw* —4H **45**
Moor Way. *Oakw* —2G **11**
Moorwell Pl. *B'frd* —3E **29**
Moravian Pl. *B'frd* —5H **35**
Morden Ho. *B'frd* —3G **5**
Moresby Rd. *B'frd* —5C **42**
Moreton Ho. *B'frd* —6C **5**
Morley Av. *B'frd* —6F **29**
Morley Carr. —6H 43
Morley Carr Rd. *Low M* —6H **43**
Morley St. *B'frd* —3H **35** (6B **4**)
Morley Vw. *Hal* —4E **57**
Morningside. *B'frd* —6C **16**
Morningside. *Denh* —5F **23**
Morning St. *Kei* —1D **12**
Mornington Rd. *Bgly* —2G **15**
Mornington St. *Kei* —3D **6**
Mornington Vs. *B'frd* —1H **27**
Morpeth St. *B'frd* —2G **35**
Morpeth St. *Q'bry* —2E **41**
Mortimer Av. *B'frd* —6F **29**
Mortimer Row. *B'frd* —2F **37**
Mortimer St. *B'frd* —1D **34**
Mortimer St. *Cleck* —6F **53**
Morton Gro. *E Mor* —3D **8**
Morton La. *E Mor* —3D **8**
Morton Rd. *B'frd* —4F **37**
Mortons Clo. *Sid* —4E **57**
Moser Av. *B'frd* —2C **28**
Moser Cres. *B'frd* —2C **28**
Mosley Ho. B'frd —4F **37**
(off Parsonage Rd.)
Moss Bldgs. *Cleck* —5F **53**
Moss Carr Av. *Kei* —6H **7**
Moss Carr Gro. *Kei* —6H **7**
Moss Carr Rd. *Kei* —6H **7**
Mosscar St. *B'frd* —2C **36** (4H **5**)
Mossdale Av. *B'frd* —4A **26**
Moss Dri. *Hal* —5G **39**
Moss Fld. *B'frd* —4F **5**
Moss La. *Hal* —5G **39**
Moss Row. *Wilsd* —1C **24**
Moss Side. *B'frd* —5C **26**
Moss St. *Cro R* —5A **12**
Moss St. *T'tn* —2C **32**
Mosstree Clo. *Q'bry* —1C **40**
Mossy Bank Clo. *Q'bry* —1E **41**
Mostyn Gro. *B'frd* —3E **43**
Mostyn M. *Hal* —2A **48**
Moulson Ct. *B'frd* —6A **36**
Moulson Ter. *Denh* —1F **31**
Mountain. —1C 40
Mountain Vw. *Hal* —5A **40**
Mountain Vw. *Shipl* —1H **27**
Mount Av. *B'frd* —2D **28**
Mount Av. *Hal* —6E **47**
Mountbatten Ct. *B'frd* —1A **44**
Mount Cres. *Cleck* —5F **53**
Mount Cres. *Hal* —6E **47**
Mountfields. *Hal* —5C **50**
Mount Gdns. *Cleck* —5F **53**
Mount Gro. *B'frd* —2D **28**
Mountleigh Clo. *Euro I* —5C **44**
Mt. Pellon. *Hal* —5H **47**
Mt. Pellon Rd. *Hal* —5G **47**
Mount Pl. *Shipl* —5E **17**
Mt. Pleasant. *Butt* —4C **42**
Mt. Pleasant. *Denh* —1F **31**
Mt. Pleasant. *Sandb* —4C **8**
Mt. Pleasant Av. *Hal* —5B **48**
Mt. Pleasant St. *Q'bry* —2E **41**
Mount Rd. *B'frd* —2E **29**
Mount Rd. *Wibs* —2E **43**
Mt. Royd. *B'frd* —5H **27**
Mount St. *B'frd* —3C **36** (5H **5**)
Mount St. *Cleck* —5F **53**
Mount St. *Eccl* —2D **28**
Mount St. *Hal* —6C **48**
Mount St. *Kei* —4D **6**
Mount St. *Sower B* —3D **54**
Mt. Street W. *Hal* —5G **47**
Mount Tabor. —1C 40
Mt. Tabor Rd. *Hal* —6B **38**
Mount Ter. *B'frd* —2D **28**
Mount Ter. *Hal* —4G **47**
Mount Vw. *Bgly* —2H **15**
Mount Vw. *Hal* —2C **46**
Mount Vw. *Oakw* —3F **11**
Mount Vw. *Q'bry* —2D **40**
Mowbray Clo. *Cull* —2E **23**

Mozeley Dri. *Hal* —5H **39**
Mucky La. *Ell* —5D **60**
Muff St. *B'frd* —4D **36**
Muff Ter. *B'frd* —2E **43**
Muirhead Dri. *B'frd* —1G **45**
Mulberry La. *Kei* —3F **7**
Mulcture Hall Rd. *Hal* —6D **48**
Mulgrave St. *B'frd* —3D **36** (5H **5**)
Mumford St. *B'frd* —6A **36**
Munby St. *B'frd* —2C **34**
Munster St. *B'frd* —6D **36**
Munton Clo. *B'frd* —5C **42**
Murdoch St. *Kei* —3H **7**
Murdstone Clo. *B'frd* —6A **36**
Murgatroyd St. *B'frd* —1A **44**
(in two parts)
Murgatroyd St. *Shipl* —5F **17**
Murray St. *B'frd* —6G **35**
Museum St. *B'frd* —5E **29**
Musgrave Dri. *B'frd* —5E **29**
Musgrave Gro. *B'frd* —5E **29**
Musgrave Mt. *B'frd* —5E **29**
Musgrave Rd. *B'frd* —5E **29**
Musselburgh St. *B'frd* —2G **35**
Mutton La. *All* —5D **24**
Myers Av. *B'frd* —3C **28**
Myers La. *B'frd* —3C **28**
Myrtle Av. *Bgly* —3F **15**
Myrtle Av. *Hal* —1G **47**
Myrtle Ct. *Bgly* —3F **15**
Myrtle Dri. *Cro R* —4B **12**
Myrtle Dri. *Hal* —1G **47**
Myrtle Gdns. *Hal* —1G **47**
Myrtle Gro. *Bgly* —3F **15**
Myrtle Gro. *Q'bry* —4C **40**
Myrtle Pl. *Bgly* —2F **15**
Myrtle Pl. *Hal* —1G **47**
Myrtle Pl. *Shipl* —5D **16**
Myrtle Rd. *Ell* —4F **61**
Myrtle St. *Bgly* —2G **15**
Myrtle St. *B'frd* —3E **37**
Myrtle Vw. *Oakw* —2H **11**
Myrtle Wlk. Bgly —2F **15**
(off Ferncliffe Rd.)
Mytholmes. —5G 11
Mytholmes La. *Haw* —6G **11**
(in two parts)

Nab End Rd. *G'lnd* —2D **60**
Nab La. *Shipl* —6B **16**
Nab Wood. —6B 16
Nab Wood Bank. *Shipl* —6B **16**
Nab Wood Clo. *Shipl* —6C **16**
Nab Wood Cres. *Shipl* —6B **16**
Nab Wood Dri. *Shipl* —1B **26**
Nab Wood Gdns. *Shipl* —6C **16**
Nab Wood Gro. *Shipl* —6B **16**
Nab Wood Mt. *Shipl* —6B **16**
Nab Wood Pl. *Shipl* —6B **16**
Nab Wood Ri. *Shipl* —6B **16**
Nab Wood Rd. *Shipl* —1B **26**
Nab Wood Ter. *Shipl* —6B **16**
Napier Pl. *B'frd* —2F **37**
Napier Rd. *Ell* —3E **61**
Napier St. *B'frd* —2F **37**
Napier St. *Kei* —5F **7**
Napier St. *Q'bry* —2F **41**
Napier Ter. *B'frd* —2F **37**
Naples St. *B'frd* —6F **27**
Nares St. *Cro R* —5A **12**
Nares St. *Kei* —4D **6**
Narrow La. *H'den* —4B **14**
Narrows, The. *H'den* —4B **14**
Naseby Ho. *B'frd* —2H **45**
Naseby Ri. *Q'bry* —2F **41**
Nashville Rd. *Kei* —5C **6**
Nashville St. *Kei* —5C **6**
Nashville Ter. Kei —5C **6**
(off Nashville Rd.)
National Museum of Photography,
Film & Television. —3A **36** (6C **4**)
National Waterhouse Homes. Hal
—1C **56**
(off Harrison Rd.)
Navigation Rd. *Hal* —1D **56**
Naylor St. *Hal* —4F **49**
Neal St. *B'frd* —3A **36** (6C **4**)
Nearcliffe Rd. *B'frd* —5E **27**
Near Crook. *Thack* —4B **18**
Near Royd. *Oven* —2A **48**
Necropolis Rd. *B'frd* —4D **34**
Ned Hill Rd. *Hal* —1G **39**
Ned La. *B'frd* —5G **37**
Nelson Pl. *Q'bry* —2E **41**

Nelson Pl. *Sower B* —3F **55**
Nelson St. *All* —6A **26**
Nelson St. *B'frd* —3A **36** (6D **4**)
Nelson St. *Cro R* —5A **12**
(nr. Albion St.)
Nelson St. *Cro R* —5A **12**
(nr. East Ter., in two parts)
Nelson St. *Q'bry* —2E **41**
Nelson St. *Sower B* —3E **55**
Nene St. *B'frd* —5G **35**
Nesfield St. *B'frd* —1H **35** (1B **4**)
Nessfield Dri. *Kei* —6B **6**
Nessfield Gro. *Kei* —6B **6**
Nessfield Rd. *Kei* —6B **6**
Netherby St. *B'frd* —2D **36**
Netherfield Pl. *Cleck* —6G **53**
Netherhall Rd. *Bail* —2H **17**
Netherlands Av. *B'frd* —4G **43**
Netherlands Sq. *Low M* —5H **43**
Nether Moor Vw. *Bgly* —2G **15**
Nettle Gro. *Hal* —4G **49**
Neville Av. *B'frd* —2D **44**
Neville Clo. *Shipl* —5D **16**
Neville Rd. *B'frd* —5D **36**
Neville St. *Kei* —3F **7**
Neville St. *Mar* —6G **53**
Nevill Gro. *B'frd* —4B **26**
Newall St. *B'frd* —5H **35**
Newark Ho. B'frd —5H **35**
(off Roundhill St.)
Newark Rd. *Bgly* —6F **9**
Newark St. *B'frd* —4C **36**
New Augustus St. *B'frd* —3B **36** (6F **5**)
New Bank. *Hal* —5D **48**
New Bond St. *Hal* —6B **48**
New Brighton. —1A 26
New Brighton. *Bgly* —1A **26**
New Brunswick St. *Hal* —6B **48**
Newburn Rd. *B'frd* —4F **35**
Newby Ho. B'frd —5D **28**
(off Otley Rd.)
Newby St. *B'frd* —5A **36**
Newcastle Ho. *B'frd* —3F **5**
New Clayton Ter. *Cull* —2F **23**
New Clo. Rd. *Shipl* —6A **16**
New Clough Rd. *Norl* —5F **55**
Newcombe St. *Ell* —4G **61**
New Cross St. *B'frd* —1A **44**
(in two parts)
New Cross St. *Oaken* —6D **44**
New Delight. *Hal* —4E **39**
New England Rd. *Kei* —6E **7**
New Fold. *B'frd* —4C **42**
Newforth Gro. *B'frd* —1G **43**
Newhall. —2C 44
Newhall Dri. *B'frd* —3B **44**
Newhall Mt. *B'frd* —3B **44**
Newhall Rd. *B'frd* —2D **44**
New Hey Rd. *B'frd* —5C **36**
New Hey Rd. *Fix & Brigh* —5H **61**
New Holme Rd. *Haw* —1H **21**
New Ho. La. *Q'bry* —3H **41**
Newill Clo. *B'frd* —1C **44**
Newington Pl. *B'frd* —1G **35** (2A **4**)
New John St. *B'frd* —2H **35** (4C **4**)
New Kirkgate. *Shipl* —5F **17**
New Laithe Rd. *B'frd* —2E **43**
Newlands Av. *B'frd* —6F **29**
Newlands Av. *Hal* —1G **49**
Newlands Av. *Sower B* —4A **54**
Newlands Clo. *Brigh* —6F **59**
Newlands Cres. *Hal* —2G **49**
Newlands Dri. *Bgly* —5E **9**
Newlands Dri. *Hal* —2G **49**
Newlands Gro. *Hal* —2G **49**
Newlands Pl. *B'frd* —1D **36**
Newlands Rd. *Hal* —6C **46**
Newlands, The. *Sower B* —5A **54**
Newlands Vw. *Hal* —2G **49**
New La. *B'frd* —3F **37**
New La. *Hal* —3D **56**
New La. *Ski G* —4A **56**
Newlay Clo. *B'frd* —6G **19**
New Line. *B'frd* —6F **19**
New Longley La. *Sower B* —6C **54**
Newlyn Rd. *Riddl* —2A **8**
Newman St. *B'frd* —1D **44**
New Otley Rd. *B'frd* —1C **36** (2G **5**)
New Pk. Rd. *Q'bry* —1D **40**
New Popplewell La. *Schol* —5B **52**
Newport Clo. *Hal* —6G **27**
Newport Rd. *B'frd* —6G **27**
New Rd. *Denh* —1F **31**
New Rd. *G'lnd* —2G **56**
New Rd. *Hal* —1C **56**

New Rd. *Holy G* —6C **60**
New Rd. *L'ft* —4A **46**
New Rd. E. *Schol* —5B **52**
New Road Side. —1H 51
New Row. *Bgly* —5H **15**
New Row. *C'ley* —4H **29**
New Row. *D Hill* —5C **26**
New Row. *Holy G* —5C **60**
New Row. *Wyke* —3H **51**
Newroyd Rd. *B'frd* —1A **44**
Newsholme. —1E 11
Newsholme New Rd. *Oakw* —1E **11**
Newstead Av. *Hal* —6G **47**
Newstead Gdns. *Hal* —6G **47**
Newstead Gro. *Hal* —6G **47**
Newstead Heath. *Hal* —6G **47**
Newstead Pl. *Hal* —6G **47**
Newstead Ter. *Hal* —6G **47**
Newstead Wlk. *B'frd* —5H **35**
New St. *Bail B* —6F **51**
New St. *Bier* —3D **44**
New St. *Bgly* —4E **9**
New St. *Clif* —4H **59**
New St. *Denh* —1F **31**
New St. *Hal* —5G **47**
New St. *Haw* —1G **21**
New St. *Idle* —5D **18**
New St. *Oaken* —6D **44**
New St. *Oakw* —3H **11**
New St. *S'wram* —3G **57**
New Toftshaw. —3F 45
New Toftshaw. *B'frd* —3F **45**
Newton Pk. *Brigh* —1D **58**
Newton Pl. *B'frd* —5H **35**
Newton St. *B'frd* —5A **36**
(in two parts)
Newton Sower B —3D **54**
Newton Way. *Bail* —1G **17**
New Town. —5C 6
New Town Clo. *Kei* —4D **6**
New Town Ct. *Kei* —4D **6**
New Works Rd. *Low M* —6G **43**
Nicholas Clo. *B'frd* —2D **36**
Nicholson Clo. *Bgly* —5G **9**
Nidderdale Wlk. *Bail* —1A **18**
Nidd St. *B'frd* —3D **36**
Nightingale St. *Kei* —3E **7**
(off Linnet St.)
Nile Cres. *Kei* —5B **6**
Nile St. *Cro R* —5A **12**
Nile St. *Kei* —5B **6**
Nina Rd. *B'frd* —6D **34**
Noble St. *B'frd* —4F **35**
Nog La. *B'frd* —3E **27**
Nook, The. *Cleck* —5G **53**
Nook, The. *Sower B* —4D **54**
Noon Nick. —2H 25
Norbreck Dri. *Cro R* —5A **12**
Norbury Rd. *B'frd* —2G **29**
Norcroft Brow. *B'frd* —3H **35** (5A **4**)
Norcroft St. *B'frd* —2G **35** (4A **4**)
Norfolk Gdns. *B'frd* —3A **36** (5D **4**)
Norfolk Pl. *Hal* —1A **56**
Norfolk St. *Bgly* —2G **15**
Norham Gro. *Wyke* —3H **51**
Norland Rd. *G'lnd* —6F **55**
Norland Rd. *Sower B* —4D **54**
Norland St. *B'frd* —6D **34**
Norland Town. —5G 55
Norland Town Rd. *Norl* —5F **55**
Norland Vw. —3A 56
(off Albert Promenade)
Norland Vw. *Sower B* —3F **55**
Norman Av. *B'frd* —2D **28**
Norman Av. *Ell* —3G **61**
Norman Cres. *B'frd* —2D **28**
Norman Gro. *B'frd* —2D **28**
Norman Gro. *Ell* —3G **61**
Norman La. *B'frd* —2D **28**
Norman Mt. *B'frd* —2D **28**
Norman St. *Bgly* —2G **15**
Norman St. *Ell* —3G **61**
Norman St. *Hal* —2H **55**
Norman St. *Haw* —6H **11**
Norman Ter. *B'frd* —2D **28**
Norman Ter. *Ell* —3G **61**
Norr. —1D **24**
Norr Grn. Ter. *Wilsd* —1D **24**
Northallerton Rd. *B'frd* —6B **28**
Northampton St. *B'frd* —6B **28**
North Av. *B'frd* —4H **27**
N. Bank Rd. *Bgly* —2G **15**
North Bolton. *Hal* —4F **39**
North Bri. *Hal* —5C **48**
N. Bridge St. *Hal* —5C **48**

N. Brook St. *B'frd* —1B **36** (2E **5**)
North Cliffe. *Sower B* —5D **54**
N. Cliffe Av. *T'tn* —3F **33**
N. Cliffe Clo. *T'tn* —2E **33**
N. Cliffe Dri. *T'tn* —3E **33**
N. Cliffe Gro. *T'tn* —3E **33**
Northcliffe La. *Hal* —1F **57**
N. Cliffe La. *T'tn* —2F **33**
Northcliffe Rd. *Shipl* —1E **27**
Northcote Rd. *B'frd* —5D **28**
Northcroft Ri. *B'frd* —6C **26**
North Cut. *Brigh* —5D **58**
Northdale Av. *B'frd* —1G **43**
Northdale Cres. *B'frd* —1G **43**
Northdale Mt. *B'frd* —1G **43**
Northdale Rd. *B'frd* —3F **27**
N. Dean Av. *Kei* —4A **6**
N. Dean Bus. Pk. *G'lnd* —6C **56**
N. Dean Rd. *G'lnd* —6A **56**
N. Dean Rd. *Kei* —4A **6**
North Edge. Hal —4A 50
(off Brighouse and Denholme Ga. Rd.)
Northedge La. *Hal* —4A **50**
Northedge Mdw. *B'frd* —1D **28**
Northedge Pk. *Hal* —4B **50**
Northern Clo. *B'frd* —1D **42**
Northfield Clo. Ell —3F 61
(off Victoria Av.)
Northfield Cres. *Bgly* —6G **15**
Northfield Gdns. *B'frd* —2G **43**
Northfield Gro. *B'frd* —2G **43**
Northfield Ho. *B'frd* —6E **19**
Northfield Pl. *B'frd* —6G **27**
Northfield Rd. *B'frd* —2F **43**
Northfield Ter. *Q'bry* —2G **41**
North Fold. *B'frd* —5D **18**
Northgate. *Bail* —1G **17**
Northgate. *B'frd* —2A **36** (3C **4**)
Northgate. *Cleck* —6F **53**
Northgate. *Ell* —2F **61**
Northgate. *Hal* —6C **48**
N. Hall Av. *B'frd* —3C **18**
N. Holme St. *B'frd* —1A **36** (2D **4**)
N. John St. *Q'bry* —2E **41**
Northlea Av. *B'frd* —4C **18**
North St. *B'frd* —2B **36** (3F **5**)
North St. *G'lnd* —2D **60**
North St. *Haw* —6F **11**
North St. *Holy G* —5C **60**
North St. *Idle* —3D **18**
North St. *Kei* —4E **7**
North St. *Oaken* —1C **52**
North Vw. *All* —6G **25**
North Vw. *Wilsd* —2C **24**
N. View Rd. *B'frd* —5B **28**
(nr. Bolton Rd.)
N. View Rd. *B'frd* —4H **45**
(nr. Bradford Rd.)
N. View St. *Kei* —2D **6**
N. View Ter. *Haw* —5G **11**
North Wlk. *H'den* —4A **14**
North Wing. *B'frd* —1B **36** (2F **5**)
Northwood Cres. *B'frd* —6E **19**
Norton Clo. *Ell* —4F **61**
Norton Clo. *Hal* —6D **46**
Norton Dri. *Hal* —6D **46**
Norton St. *Ell* —4F **61**
Norton Tower. —6D 46
Norwood Av. *Shipl* —1F **27**
Norwood Green. —3D 50
Norwood Grn. Hill. *Hal* —3D **50**
Norwood Pl. *Shipl* —1F **27**
Norwood Rd. *Shipl* —1F **27**
Norwood St. *B'frd* —1H **43**
Norwood St. *Shipl* —1F **27**
Norwood Ter. *Hal* —3E **51**
Norwood Ter. *Shipl* —1F **27**
Nostell Clo. *B'frd* —1H **35** (2A **4**)
Nottingham St. *B'frd* —2G **37**
Nunburnholme Wlk. *B'frd* —1E **29**
Nunlea Royd. *Hal* —1E **59**

Nunroyd Ho. B'frd —3F 37
(off Sticker La.)
Nurser La. *B'frd* —5G **35**
Nurser Pl. *B'frd* —5G **35**
Nursery Av. *Hal* —2H **47**
Nursery Clo. *Bail* —3D **16**
Nursery Clo. *Hal* —3H **47**
Nursery Clo. *Kei* —1C **6**
Nursery Gro. *Hal* —2H **47**
Nursery La. *Hal* —2G **47**
Nursery Rd. *B'frd* —1D **42**
Nursery Rd. *Cytn* —5H **33**
Nuttall Rd. *B'frd* —2C **36** (3G **5**)
Nutter St. *Cleck* —6E **53**

Oak Av. *Bgly* —4F **15**
Oak Av. *B'frd* —5G **27**
Oak Av. *Sower B* —2D **54**
Oak Bank. *Bail* —3G **17**
Oak Bank. *Bgly* —3G **15**
Oak Bank. *Shipl* —2H **27**
Oakbank Av. *Kei* —6B **6**
Oakbank B'way. *Oakw* —1B **12**
Oakbank Ct. *Oakw* —1B **12**
Oakbank Cres. *Oakw* —1B **12**
Oakbank Gro. *Kei* —6B **6**
Oakbank La. *Oakw* —1B **12**
Oakbank Mt. *Oakw* —1B **12**
Oakdale. *Bgly* —6G **9**
Oakdale Av. *B'frd* —2F **43**
Oakdale Av. *Shipl* —1H **27**
Oakdale Clo. *B'frd* —4G **29**
Oakdale Clo. *Hal* —3A **48**
Oakdale Cres. *B'frd* —2F **43**
Oakdale Dri. *B'frd* —4G **29**
Oakdale Dri. *Shipl* —1A **28**
Oakdale Gro. *Shipl* —1A **28**
Oakdale Rd. *Shipl* —1A **28**
Oakdale Ter. *B'frd* —2F **43**
Oakenshaw. —6B 44
Oakenshaw Ct. *Wyke* —3G **51**
Oakenshaw La. *Schol* —3C **52**
Oakes Gdns. *Holy G* —5B **60**
Oakfield Av. *Bgly* —3A **15**
Oakfield Clo. *Ell* —3E **61**
Oakfield Dri. *Bail* —3H **17**
Oakfield Gro. *B'frd* —5G **27**
Oakfield Rd. *Kei* —1C **12**
Oakfield Ter. *Shipl* —6H **17**
Oak Gro. *Kei* —2C **12**
Oakhall Pk. *T'tn* —2D **32**
Oakham Wlk. *B'frd* —5C **36**
Oak Hill. *Sower B* —6A **54**
Oak Hill Rd. *Brigh* —4F **59**
Oakhurst St. *B'frd* —5H **27**
Oaklands. *B'frd* —5C **18**
Oaklands. *Brigh* —6D **58**
Oaklands. *Shipl* —6B **16**
Oaklands Av. *Hal* —2G **49**
Oak La. *B'frd* —5F **27**
Oak La. *Hal* —6A **48**
Oak La. *Sower B* —6A **54**
Oakleigh Av. *Cytn* —6H **33**
(in two parts)
Oakleigh Av. *Hal* —4C **56**
Oakleigh Clo. *Cytn* —5H **33**
Oakleigh Gro. *Cytn* —6H **33**
(in two parts)
Oakleigh Rd. *Cytn* —6H **33**
Oakleigh Ter. *Cytn* —5H **33**
Oakleigh Vw. *B'frd* —2F **17**
Oakley Ho. B'frd —5H 35
(off Park La.)
Oak Mt. *B'frd* —5H **27**
Oak Mt. *Hal* —5C **50**
Oak Pl. *Bail* —1B **18**
Oak Pl. *Hal* —6A **48**
Oak Pl. *Sower B* —2D **54**
Oakridge Ct. *Bgly* —1G **15**
Oak Ri. *Cleck* —3F **53**
Oakroyd Av. *B'frd* —6H **43**
Oakroyd Clo. *B'shaw* —6H **45**
Oakroyd Clo. *Brigh* —2F **59**
Oak Royd Cotts. *Hal* —5B **56**
Oakroyd Dri. *B'shaw* —1H **53**
Oakroyd Dri. *Brigh* —2F **59**
Oakroyd Rd. *B'frd* —2F **43**
Oakroyd Ter. *B'frd* —3H **17**
Oakroyd Ter. *B'frd* —5H **27**
Oakroyd Vs. *B'frd* —6H **43**
Oaks Dri. *All* —1A **34**
Oaks Fold. *B'frd* —6A **36**
Oaks La. *All* —1A **34**

Oaks La. *B'frd* —2B **34**
Oak St. *Cytn* —5H **33**
Oak St. *Ell* —3F **61**
Oak St. *Haw* —6H **11**
Oak St. *Oxe* —4G **21**
Oak St. *Sower B* —2D **54**
Oak St. *Wilsd* —3C **24**
Oak Ter. Hal —6A 48
(off Acorn St.)
Oak Ter. *Holy G* —5A **60**
Oak Vs. *B'frd* —5H **27**
Oakwell Clo. *B'frd* —6F **35**
Oakwood Av. *B'frd* —3H **27**
Oakwood Ct. *B'frd* —1G **35**
Oakwood Dri. *Bgly* —6F **9**
Oakwood Gro. *B'frd* —6E **27**
Oakworth. —3G 11
Oakworth Hall. *Oakw* —3G **11**
Oakworth Rd. *Oakw & Kei* —1B **12**
Oakworth Ter. Oakw —3G 11
(off Dockroyd La.)
Oasby Cft. *B'frd* —2G **45**
Oastler Pl. *Low M* —5H **43**
Oastler Rd. *Shipl* —5D **16**
Oat St. *Kei* —1C **12**
Occupation La. *Hal* —5G **39**
Occupation La. *Oakw* —1H **11**
Octagon Ter. *Hal* —3G **55**
Oddfellows Ct. *B'frd* —2A **36** (5C **4**)
Oddfellows St. *Brigh* —4F **59**
Oddfellows St. *Schol* —5B **52**
Oddy Pl. *B'frd* —2F **43**
Oddy St. *B'frd* —2G **45**
Odsal. —3A 44
Odsal Rd. *B'frd* —3H **43**
(in two parts)
Odsal Stadium. —3A **44**
Odsal Top. —3A 44
Ogden. —1F 39
Ogden Cres. *Denh* —5F **23**
Ogden Ho. *B'frd* —6H **37**
Ogden La. *Denh* —5F **23**
Ogden La. *Hal* —1F **39**
Ogden St. *Sower B* —4C **54**
Ogden Vw. Clo. *Hal* —6C **48**
Ogden Water Countryside Centre.
—1F **39**
Old Allen Rd. *T'tn* —4A **24**
Old Arc., The. Hal —6C 48
(off Old Mkt.)
Old Bank. *Hal* —6D **48**
(in two parts)
Old Bell Ct. Hal —1C 56
(off Trinity Pl.)
Old Brookfoot La. *Brigh* —4D **58**
Old Canal Rd. *B'frd* —1A **36** (1D **4**)
Old Causeway. *Sower B* —3E **55**
Old Cock Yd. *Hal* —6C **48**
Old Corn Mill La. *B'frd* —5D **34**
Old Corn Mill, The. *Brigh* —6F **37**
Old Dalton La. *Kei* —4F **7**
Old Dan La. *Holy G* —4C **60**
Old Dolphin. —1G 41
Old Earth. *Ell* —2H **61**
Oldfield. —5A 10
Oldfield La. *Haw* —5E **11**
Oldfield La. *Oldf* —5A **10**
Oldfield St. *Hal* —1A **48**
Old Godley La. *Hal* —5E **49**
Old Guy Rd. *Q'bry* —1B **40**
Old Hall Clo. *Haw* —1G **21**
Oldham St. Brigh —6E 59
(off Bridge End)
Old La. *Brigh* —4F **59**
Old La. *Cull* —1F **23**
Old La. *Hal* —2A **48**
Old La. *L'ft* —4A **46**
Old La. Ct. Brigh —4F 59
(off Old La.)
Old Langley La. *Bail* —1H **17**
Old Lee Bank. *Hal* —4B **48**
Old Lindley. —6C 60
Old Lindley Rd. *Holy G* —6C **60**
Old Main St. *Bgly* —1F **15**
Old Mkt. *Hal* —6C **48**
Old Marsh. Sower B —2D 54
(off Burnley Rd.)
Old Mill Rd. *Shipl* —5E **17**
Old Oxenhope La. *Oxe* —2F **21**
Old Pk. Rd. *B'frd* —5E **19**
Old Popplewell La. *Schol* —5A **52**
Old Power Way. *Lfds B* —1G **61**
Old Riding La. *Ludd* —2B **46**
Old Rd. *B'frd* —1C **42**
Old Rd. *Denh* —1F **31**

Old Rd. *T'tn* —3F **33**
Old Robin. Cleck —6F **53**
(off Westgate)
Old Side Ct. *E Mor* —2E **9**
Old Souls Way. *Bgly* —5E **9**
Old Tannery. *Bgly* —2G **15**
(off Clyde St.)
Old Tannery. *Bgly* —2F **15**
(off Industrial St.)
Old Well Head. *Hal* —1C **56**
Olive Gro. *B'frd* —1C **34**
Oliver Meadows. *Ell* —2H **61**
Oliver St. *B'frd* —4C **36**
Olive Ter. *Bgly* —2G **15**
Olivia's Ct. *B'frd* —5C **26**
Ollerdale Av. *All* —4G **25**
(in two parts)
Ollerdale Clo. *All* —5G **25**
Olympic Pk. *Low M* —6A **44**
Olympic Way. *Low M* —6A **44**
One St. *B'frd* —4B **4**
Onslow Cres. *B'frd* —1D **44**
Opal St. *Kei* —1C **12**
Orange St. *B'frd* —3E **37**
Orange St. *Hal* —6C **48**
Orchard Clo. *Hal* —1F **55**
Orchard Gro. *B'frd* —6F **19**
Orchards, The. *Bgly* —6G **9**
Orchard, The. *Kei* —4H **7**
Orchard Way. *Brigh* —3E **59**
Orleans St. *B'frd* —4D **42**
Ormonde Dri. *All* —1G **33**
Ormond Rd. *B'frd* —2F **43**
Ormondroyd Av. *B'frd* —3G **43**
Ormond St. *B'frd* —5E **35**
Osborne Gro. *Hal* —6B **50**
Osborne St. *B'frd* —4H **35**
Osborne St. *Hal* —5H **47**
Osbourne Dri. *Q'bry* —2D **40**
Osdal Rd. B'frd —3H 43
(off Glenfield Mt.)
Osprey Ct. *B'frd* —2A **34**
Osterley Gro. *B'frd* —2G **29**
Oswald St. *B'frd* —1E **35**
Oswald St. *Shipl* —6A **17**
Oswaldthorpe Av. *B'frd* —6F **29**
Otley Mt. *E Mor* —3E **9**
Otley Rd. *Bgly* —6H **9**
Otley Rd. *B'frd* —2B **36** (1G **5**)
Otley Rd. *E Mor* —2E **9**
Otley Rd. *Shipl & C'twn* —1F **27**
Otley St. *Hal* —6H **47**
Otley St. *Kei* —5D **6**
Otterburn Clo. *B'frd* —4H **35**
Otterburn St. *Kei* —3E **7**
Oulton Ter. *B'frd* —4G **35**
Ousel Hole. —1E 9
Ouse St. *Haw* —6H **11**
Outlands Ri. *B'frd* —5F **19**
Outside La. *Oxe* —5C **20**
Oval, The. *Bail* —3F **17**
Oval, The. *Bgly* —3H **15**
Oval, The. *B'frd* —1C **34**
Ovenden. —3H 47
Ovenden Av. *Hal* —4A **48**
Ovenden Clo. *Hal* —4A **48**
Ovenden Cres. *Hal* —3A **48**
Ovenden Grn. *Hal* —3H **47**
Ovenden Rd. Ter. *Hal* —3A **48**
Ovenden Ter. *Hal* —3A **48**
Ovenden Way. *Hal* —3G **47**
Ovenden Wood. —3E 47
Ovendon Wood Rd. *Hal* —3E **47**
Overdale Dri. *B'frd & Shipl* —4B **18**
Overdale Mt. *Sower B* —2E **55**
Overdale Ter. *Haw* —6G **11**
Overend St. *B'frd* —2E **43**
Overland Cres. *B'frd* —5F **19**
Overmoor Fold. *Idle* —6B **18**
Overton Dri. *B'frd* —1B **42**
Overton Ho. B'frd —5H 35
(off Newstead Wlk.)
Ovington Dri. *B'frd* —2G **45**
Owen Ct. *Bgly* —5G **9**
Owler Ings Rd. *Brigh* —5E **59**
Owlet. —2H 27
Owlet Grange. *Shipl* —1G **27**
Owlet Rd. *Shipl* —1G **27**
Oxenhope. —5G 21
Oxenhope Station Railway Museum.
—4G **21**

Oxford Clo. *Q'bry* —3C **40**
Oxford Cres. *Cytn* —5H **33**
Oxford Cres. *Hal* —3D **56**
Oxford La. *Hal* —3D **56**

Oxford Pl. *Bail* —3A **18**
Oxford Pl. *B'frd* —1B **36** (1F **5**)
Oxford Rd. *B'frd* —6B **26**
Oxford Rd. *Hal* —1C **56**
Oxford Rd. *Q'bry* —3C **40**
Oxford St. *Cytn* —5H **33**
Oxford St. *Kei* —5C **6**
Oxford St. *Sower B* —3F **55**
Oxford Ter. Bail —3A 18
(off Union St.)
Ox Heys Mdw. *T'tn* —3G **33**
Oxley Gdns. *Low M* —4G **43**
Oxley St. *B'frd* —1G **35** (2A **4**)

Packington St. *T'tn* —1C **32**
Padan St. *Hal* —3D **56**
Paddock Clo. *Wyke* —4G **51**
Paddock La. *Hal* —5E **47**
Paddock Rd. *Hal* —6E **41**
Paddock, The. *Bail* —1B **18**
Paddock, The. *Cull* —1F **23**
Paddock, The. *Schol* —5B **52**
Padgate Ho. B'frd —5H 35
(off Park La.)
Padgum. *Bail* —1G **17**
Padma Clo. *B'frd* —2F **35**
Page Hill. *Hal* —2G **47**
Paget St. *Kei* —4C **6**
Page Wood Clo. *B'frd* —4C **18**
Pakington St. *B'frd* —5H **35**
Paley Pl. *B'frd* —4C **36**
Paley Rd. *B'frd* —5C **36**
Paley Ter. *B'frd* —5C **36**
Palin Av. *B'frd* —6F **29**
Palm Clo. *B'frd* —3F **43**
Palmer Rd. *B'frd* —1D **36**
Palmerston St. *B'frd* —5D **28**
Palm St. *Hal* —3B **48**
Pannal St. *B'frd* —6E **35**
Paper Hall, The. —2B **36** (3F **5**)
Parade, The. *Bgly* —6G **15**
Parade, The. *H Wd* —6G **37**
Paradise Fold. *B'frd* —5C **34**
Paradise Green. —5D 34
Paradise La. *Warley* —1D **54**
Paradise Rd. *B'frd* —3D **26**
Paradise Row. *Hal* —2H **55**
Paradise St. *B'frd* —2H **35** (3A **4**)
Paradise St. *Hal* —1B **56**
Park. —1B 18
Park Av. *Bgly* —3F **15**
Park Av. *B'frd* —3D **18**
Park Av. *Ell* —3E **61**
Park Av. *Kei* —5D **6**
Park Av. *Oakw* —3H **11**
Park Av. *Shipl* —5E **17**
Pk. Bottom. *Low M* —6G **43**
Park Cliffe Rd. *B'frd* —5C **28**
Park Clo. *Bgly* —1G **15**
Park Clo. *B'frd* —2E **29**
Park Clo. *Hal* —3D **46**
Park Clo. *Kei* —6E **7**
Park Clo. *Light* —6C **50**
Park Clo. *Q'bry* —2D **40**
Park Ct. *B'frd* —5G **27**
Park Cres. *B'frd* —6C **28**
Park Cres. *Hal* —4A **48**
Park Cres. Sower B —3F 55
(off Grove St.)
Park Dri. *Bgly* —6H **9**
Park Dri. *B'frd* —3E **27**
Park Dri. *Hal* —1A **56**
(HX1)
Park Dri. *Hal* —2F **55**
(HX2)
Park Dri. Rd. *Kei* —6E **7**
Parker's La. *Kei* —1C **6**
Parkfield Av. Ell —3F 61
(off Catherine St.)
Parkfield Dri. *Q'bry* —2D **40**
Parkfield Dri. *Sower B* —5C **54**
Parkfield Rd. *B'frd* —5H **27**
Parkfield Rd. *Shipl* —5C **16**
Park Fields. *Hal* —3D **46**
Park Gdns. *Hal* —2F **55**
Park Ga. *B'frd* —2B **36** (3F **5**)
Park Grn. *Hal* —4F **49**
Park Gro. *B'frd* —3D **28**
Park Gro. *Hal* —4G **49**
Park Gro. *Kei* —3E **7**
Park Gro. *Q'bry* —2D **40**
Park Gro. *Shipl* —5D **16**
Pk. Grove Ct. *B'frd* —3G **27**

Parkhead Clo. *B'frd* —5E **43**
Pk. Hill Clo. *B'frd* —6B **26**
Pk. Hill Dri. *B'frd* —6B **26**
Pk. Hill Gro. *Bgly* —1G **15**
Pk. House Clo. *Low M* —4A **44**
Pk. House Cres. *Low M* —4A **44**
Pk. House Gro. *Low M* —4A **44**
Pk. House Rd. *Low M* —5H **43**
Pk. House Wlk. *Low M* —4A **44**
Parkin La. *B'frd* —5H **19**
Parkinson La. *Hal* —1G **55**
Parkinson Rd. *Denh* —1G **31**
Parkinson St. *B'frd* —5H **35**
Parkland Dri. *B'frd* —6E **19**
Parklands. *Bgly* —6H **9**
Parklands Dri. *Sower B* —6A **54**
Park La. *Bail* —1B **18**
Park La. *B'frd* —5H **35**
Park La. *Cytn* —5H **33**
Park La. *Hal* —5D **56**
Park La. *Kei* —5E **7**
Park La. *Q'bry* —2F **41**
Parklee Ct. *Kei* —5F **7**
Park Mead. *B'frd* —3D **18**
Parkmere Clo. *B'frd* —3D **44**
Park Mt. Av. *Bail* —2A **18**
Park Pl. *Idle* —3D **18**
Park Pl. E. *Hal* —6C **50**
Park Pl. W. *Hal* —6C **50**
Park Rd. *Bgly* —2F **15**
Park Rd. *B'frd* —4A **36**
Park Rd. *Eccl* —2E **29**
(in two parts)
Park Rd. *Ell* —1F **61**
Park Rd. *Hal* —1B **56**
Park Rd. *Low M* —4G **43**
Park Rd. *Shipl* —6G **17**
Park Rd. *Sower B* —2E **55**
Park Rd. *Thack* —3D **18**
Park Row. *Brigh* —5F **59**
Parkside. —1C 44
Parkside. *Bgly* —1G **15**
Park Side. *Cytn* —5H **33**
Parkside. *Cleck* —6G **53**
Parkside. *Hal* —3B **56**
Parkside Av. *Q'bry* —2D **40**
Parkside Ct. *Cro R* —5A **12**
Parkside Dri. *B'frd* —4E **27**
Parkside Gro. *B'frd* —4E **27**
Parkside Rd. *B'frd* —4H **35**
Parkside Ter. *Cull* —1F **23**
Park Sq. *B'frd* —3D **42**
Park Sq. Hal —3G 49
(off Hough)
Parkstone Dri. *B'frd* —2E **29**
Pk. Stone Ri. *She* —5H **41**
Park St. *Brigh* —5F **59**
Park St. *Cleck* —6D **52**
Park St. *Haw* —6H **11**
Park St. *Shipl* —5E **17**
Park St. *Sower B* —3F **55**
Park Ter. *Hal* —1A **56**
(in two parts)
Park Ter. *Hip* —6B **50**
Park Ter. *Kei* —4F **7**
Park Ter. Low M —5G 43
(off Park Rd.)
Park Ter. *Shipl* —5E **17**
Park Ter. T Brow —5H 7
(off Bank Top Way)
Park, The. *S'wram* —3G **57**
Pk. Top Cotts. *Bgly* —6H **9**
Pk. Top Row. *Haw* —6G **11**
Park Vw. *B'shaw* —6H **45**
Park Vw. *Cleck* —6E **53**
Park Vw. *Hal* —1A **56**
Park Vw. *Light* —6C **50**
Park Vw. *Q'bry* —1D **40**
Pk. View Av. *Cro R* —5A **12**
Parkview Ct. *Shipl* —6E **17**
Pk. View Rd. *B'frd* —5F **27**
Pk. View Rd. *Hal* —4G **49**
Pk. View Ter. *B'frd* —4F **27**
Park Way. *Bail* —4D **16**
Parkway. *B'frd* —1B **44**
Parkway. *Kei* —6E **7**
Parkway. *Q'bry* —2D **40**
Parkwood. —5E 7
Park Wood Bottom. —5F 7
Parkwood Ri. *Kei* —5E **7**
Parkwood Rd. *Shipl* —6D **16**
Parkwood St. *Kei* —5E **7**
Parma St. *B'frd* —4A **36**
Parratt Row. *B'frd* —2F **37**
Parrish Pl. *Kei* —4E **7**

Parrish Vw. *Hal* —3G **57**
Parrish Wlk. *Q'bry* —2E **41**
Parrott St. *B'frd* —2F **45**
Parry La. *B'frd* —4E **37**
Parsonage La. *Brigh* —4E **59**
Parsonage Rd. *Lais* —4F **37**
Parsonage Rd. *W Bowl* —6A **36**
Parsonage St. *Hal* —4D **48**
Parsons Rd. *B'frd* —3E **27**
Parson St. *Kei* —3E **7**
Partington Ho. B'frd —6E 19
(off Fairhaven Grn.)
Pasture Clo. *Cytn* —5B **34**
Pasture La. *Cytn & B'frd* —5H **34**
Pasture Ri. *Cytn* —5B **34**
Pasture Rd. *Bail* —3H **17**
Pastureside Ter. E. *Cytn* —5B **34**
Pastureside Ter. W. *Cytn* —5A **34**
Pasture Wlk. *Cytn* —5A **34**
Patchett Sq. Q'bry —2H 41
(off Western Pl.)
Patent St. *B'frd* —5F **27**
Paternoster La. *B'frd* —5E **35**
Patterdale Ho. B'frd —5H 35
(off Hutson St.)
Pattie St. *Kei* —2D **6**
Pavement La. *Hal* —3G **39**
Paw La. *Q'bry* —4F **41**
Pawson St. *B'frd* —3F **37**
Peabody St. *Hal* —4A **48**
Peace St. *B'frd* —4E **37**
Peace St. Ind. Est. *B'frd* —3E **37**
Peach Wlk. *B'frd* —5D **36**
Peacock Ter. *Shipl* —6E **17**
Pearl St. *Kei* —1C **12**
Pearsall Gro. *B'frd* —2B **36**
Pearson Fold. *Oaken* —1B **52**
Pearson La. *B'frd* —6B **26**
Pearson Rd. *B'frd* —4H **35**
Pearson Rd. W. *B'frd* —3H **35**
Pearson Row. *Wyke* —2H **51**
Pearson St. *B'frd* —3E **37**
Pearson St. *Cleck* —6G **53**
Pear St. *Hal* —1H **55**
Pear St. *Kei* —2C **12**
Pear St. *Oxe* —5G **21**
Peas Acre. —3E 9
Peas Acre. *Bgly* —3E **9**
Peaseland Av. *Cleck* —6E **53**
Peaseland Clo. *Cleck* —6F **53**
Peaseland Rd. *Cleck* —6F **53**
Peaselands. *Shipl* —6E **17**
Peckover Dri. *Pud* —6H **29**
Peckover St. *B'frd* —2B **36** (4F **5**)
Peel Clo. *Tyer* —4G **37**
Peel Ct. *B'frd* —5B **28**
Peel Ho. *Bgly* —3H **15**
Peel Pk. Dri. *B'frd* —5D **28**
Peel Pk. Ter. *B'frd* —5D **28**
Peel Pk. Vw. *B'frd* —6C **28**
Peel Row. *B'frd* —5E **35**
Peel Sq. *B'frd* —1H **35** (2B **4**)
Peel St. *Bgly* —2H **15**
Peel St. *Q'bry* —2F **41**
Peel St. *Sower B* —3D **54**
Peel St. *T'tn* —3D **32**
Peel St. *Wilsd* —3C **24**
Pelham Ct. *B'frd* —4D **28**
Pelham Rd. *B'frd* —4D **28**
Pellon. —5G 47
Pellon La. *Hal* —5H **47**
Pellon New Rd. *Hal* —5G **47**
Pellon Ter. *B'frd* —4D **18**
Pellon Wlk. *B'frd* —4D **18**
Pemberton Dri. *B'frd* —3H **35** (6A **4**)
Pembroke Ho. B'frd —1G 45
(off Launceston Dri.)
Pembroke St. *B'frd* —5A **36**
Pendle Ct. *Q'bry* —4E **41**
Pendle Rd. *Bgly* —2H **15**
(in two parts)
Pendragon. *B'frd* —4C **28**
Pendragon La. *B'frd* —4D **28**
Penfield Gro. *Cytn* —5A **34**
Pengarth. *Bgly* —6H **9**
Penistone Hill Country Park. —1E **21**
Penistone M. *Haw* —6G **11**
Pennard Ho. B'frd —5H 35
(off Launton Way)
Penn Clo. *B'frd* —4D **28**
Pennine Clo. *Q'bry* —4D **40**
Pennington Ter. *B'frd* —5G **35**
Pennithorne Av. *Bail* —1G **17**
Penn St. *Hal* —5A **48**
Penny Hill Dri. *Cytn* —5B **34**

Penny St.—Raeburn Dri.

Penny St. *B'frd* —2C **36** (5H **5**)
Penrose Dri. *Gt Hor* —6D **34**
Pentland Av. *Cytn* —5A **34**
Pentland Clo. *Kei* —5C **6**
Penuel Pl. *Hal* —4D **56**
Pepper Hill. —5G 41
Percival St. *B'frd* —2C **36** (4H **5**)
Percy St. *Bgly* —2G **15**
Percy St. *Kei* —1D **12**
Percy St. *Q'bry* —1C **40**
Perkin La. *B'frd* —4B **18**
(off Far Crook)
Per La. *Hal* —4F **39**
Perry Clo. *Kei* —2C **12**
Perseverance La. *B'frd* —6E **35**
Perseverance Rd. *Hal* —6A **32**
Perseverance St. *Bail* —1H **17**
Perseverance St. *Hal* —2A **56**
Perseverance St. *Sower B* —2D **54**
Perseverance St. *Wyke* —1G **51**
Perth Av. *B'frd* —4A **28**
Perth Ho. *B'frd* —4F **37**
(off Parsonage Rd.)
Peterborough Pl. *B'frd* —4D **28**
Peterborough Rd. *B'frd* —5D **28**
Peterborough Ter. *B'frd* —4D **28**
Petergate. *B'frd* —2B **36** (4E **5**)
Peter La. *Hal* —6D **46**
Petersgarth. *Shipl* —5C **16**
Pether Hill. *Slnd* —6A **60**
Petrie Gro. *B'frd* —2G **37**
Petrie Rd. *B'frd* —2G **37**
Peverell Clo. *B'frd* —6G **37**
Peveril Mt. *B'frd* —4E **29**
Pheasant St. *Kei* —3F **7**
Philpotts Pl. *Kei* —6D **6**
Phoebe La. *Hal* —3D **56**
Phoebe La. Ind. Est. *Hal* —3D **56**
Phoenix Bldgs. *B'frd* —3G **35** (6A **4**)
Phoenix St. *Brigh* —5F **59**
Phoenix Way. *B'frd* —3G **37**
Piccadilly. *B'frd* —2A **36** (3C **4**)
Pickerings, The. *D'frd* —3E **41**
Pickles Hill. —1D 42
Pickles La. *B'frd* —1D **42**
Pickles St. *Kei* —6D **6**
Pickwood La. *Norl* —5G **55**
Pickwood Scar. —5G 55
Picton St. *B'frd* —6H **27**
Piece Hall Yd. *B'frd* —2A **36** (4D **4**)
Piggott St. *Brigh* —4E **59**
Pigman La. *Hal* —1C **54**
Pine Cft. *Kei* —2C **6**
Pinedale. *Bgly* —6F **9**
Pine St. *B'frd* —2B **36** (3F **5**)
Pine St. *Hal* —1C **56**
Pine St. *Haw* —1G **21**
Pinewood Gdns. *Holy G* —5B **60**
Pinfold La. *Sower B* —3A **54**
Pink St. *Haw* —2G **21**
Pinnar Cft. *Hal* —3G **57**
Pinnar La. *Hal* —2F **57**
Pipercroft. *B'frd* —5C **42**
Pirie Clo. *B'frd* —4B **28**
Pitcliffe Way. *B'frd* —5B **36**
Pit La. *B'frd* —2C **36**
Pit La. *Butt* —4D **42**
Pit La. *Q'bry* —6C **32**
Pitts St. *B'frd* —5F **37**
Pitt St. *Kei* —4F **7**
Plains La. *Ell* —1F **61**
Plane Tree Nest. *Hal* —1G **55**
Plane Tree Nest La. *Hal* —1G **55**
Plane Tree Rd. *Sower B* —2D **54**
Plane Trees Clo. *Cleck* —2F **53**
Planetrees Rd. *B'frd* —3E **37**
Planetrees St. *All* —6G **25**
Plantation Pl. *B'frd* —5F **37**
Plantation Way. *Bail* —2H **17**
Platt Sq. *Cleck* —6F **53**
(off Westgate)
Pleasant Pl. *All* —6G **25**
Pleasant Row. *Q'bry* —3C **40**
Pleasant St. *B'frd* —5E **35**
Pleasant St. *Sower B* —3E **55**
Pleasant Views. *Denh* —6G **23**
Plevna Ter. *Bgly* —1F **15**
Plimsoll St. *B'frd* —5C **36**
Ploughcroft La. *Hal* —3B **48**
Ploughman's Cft. *B'frd* —3A **28**
Plover St. *B'frd* —6G **35**
Plover St. *Kei* —3E **7**
Plumpton Av. *B'frd* —1B **28**
Plumpton Clo. *B'frd* —2C **28**
Plumpton Dri. *B'frd* —1B **28**

Plumpton End. *B'frd* —1C **28**
Plumpton Gdns. *B'frd* —1A **28**
Plumpton Lea. *B'frd* —1B **28**
Plumpton Mead. *B'frd* —1B **28**
Plumpton St. *B'frd* —1E **35**
Plumpton Wlk. *B'frd* —1B **28**
Plum St. *Hal* —1H **55**
Plum St. *Kei* —2C **12**
Plymouth Gro. *Hal* —5A **48**
(off Diamond St.)
Pohlman St. *Hal* —2H **55**
Pollard Av. *Bgly* —6H **9**
Pollard La. *B'frd* —6D **28**
Pollard St. *Bgly* —1H **25**
Pollard St. *B'frd* —4B **36**
Pollard St. N. *Hal* —5D **48**
Pollit Av. *Sower B* —4A **54**
Ponden La. *Stanb* —6A **10**
Pond St. *Kei* —4E **7**
Pond Ter. *Brigh* —2C **58**
Pool Ct. *B'frd* —2C **36** (3H **5**)
Pool St. *Kei* —2G **7**
Pope St. *Kei* —3F **7**
Poplar Av. *B'frd* —1D **42**
Poplar Av. *Shipl* —2G **27**
Poplar Av. *Sower B* —2E **55**
Poplar Ct. *B'frd* —3F **35**
Poplar Cres. *Hal* —4H **39**
Poplar Cres. *Shipl* —1G **27**
Poplar Dri. *Sandb* —4C **8**
Poplar Dri. *Shipl* —2G **27**
Poplar Gro. *Bail* —4C **16**
Poplar Gro. *B'frd* —1C **42**
Poplar Gro. *Cleck* —6D **52**
Poplar Gro. *H'den* —4A **14**
Poplar Gro. *Shipl* —2G **27**
Poplar Rd. *B'frd* —1E **43**
Poplar Rd. *Shipl* —2G **27**
Poplars Pk. Rd. *B'frd* —3A **28**
Poplars, The. *Nor G* —3E **51**
Poplar St. *Hal* —5C **48**
Poplar Ter. *Kei* —4C **6**
(off W. Leeds St.)
Poplar Ter. *Sandb* —4D **8**
Poplar Vw. *B'frd* —1C **42**
Poplar Vw. *Hal* —1E **59**
Popples Dri. *Hal* —4H **39**
Porritt St. *Cleck* —4F **53**
(off Heaton St.)
Portland Rd. *B'frd* —3F **37**
(off Fearnville Dri.)
Portland Ho. *Ell* —2F **61**
(off Huddersfield Rd.)
Portland Pl. *Bgly* —3G **15**
Portland Rd. *Hal* —5D **48**
Portland St. *B'frd* —3A **36** (6D **4**)
Portland St. *Hal* —1C **56**
Portland St. *Haw* —6H **11**
Portsmouth Av. *B'frd* —6C **28**
Portwood St. *B'frd* —5B **26**
Post Office Rd. *B'frd* —2E **29**
Pothouse Rd. *B'frd* —3F **43**
Powell Av. *B'frd* —5G **35**
Powell Rd. *Bgly* —2H **15**
Powell Rd. *Shipl* —2H **27**
Powell St. *Hal* —6C **48**
(in two parts)
Poxon La. *B'frd* —2H **35**
Pratt La. *Shipl* —1G **27**
Prescott St. *Hal* —1C **56**
Prescott Ter. *All* —6H **25**
Preston La. *Hal* —4E **47**
(in two parts)
Preston Pl. *Hal* —6A **48**
Preston St. *B'frd* —2G **35**
Preston Ter. *Bgly* —6F **9**
(off Sleningford Rd.)
Pretoria Rd. *B'frd* —2F **37**
Pretoria Ter. *Hal* —5F **47**
Priesthorpe Rd. *Fars* —3H **29**
(in two parts)
Priestley Av. *B'frd* —3G **43**
Priestley Green. —4B 50
Priestley Hill. *Q'bry* —5C **40**
Priestley Pl. *Sower B* —4C **54**
Priestley St. *B'frd* —1B **36** (2E **5**)
Priestley St. *T'tn* —3D **32**
Priestley Ter. *B'frd* —2G **43**
Priestley Theatre, The. —4F **5**
Priestman Clo. *B'frd* —6G **27**
Priestman St. *B'frd* —6G **27**
Priestthorpe. —1G 15
Priestthorpe Clo. *Bgly* —1G **15**
Priestthorpe La. *Bgly* —1G **15**
Priestthorpe Rd. *Bgly* —2G **15**

Primrose Bank. *Bgly* —3H **15**
Primrose Dri. *Bgly* —3H **15**
Primrose Gro. *Kei* —4G **7**
Primrose Hill. *Bgly* —4A **16**
Primrose La. *Bgly* —4H **15**
Primrose La. *B'frd* —3H **27**
Primrose Row. *Bail* —1B **18**
Primrose St. *B'frd* —1G **35**
Primrose St. *Kei* —4G **7**
Primrose Way. *Hal* —4B **42**
Prince Albert Sq. *Q'bry* —1H **41**
Princeroyd Way. *B'frd* —2E **35**
Prince's Cres. *B'frd* —4A **28**
Prince's Ga. *Hal* —3B **56**
Princess St. *G'lnd* —2D **60**
Princess St. *Hal* —6C **48**
Princess St. *Sower B* —3E **55**
Prince's St. *B'frd* —3F **43**
(nr. Pothouse Rd.)
Prince's St. *B'frd* —2G **43**
(off Horsley St.)
Prince's St. *Butt* —4C **42**
Prince St. *B'frd* —2E **45**
Prince St. *Haw* —1H **21**
Prince's Way. *B'frd* —3A **36** (5C **4**)
Princeville. —2E 35
Princeville Rd. *B'frd* —2E **35**
Princeville St. *B'frd* —2F **35**
Prior St. *Kei* —3G **7**
Priory Clo. *Bgly* —1G **15**
Priory Ct. *Bgly* —1G **15**
Priory Ct. *B'frd* —1H **35** (1A **4**)
Priory Gro. *Bgly* —1G **15**
Priory Ho. *B'frd* —6E **19**
(off Cavendish Rd.)
Priory Rd. *Brigh* —6G **59**
Procter Ter. *B'frd* —2F **45**
Proctor St. *B'frd* —2F **45**
Prod La. *Bail* —3C **16**
Progress Av. *H'den* —4A **14**
Prospect Av. *Hal* —3G **55**
Prospect Av. *Shipl* —6G **17**
Prospect Clo. *Hal* —3G **55**
Prospect Clo. *Shipl* —6G **17**
Prospect Ct. *Hal* —5D **46**
Prospect Cres. *Kei* —6A **6**
Prospect Dri. *Kei* —6A **6**
Prospect Gro. *Shipl* —6G **17**
Prospect Mt. *Kei* —6A **6**
Prospect Mt. *Shipl* —6G **17**
Prospect Pl. *B'frd* —6D **26**
Prospect Pl. *Brigh* —5E **59**
Prospect Pl. *Eccl* —5E **29**
Prospect Pl. *Hal* —1H **47**
Prospect Pl. *Nor G* —3E **51**
(off Village Rd.)
Prospect Pl. *Q'bry* —2E **41**
Prospect Rd. *Bgly* —1A **16**
Prospect Rd. *B'frd* —1B **36** (1F **5**)
(in two parts)
Prospect Rd. *Cleck* —5F **53**
Prospect Row. *Broc* —4E **39**
Prospect Row. *Hal* —2H **47**
Prospect St. *B'frd* —4B **36**
Prospect St. *Butt* —4D **42**
Prospect St. *Cleck* —6F **53**
Prospect St. *Eccl* —2E **29**
Prospect St. *Hal* —5D **48**
Prospect St. *Haw* —1G **21**
Prospect St. *Kei* —5B **6**
Prospect St. *Shipl* —6G **17**
Prospect St. *T'tn* —3E **33**
Prospect Ter. *All* —6A **26**
Prospect Ter. *Cleck* —5F **53**
Prospect Ter. *L'ft* —2A **40**
Prospect Wlk. *Shipl* —6G **17**
Providence Av. *Bail* —1G **17**
Providence Bldgs. *Hal* —3G **57**
(off New St.)
Providence Ct. *Oakw* —3G **11**
Providence Cres. *Oakw* —3G **11**
Providence La. *Oakw* —3G **11**
Providence Pl. *Brigh* —6G **59**
Providence Pl. *Wyke* —1G **51**
Providence Row. *Bail* —1G **17**
Providence Row. *E Mor* —1E **9**
Providence Row. *Hal* —4E **39**
Providence Row. *Oven* —2H **47**
Providence St. *B'frd* —2H **35** (4B **4**)
Providence St. *Cleck* —5G **53**
Providence St. *Ell* —2F **61**
Providence St. *Schol* —4A **52**
Providence Ter. *T'tn* —3D **32**
Providence Vs. *Schol* —4A **52**
Prune Pk. La. *All* —4E **25**

Pule Grn. La. *Hal* —2B **48**
Pule Hill. —2B 48
Pullan Av. *B'frd* —3D **28**
Pullan Dri. *B'frd* —3E **29**
Pullan Gro. *B'frd* —3E **29**
Pullan St. *B'frd* —4H **35**
Pulmans Pl. *Hal* —5C **56**
Pulmans Yd. *Hal* —5C **56**
Pump La. *Hal* —5F **49**
Pump St. *B'frd* —4F **37**
Purbeck Ct. *H Wd* —1G **45**
(off Dorchester Cres.)
Purley Wlk. *B'frd* —3F **43**
Pye Nest. —2G 55
Pye Nest Av. *Hal* —2F **55**
Pye Nest Dri. *Hal* —3G **55**
Pye Nest Gdns. *Hal* —2G **55**
Pye Nest Gro. *Hal* —2G **55**
Pye Nest Ri. *Hal* —3G **55**
Pye Nest Rd. *Sower B* —3F **55**
Pyenot Av. *Cleck* —6G **53**
Pyenot Dri. *Cleck* —6G **53**
Pyenot Gdns. *Cleck* —6G **53**
Pyenot Hall La. *Cleck* —6G **53**
Pyrah Fold. *Wyke* —1G **51**
Pyrah Rd. *Low M* —4H **43**
Pyrah St. *Wyke* —1H **51**

Quail St. *Kei* —3F **7**
Quaker La. *B'frd* —6F **35**
Quaker La. *Cleck & Liv* —6F **53**
Quarry Ct. *Brigh* —2C **58**
(off Spout Ho. La.)
Quarry Hill. *Sower B* —4D **54**
Quarry Pl. *B'frd* —5D **28**
Quarry Rd. *Cleck* —6F **53**
Quarry Rd. *Hal* —3G **47**
Quarry St. *H'tn* —3E **27**
Quarry St. *Kei* —4F **7**
Quayside. *Shipl* —5F **17**
Quayside, The. *App B* —5G **19**
Quebec St. *B'frd* —3A **36** (5C **4**)
Quebec St. *Ell* —2G **61**
Quebec St. *Kei* —5D **6**
Queen's Av. *B'frd* —4B **28**
Queensbury. —2E 41
Queensbury Rd. *Hal* —1B **48**
Queensbury Sq. *Q'bry* —2E **41**
Queens Clo. *Bgly* —3H **15**
Queens Ct. *Bgly* —2F **15**
Queens Ct. *Shipl* —6D **16**
Queens Dri. *Hal* —3G **57**
Queensgate. *B'frd* —2A **36** (4D **4**)
Queen's Ga. *Hal* —3B **56**
Queen's Gro. *Kei* —6D **6**
Queens Mead. *N'wram* —2G **49**
Queen's Pl. *Shipl* —5D **16**
Queen's Ri. *B'frd* —4B **28**
Queen's Rd. *Bgly* —5E **9**
Queen's Rd. *B'frd* —5B **28**
(BD2)
Queen's Rd. *B'frd* —5H **27**
(BD8)
Queen's Rd. *Hal* —6H **47**
Queen's Rd. *Kei* —1C **12**
Queen's Rd. *Nor G* —3D **50**
Queen's Rd. *Shipl* —5D **16**
Queen St. *Bail* —4G **17**
Queen St. *Bgly* —2F **15**
Queen St. *Butt* —4C **42**
Queen St. *Cull* —1F **23**
Queen St. *Gre* —6F **19**
Queen St. *G'lnd* —3C **60**
Queen St. *Haw* —1G **21**
Queen St. *Mar* —6G **53**
Queen St. *Sower B* —4A **54**
Queen St. *Wilsd* —3C **24**
Queensway. *Bgly* —2H **15**
Queensway. *Hal* —5H **47**
Queensway. *Kei* —4E **7**
(off Airedale Shop. Cen.)
Queen Victoria Cres. *Hal* —2H **49**
Quincy Clo. *B'frd* —3E **29**
Quinsworth St. *B'frd* —5D **36**

Race Moor La. *Oakw* —2F **11**
Rachel Grn. *B'frd* —4B **28**
Radcliffe Av. *B'frd* —2C **28**
Radfield Dri. *B'frd* —2A **44**
Radfield Rd. *B'frd* —2A **44**
Radnor St. *B'frd* —2E **37**
Radwell Dri. *B'frd* —4A **36** (6C **4**)
Raeburn Dri. *B'frd* —4E **43**

Rae Rd. *Shipl* —1F **27**
Raglan Av. *Kei* —5B **6**
Raglan Ct. Hal —6A **48**
(off Raglan St.)
Raglan Dri. *B'frd* —2F **37**
Raglan Gdns. Hal —6A **48**
(off Lister's Clo.)
Raglan St. *B'frd* —2F **37**
Raglan St. *Hal* —6A **48**
Raglan St. *Kei* —5B **6**
Raglan St. *Q'bry* —2F **41**
Raglan Ter. *B'frd* —2G **37**
Raikes La. *B'frd* —1H **45**
Raikes La. *E Bier* —3G **45**
Raikes Wood Dri. *E Bier* —4G **45**
Railes Clo. *L'ft* —4A **46**
Railway Rd. *Idle* —5D **18**
Railway St. *B'frd* —2E **45**
Railway St. *Brigh* —6F **59**
Railway St. *Cleck* —6F **53**
Railway St. *Kei* —2E **7**
Railway Ter. Brigh —5G **59**
(off Clifton Comn.)
Railway Ter. *Hal* —5A **56**
Railway Ter. *Low M* —6A **44**
Rainton Ho. B'frd —5H **35**
(off Park La.)
Raistrick Way. *Shipl* —5H **17**
Raleigh St. *Hal* —2H **55**
Ramsden Av. *B'frd* —4C **34**
Ramsden Ct. *B'frd* —5E **35**
Ramsden Pl. *Cytn* —4H **33**
Ramsden St. *Hal* —3G **47**
Ramsey St. *B'frd* —6H **35**
Ramsgate St. *Hal* —6H **47**
Randall Pl. *B'frd* —4E **27**
Randall Well St. *B'frd* —3H **35** (5B **4**)
Randolph St. *B'frd* —1G **37**
Randolph St. *Hal* —4C **48**
Random Clo. *Kei* —6B **6**
Rand Pl. *B'frd* —4G **35**
Rand St. *B'frd* —4G **35**
Ranelagh Av. *B'frd* —2G **29**
Range Bank. *Hal* —4C **48**
Range Bank Top. Hal —4C **48**
(off Range La.)
Range Ct. Hal —4C **48**
(off All Saint's St.)
Range Gdns. *Hal* —4C **48**
Range La. *Hal* —5C **48**
Range St. *Hal* —4C **48**
Ransdale Dri. *B'frd* —6H **35**
Ransdale Gro. *B'frd* —6H **35**
Ransdale Rd. *B'frd* —6H **35**
Rathmell St. *B'frd* —2H **43**
Ravenham Wlk. *B'frd* —1G **45**
(off Launceston Dri.)
Ravenscliffe. —3G 29
Ravenscliffe Av. *B'frd* —2F **29**
Ravenscliffe Rd. *C'ley* —1H **29**
Ravenscroft Rd. *Hal* —4B **56**
Ravenstone Dri. *G'lnd* —3C **60**
Raven St. *Bgly* —2F **15**
Raven St. *Hal* —6H **47**
Raven St. *Kei* —4D **6**
Raven Ter. *B'frd* —2A **34**
Rawdon Rd. *Haw* —6G **11**
Rawdon St. *Kei* —5C **6**
Raw End Rd. *Hal* —4B **46**
Raw La. *Hal* —6F **39**
Rawling St. *Kei* —6D **6**
Raw Nook. —5B 44
Rawnook. *Low M* —6A **44**
Rawnsley Ro. B'frd —5H **35**
(off Manchester Rd.)
Rawroyds. *G'lnd* —4C **60**
Rawson Av. *B'frd* —1F **37**
Rawson Av. *Hal* —4B **56**
Rawson Pl. *B'frd* —2A **36** (3C **4**)
Rawson Pl. *Sower B* —4C **54**
Rawson Rd. *B'frd* —2H **35** (3B **4**)
Rawson Sq. *B'frd* —2A **36** (3C **4**)
Rawson Sq. *Idle* —4D **18**
Rawson St. *Hal* —6C **48**
Rawson St. *Wyke* —1H **51**
Rawson St. N. *Hal* —4B **48**
Rawson Wood. *Sower B* —5A **54**
Rayleigh St. *B'frd* —5C **36**
Raymond Dri. *B'frd* —1A **44**
Raymond St. *B'frd* —1A **44**
Raynbron Cres. *B'frd* —1B **44**
Rayner Av. *B'frd* —6D **26**
Rayner Dri. *Brigh* —3E **59**
Rayner Mt. *All* —1G **33**
Rayner Rd. *Brigh* —3E **59**

Raynham Cres. *Kei* —3A **6**
Rebecca St. *B'frd* —1H **35** (2A **4**)
Recreation La. *Ell* —3E **61**
Recreation Rd. *Sower B* —3E **55**
Rectory Row. *Kei* —4D **6**
Red Beck Rd. *Hal* —4F **49**
Red Beck Va. *Shipl* —2E **27**
Redburn Av. *Shipl* —2E **27**
Redburn Dri. *Shipl* —2E **27**
Redburn Rd. *Shipl* —2F **27**
Redcar La. *Steet* —2A **6**
Redcar Rd. *B'frd* —1G **29**
Redcar St. *Hal* —6H **47**
Redcliffe Av. *Kei* —4C **6**
Redcliffe Gro. *Kei* —4C **6**
Redcliffe St. *Kei* —4C **6**
Redman Clo. *Haw* —6F **11**
Redman Gth. *Haw* —6F **11**
Redmire St. *B'frd* —2G **37**
Redwood Clo. *Kei* —6G **7**
Rees Way. *B'frd* —1B **36** (1F **5**)
Reevy Av. *B'frd* —4D **42**
Reevy Cres. *B'frd* —4C **42**
Reevy Dri. *B'frd* —3E **43**
Reevylands Dri. *B'frd* —3E **43**
Reevy Rd. *B'frd* —3D **42**
Reevy Rd. W. *B'frd* —3B **42**
Reevy St. *B'frd* —2E **43**
Reevy Yd. B'frd —3F **43**
(off Green End Rd.)
Regency Ct. *B'frd* —1F **35**
Regency Vw. *B'frd* —5C **28**
Regent Ho. *Ell* —2F **61**
Regent Pl. *B'frd* —4C **18**
Regent Pl. *Sower B* —2D **54**
Regent St. *B'frd* —4C **18**
Regent St. *Gre* —6F **19**
Regent St. *Hal* —1C **56**
Regent St. *Haw* —6H **11**
Regent St. *Q'bry* —2F **41**
Reginald St. *B'frd* —6H **35**
Reighton Cft. *B'frd* —1G **29**
Reins Av. *Bail* —4F **17**
Reins Rd. *Brigh* —6C **58**
Renee Clo. *B'frd* —3E **45**
Renshaw St. *B'frd* —4D **18**
Reservoir Pl. *Q'bry* —1C **40**
Reservoir Rd. *Stanb* —6C **10**
Reservoir Vw. *T'tn* —3C **32**
Retford Pl. *B'frd* —4G **35**
Reva Clo. *Bgly* —1H **15**
Reva Syke Rd. *Cytn* —6H **33**
Reydon Wlk. *B'frd* —2D **42**
Reyhill Gro. *B'frd* —4A **36** (6D **4**)
Reynolds Av. *B'frd* —4C **34**
Reynor Ho. M. *B'frd* —4A **36**
Rhine St. *B'frd* —4C **36**
Rhodesia Av. *All* —1A **34**
Rhodesia Av. *Hal* —4C **56**
Rhodes Pl. *Shipl* —6H **17**
Rhodes St. *Hal* —6B **48**
Rhodes St. *Shipl* —6H **17**
Rhodes Ter. *B'frd* —3D **28**
Rhodesway. *B'frd* —2B **34**
Rhondda Pl. *Hal* —1G **55**
Rhum Clo. *B'frd* —5D **42**
Rhylstone Mt. *B'frd* —2D **34**
Ribble St. *Kei* —3G **7**
Ribbleton Gro. *B'frd* —1C **36** (2H **5**)
Riccall Nook. *B'frd* —1F **29**
Richard Pl. Brigh —3E **59**
(off Richard St.)
Richardson Av. *B'frd* —3G **43**
Richardson St. *Oaken* —1C **52**
Richard St. *B'frd* —2C **36** (4G **5**)
Richard St. *Brigh* —3E **59**
Richmond Av. *Sower B* —4B **54**
Richmond Clo. *Hal* —5C **48**
Richmond Gdns. *Sower B* —4B **54**
Richmond M. *Shipl* —5D **16**
Richmond Pl. *Shipl* —5D **16**
Richmond Rd. *B'frd* —2G **35** (4A **4**)
Richmond Rd. *Hal* —5B **48**
Richmond Rd. *Shipl* —5D **16**
Richmond St. *Cleck* —6F **53**
Richmond St. *Hal* —5B **48**
Richmond St. *Kei* —3D **6**
Riddlesden. —1A 8
Riddlesden St. *Riddl* —2H **7**
Ridge Hill. *Brigh* —6C **58**
Ridge Lea. *Brigh* —6D **58**
Ridgemount Rd. *Riddl* —1G **7**
Ridge Vw. Gdns. *B'frd* —6E **19**
Ridge Vw. Rd. *Brigh* —6D **58**

Ridgeway. *All* —1G **33**
Ridgeway. *Q'bry* —3F **41**
Ridgeway. *Shipl* —1A **28**
Ridgeway Gdns. *Brigh* —2C **58**
Ridgeway Mt. *Kei* —6B **6**
Ridgewood Clo. *Bail* —2A **18**
Riding Head La. *Ludd* —4A **46**
Riding Hill. *Hal* —5C **42**
Riding La. *Hal* —4F **47**
Ridings Cft. *B'frd* —2D **44**
Ridings, The. *Utley* —1D **6**
Ridings Way. *B'frd* —2C **42**
Rievaulx Av. *B'frd* —1G **35** (1A **4**)
Rigton St. *B'frd* —6H **35**
Riley La. *Hal* —3H **39**
Rillington Mead. *B'frd* —1F **29**
Rilston St. *B'frd* —3F **35**
Rimswell Holt. *B'frd* —1G **29**
Ringby La. *Hal* —1B **48**
Ringwood Edge. *Ell* —3D **60**
Ringwood Rd. *B'frd* —6F **35**
Ripley Rd. *B'frd* —5B **36**
Ripley St. *All* —5G **25**
Ripley St. *B'frd* —5A **36**
(in two parts)
Ripley La. *Hal* —6E **51**
Ripley St. *Riddl* —2H **7**
Ripley Ter. *B'frd* —5B **36**
Ripley Ter. *L'ft* —6A **46**
Ripon Ho. *Ell* —2F **61**
Ripon St. *Hal* —1G **55**
Ripon Ter. *Hal* —4B **48**
Rise, The. *Hal* —3G **49**
Rishworthian Ct. *Hal* —6A **56**
Rishworth St. *Kei* —5B **6**
Riverside. *Kei* —4G **7**
Riverside Ct. *Bail* —4E **17**
Riverside Est. *Shipl* —5E **17**
River St. *Brigh* —6G **59**
River St. *Haw* —6H **11**
River Wlk. *Bgly* —2F **15**
Riverwood Dri. *Hal* —5B **56**
Rivock Av. *Low U* —1B **6**
Rivock Gro. *Kei* —1B **6**
Road End. *G'lnd* —2C **60**
Roans Brae. *B'frd* —1G **29**
Roberts Bldgs. Hal —6F **47**
(off Gibbet St.)
Robertshaw Pl. *Bgly* —3G **15**
Roberts Pl. *B'frd* —2H **35** (3B **4**)
Robert's St. *Cleck* —6E **53**
Roberts St. N. *Hal* —3C **48**
Robert St. *B'frd* —3C **36** (5G **5**)
Robert St. *Cro R* —5B **12**
Robert St. *Hal* —3A **48**
Robin Clo. *B'frd* —3E **29**
Robin Dri. *B'frd* —3E **29**
Robin Hood Way. *Brigh* —5H **59**
Robinson Ct. *B'frd* —3D **34**
Robin St. *B'frd* —5G **35**
Robin Wlk. *Shipl* —1H **27**
Rochdale Dri. *Sower B* —5B **54**
Rochdale Rd. *G'lnd* —2A **60**
Rochdale Rd. *Sower B & Hal* —2F **55**
Rochester Pl. Ell —3F **61**
(off Savile Rd.)
Rochester St. *B'frd* —2E **37**
Rochester St. *Shipl* —1G **27**
Rockcliffe Av. *Bail* —4G **17**
Rockhill La. *B'frd* —4C **44**
Rockland Cres. *B'frd* —4C **34**
Rocklands Av. *Bail* —1G **17**
Rocklands Pl. *Bail* —1G **17**
Rock La. *T'tn* —1C **32**
Rock Lea. *Q'bry* —2F **41**
Rocks La. *Hal* —3F **39**
Rocks Rd. *Hal* —4A **56**
Rock St. *Brigh* —4E **59**
Rocks Vw. *Hal* —3A **56**
Rock Ter. *Hip* —5B **50**
Rock Vw. *Holy G* —5C **60**
Rockville Ter. *Hal* —2A **56**
Rockwell La. *B'frd* —5A **36**
Rockwood Rd. *C'ley* —5H **29**
Rodin Av. *B'frd* —2B **34**
Roe Ho. Bail —4F **17**
(off Fairview Ct.)
Roger Ct. *B'frd* —6D **28**
Rogerson Sq. *Brigh* —4E **59**
Roils Head Rd. *Hal* —6D **46**
Rokeby Gdns. *B'frd* —1G **29**
Romanby Shaw. *B'frd* —1F **29**
Rombalds Dri. *Bgly* —2H **15**
Romford Ct. *B'frd* —5D **42**
Romsey Gdns. *B'frd* —6F **37**

Romsey M. *B'frd* —6F **37**
Ronald Dri. *B'frd* —3E **35**
Rookery La. *Hal* —4D **56**
Rookery Pl. *Brigh* —4F **59**
Rookes Av. *B'frd* —3G **43**
Rookes La. *Hal* —4E **51**
Rook La. *B'frd* —1D **44**
Rooks Av. *Cleck* —5E **53**
Rooks Clo. *Wyke* —4H **51**
Rook St. *Bgly* —2F **15**
Rookwith Pde. *B'frd* —1F **29**
Rooley Av. *B'frd* —3H **43**
Rooley Banks. *Sower B* —4A **54**
Rooley Clo. *B'frd* —2A **44**
Rooley Cres. *B'frd* —2A **44**
Rooley Heights. *Sower B* —4A **54**
Rooley Hill. —4A 54
Rooley La. *B'frd* —2H **43**
Rooley La. *Sower B* —4A **54**
Roper Gdns. *Hal* —1F **47**
Roper Grn. *Hal* —1F **47**
Roper Ho. *Hal* —1F **47**
Roper La. *Hal* —3H **39**
Roper La. *Q'bry* —6B **32**
Roper St. *Kei* —4D **6**
Rope Wlk. *Kei* —4B **38**
Rose Bank Pl. *B'frd* —2C **34**
Roseberry St. *Oakw* —3H **11**
Rosebery Av. *Hal* —3D **56**
Rosebery Av. *Shipl* —6G **17**
Rosebery Mt. *Shipl* —6H **17**
Rosebery Rd. *B'frd* —5G **27**
Rosebery St. *Ell* —3F **61**
Rosebery Ter. *Hal* —5A **48**
Rosedale Av. *All* —5F **25**
Rosedale Clo. *Bail* —3E **17**
Rosedale Ho. *B'frd* —1F **29**
Rosedale Ho. Sower B —4D **54**
(off Sowerby St.)
Rose Gro. La. *Hal* —2B **54**
Rose Heath. *I'wth* —4F **39**
Rose Hill Cres. *Low M* —1G **51**
Roselee Clo. *Sid* —4E **57**
Rosemary Clo. *Brigh* —6E **59**
Rosemary Gro. *Hal* —4E **57**
(in two parts)
Rosemary La. *Brigh* —6E **59**
Rosemary La. *Sid* —4E **57**
Rosemary Ter. *Hal* —4E **57**
Rose Meadows. *Kei* —6A **6**
Rosemont La. *Bail* —3A **18**
Rosemount. —4G 61
Rose Mt. *B'frd* —4C **28**
(BD2)
Rose Mt. *B'frd* —3H **45**
(BD4)
Rose Mt. *Hal* —3A **56**
Rosemount Av. *Ell* —3G **61**
Rosemount Clo. Kei —4D **6**
(off Well St.)
Rosemount Ter. *Ell* —3G **61**
Rosemount Wlk. Kei —4D **6**
(off Well St.)
Rose Pl. *L'ft* —2A **54**
Rose St. *B'frd* —6F **27**
Rose St. *Hal* —1H **55**
Rose St. *Haw* —1G **21**
Rose St. *Kei* —4H **7**
Rose Ter. *Hal* —3A **56**
(HX2)
Rose Ter. Hal —6A **48**
(off West St.)
Rosetta Dri. *B'frd* —2D **34**
Rosewood Av. *Riddl* —2H **7**
Rosewood Gro. *B'frd* —4F **37**
Rosley Mt. *B'frd* —5D **42**
Roslyn Pl. *B'frd* —3F **35**
Rosse Fld. Pk. *B'frd* —3F **27**
Rossefield Rd. *B'frd* —3E **27**
Rossendale Pl. *Shipl* —6E **17**
Rosse St. *B'frd* —2E **35**
Rosse St. *Shipl* —5F **17**
Rossett Ho. *B'frd* —2F **5**
Rosslyn Gro. *Haw* —1G **21**
Rossmore Dri. *All* —6A **26**
Rosy St. *Cro R* —5B **12**
Rothesay Ter. *B'frd* —3G **35**
Rothwell Dri. *Hal* —2B **56**
Rothwell Mt. *Hal* —2B **56**
Rothwell Rd. *Hal* —2B **56**
Rough Hall La. *Hal* —6A **38**
Roundell Av. *B'frd* —4D **44**
Roundhead Fold. *App B* —5G **19**
Round Hill. *Hal* —5H **39**
Roundhill Av. *Bgly* —5H **15**

Round Hill Clo.—Sandhall La.

Round Hill Clo. *Hal* —5H **39**
Round Hill Clo. *O'bry* —1H **41**
Roundhill Mt. *Bgly* —6H **15**
Roundhill Pl. *B'frd* —2H **35** (4B **4**)
Round Hill Pl. *Q'bry* —1H **41**
Roundhill St. *B'frd* —5H **35**
Round St. *B'frd* —6A **36**
  (in two parts)
Round Thorn Pl. *B'frd* —1E **35**
Roundwood. *Shipl* —6C **16**
Roundwood Av. *Bail* —2B **18**
Roundwood Av. *B'frd* —2G **29**
Roundwood Glen. *B'frd* —2G **29**
Roundwood Rd. *Bail* —2A **18**
Roundwood Vw. *B'frd* —1G **29**
Rouse Fold. *B'frd* —4B **36** (6F **5**)
Rowan Av. *B'frd* —2G **37**
Rowanberry Clo. *B'frd* —3D **28**
Rowan Ct. *B'frd* —6E **29**
Rowan Dri. *Brigh* —4G **59**
Rowans, The. *Bail* —2D **18**
Rowan St. *Kei* —1C **6**
Rowantree Av. *Bail* —1F **17**
Rowantree Dri. *B'frd* —1D **28**
Row Bottom Ter. *Sower B* —3A **54**
Row La. *Sower B* —4A **54**
Rowlestone Ri. *B'frd* —1G **29**
Rowsley St. *Kei* —4F **7**
Rowton Thorpe. *B'frd* —1G **29**
Roxburgh Gro. *All* —1H **33**
Roxby St. *B'frd* —6H **35**
Roxholme Ho. B'frd —1E 45
  (off Prince St.)
Royal Clo. *Gt Hor* —6D **34**
Royd Av. *Ain T* —6G **61**
Royd Av. *Bgly* —2A **16**
Royd Cres. *Hal* —5G **47**
Royd Farm. Hal —4G 39
  (off Causeway Foot)
Royd Ho. Gro. *Kei* —6G **7**
Royd Ho. Rd. *Kei* —6G **7**
Royd Ho. Wlk. *Kei* —6G **7**
Royd Ho. Way. *Kei* —6G **7**
Royd Ings Av. *Kei* —2E **7**
Roydlands St. *Hal* —6B **50**
Roydlands Ter. *Hal* —6B **50**
Royd La. *Hal* —1A **48**
Royd La. *I'wth* —4G **39**
Royd La. *Kei* —2D **6**
Royd Mt. *Hal* —3C **48**
Royd Pl. *Hal* —3C **48**
Royds Av. *Brigh* —5F **51**
Roydscliffe Dri. *B'frd* —3D **26**
Roydscliffe Rd. *B'frd* —4D **26**
Royds Cres. *Brigh* —6F **51**
Roydsdale Way. *Euro I* —5C **44**
Royds Hall Av. *B'frd* —3G **43**
Royds Hall La. *B'frd* —6E **43**
Royds Hall La. *Butt* —5E **43**
Royds Pk. Cres. *Wyke* —1H **51**
Roydstone Rd. *B'frd* —1F **37**
Roydstone Ter. *B'frd* —1F **37**
Royd St. *Kei* —1D **6**
  (in two parts)
Royd St. *T'tn* —3C **32**
Royd St. *Wilsd* —3C **24**
Royd St. *Wyke* —1G **51**
Royd Way. *Kei* —2E **7**
Royd Wood. *Cleck* —6F **53**
Royd Wood. *Oxe* —3H **21**
Roydwood Ter. *Cull* —1F **23**
Roy Rd. *B'frd* —2B **42**
Ruby St. *Kei* —1C **12**
Rudding Av. *All* —6G **25**
Rudding Cres. *All* —6G **25**
Rudd St. *B'frd* —5E **35**
Ruffield Side. *Wyke* —6G **43**
Rufford Pl. *Hal* —3B **56**
Rufford Rd. *Ell* —3F **61**
Rufford Rd. *Hal* —3B **56**
Rufford St. *B'frd* —2E **37**
Rufford Vs. *Hal* —3B **56**
Rufforth Ho. B'frd —1E 29
  (off Rowantree Dri.)
Rufus St. *B'frd* —6F **35**
Rufus St. *Kei* —3E **7**
Rugby Av. *Hal* —2H **47**
Rugby Dri. *Hal* —2H **47**
Rugby Gdns. *Hal* —2H **47**
Rugby Mt. *Hal* —2H **47**
Rugby Pl. *B'frd* —3F **35**
Rugby Ter. *Hal* —2H **47**
Runnymeade Ct. B'frd —6D 18
  (off Cobden St.)

Runswick Gro. *B'frd* —2H **43**
Runswick St. *B'frd* —2H **43**
Runswick Ter. *B'frd* —2H **43**
Rupert St. *Cro R* —5B **12**
Rupert St. *Kei* —3E **7**
Rushcroft Ter. *Bail* —2G **17**
Rushdene Ct. *Wyke* —4G **51**
Rushmoor Rd. *B'frd* —1F **45**
Rusholme St. *B'frd* —1E **35**
Rushton Av. *B'frd* —1G **37**
Rushton Hill Clo. *Hal* —4E **47**
Rushton Rd. *B'frd* —1F **37**
Rushton St. *Hal* —5H **47**
Rushton Ter. *B'frd* —2G **37**
Rushworth St. *Hal* —4A **48**
Ruskin Av. *B'frd* —4B **26**
Rusling M. *Schol* —5B **52**
Russel Ho. B'frd —1E 29
  (off Yewdall Way)
Russell Av. *Q'bry* —3E **41**
Russell Hall La. *Q'bry* —2E **41**
Russell Rd. *Q'bry* —3D **40**
Russell St. *B'frd* —4H **35**
Russell St. *Kei* —4D **6**
Russell St. *Q'bry* —2E **41**
Russell St. *Shipl* —2G **27**
Russel St. *Hal* —6C **48**
Rustic Av. *Hal* —3G **57**
Ruswarp Cres. *B'frd* —1F **29**
Ruth Ho. B'frd —2C 36
  (off Otley Rd.)
Ruth St. *Cro R* —5A **12**
Rutland Ho. *Bgly* —2G **15**
  (off Lyndon Ter.)
Rutland St. *B'frd* —5C **36**
Rutland St. *Hal* —6D **6**
Ryan Gro. *Kei* —3A **6**
Ryan St. *B'frd* —6H **35**
Ryburn Ct. Hal —6H 47
  (off Hanson La.)
Ryburn Ho. Hal —6H 47
  (off Clay St.)
Ryburn St. *Sower B* —4D **54**
Ryburn Ter. *Hal* —6H **47**
Ryburn Vw. *Hal* —2G **55**
Rycroft Av. *Bgly* —1G **25**
Rycroft St. *Shipl* —2H **27**
Rydal Av. *Bail* —4C **16**
Rydal Av. *B'frd* —3G **27**
Rydal St. *Kei* —6C **6**
Rydings Av. *Brigh* —4E **59**
Rydings Clo. *Brigh* —4D **58**
Rydings Dri. *Brigh* —4D **58**
Rydings, The. Brigh —4E 59
  (off Halifax Rd.)
Rydings Wlk. *Brigh* —4D **58**
Rydings Way. *Brigh* —4D **58**
Ryecroft. *H'den* —4H **13**
Rye Cft. *I'wth* —5H **39**
Ryecroft Cres. *Hal* —4F **47**
Ryecroft La. *Hal* —5F **47**
Ryecroft Rd. *H'den* —3F **13**
Ryecroft Ter. *Hal* —4F **47**
Ryedale Way. *All* —5G **25**
Ryefield Av. *Cytn* —4H **33**
Ryelands Gro. *B'frd* —3B **26**
Rye La. *Hal* —4E **47**
Rye St. *Kei* —1D **12**
Rylands Av. *Bgly* —2H **15**
Rylstone Gdns. *B'frd* —5C **28**
Rylstone Rd. *Bail* —3D **16**
Rylstone St. *Kei* —3F **7**
Ryshworth Av. *Bgly* —4D **8**
Ryshworth Bri. *Bgly* —5D **8**
Ryton Dale. *B'frd* —1G **29**

Sable Crest. *B'frd* —3B **28**
Sackville St. *B'frd* —2A **36** (4C **4**)
Saddler St. *Wyke* —1G **51**
Saddleworth Rd. *G'Ind & Ell* —3A **60**
Saffron Dri. *All* —6H **25**
Sage St. *B'frd* —5G **35**
Sahara Ct. *B'frd* —5H **27**
St Abbs Clo. *B'frd* —4G **43**
St Abbs Dri. *B'frd* —4G **43**
St Abbs Fold. *B'frd* —4G **43**
St Abbs Ga. *B'frd* —4G **43**
St Abbs Wlk. *B'frd* —4G **43**
St Abbs Way. *B'frd* —4G **43**
St Aidan's Rd. *Bail* —3H **17**
St Aidans Sq. Bgly —5E 9
  (off Micklethwaite La.)
St Albans Av. *Hal* —4C **56**
St Alban's Av. *Hud* —6G **61**

St Albans Cft. *Hal* —3D **56**
St Albans Rd. *Hal* —4C **56**
St Andrew's Clo. *Hal* —6A **40**
St Andrew's Cres. *Oaken* —1C **52**
St Andrews Dri. *Brigh* —3E **59**
St Andrews Pl. *B'frd* —3G **35**
St Andrew's Sq. Bgly —5E 9
  (off Mickelthwaite La.)
St Andrew's Vs. *B'frd* —2G **35**
St Anne's Av. *Hud* —6G **61**
St Anne's Pl. Hal —5A 48
  (off Pellon La.)
St Anne's Rd. *Hal* —5C **56**
St Annes Ter. *Bail* —3H **17**
St Ann's Ct. *Hal* —6F **39**
St Anns Sq. *Sower B* —4C **55**
St Anthonys Gdns. Shipl —1H 27
  (off Snowden Rd.)
St Augustine's Ter. *B'frd*
  —6C **28** (1G **5**)
St Baise Ct. *B'frd* —4A **36** (6D **4**)
St Bevan's Rd. *Hal* —5C **56**
St Blaise Sq. *B'frd* —2A **36** (3D **4**)
St Chad's Av. *Brigh* —2C **58**
St Chad's Rd. *B'frd* —6F **27**
St Clare's Av. *B'frd* —5F **29**
St Elmo. *Q'bry* —4C **40**
St Eloi Av. *Bail* —1G **17**
St Enoch's Rd. *B'frd* —2F **43**
St George's Av. *Hud* —6G **61**
St George's Pl. *B'frd* —5D **36**
St George's Rd. *Hal* —4A **48**
St George's Sq. *Hal* —4B **48**
St George's St. *B'frd* —3D **36** (5H **5**)
St George's Ter. *Hal* —4B **48**
St Giles Clo. *Brigh* —2C **58**
St Giles Ct. *Light* —6C **50**
St Giles Rd. *Hal* —6C **50**
St Helena Rd. *B'frd* —2F **43**
St Helens Sq. Holy G —5C 60
  (off Station Rd.)
St Helier Gro. *Bail* —1H **17**
St Hilda's Ter. *B'frd* —1G **37**
St Ives Gdns. *Hal* —4C **56**
St Ives Gro. *H'den* —3C **14**
St Ives Pl. *H'den* —3C **14**
St Ives Rd. *Hal* —4C **56**
St Ives Rd. *H'den* —3C **14**
St James Bus. Pk. *B'frd* —3C **36** (6G **5**)
St James Ct. *Brigh* —4F **59**
St James Ct. Hal —6C 48
  (off St James Rd.)
St James Mkt. *B'frd* —3C **36** (6G **5**)
St James Pl. Bail —1B 18
  (off Otley Rd.)
St James Rd. *Bail* —1B **18**
St James Rd. *Hal* —6C **48**
St James Sq. *B'frd* —4A **36**
St James's Sq. *Hal* —3G **49**
St James St. *Hal* —6C **48**
St John's Clo. *Cleck* —6G **53**
  (in two parts)
St John's Ct. *Bail* —3A **18**
St John's Ct. Low U —1C 6
  (off St John's Rd.)
St Johns Cres. *B'frd* —1C **34**
St John's La. *Hal* —1C **56**
St John's Rd. *Low U* —1C **6**
St John St. *Brigh* —6E **59**
St Johns Way. *Kei* —5B **6**
St Jude's Pl. *B'frd* —1H **35** (1B **4**)
St Jude's St. *B'frd* —1H **35** (1A **4**)
St Judes St. *Hal* —2B **56**
St Laurence's Clo. *B'frd* —2H **27**
St Leonard's Gro. *B'frd* —6D **26**
St Leonard's Rd. *B'frd* —6D **26**
St Luke's Clo. *Cleck* —6D **52**
St Luke's Clo. Cleck —6D 52
  (off St Luke's Clo.)
St Luke's Ter. *E Mor* —3D **8**
St Margaret's Av. *B'frd* —1F **45**
St Margaret's Pl. *B'frd* —4F **35**
St Margaret's Rd. *B'frd* —3F **35**
St Margaret's Ter. *B'frd* —4F **35**
St Mark's Av. *Low M* —6G **43**
St Mark's Pl. *B'frd* —6G **43**
St Mark's Ter. *Low M* —6G **43**
St Martins Av. *Field B* —2G **35**
St Martin's Vw. *Brigh* —4E **59**
St Mary Magdalenes Clo. *B'frd*
  —1G **35** (1A **4**)
St Mary's Av. *Wyke* —3G **51**
St Mary's Clo. *Wyke* —3F **51**

St Mary's Ct. *Hal* —6F **39**
St Mary's Cres. *Wyke* —4F **51**
St Mary's Dri. *Wyke* —3G **51**
St Mary's Gdns. *Wyke* —3G **51**
St Mary's Ga. *Ell* —2F **61**
St Mary's Heights. *Hal* —6F **39**
St Mary's Mt. *Wyke* —3F **51**
St Mary's Rd. *B'frd* —4F **37**
St Mary's Rd. *Mann & B'frd* —5G **27**
St Mary's Rd. *Riddl* —1H **7**
St Mary's Sq. *Wyke* —3G **51**
St Mary St. *Hal* —1B **56**
St Matthews Clo. *Wilsd* —3B **24**
St Matthew's Dri. *N'wram* —2G **49**
St Matthews Gro. *Wilsd* —3C **24**
St Matthews Rd. *B'frd* —2H **43**
St Michaels Clo. *Bgly* —1H **25**
St Michael's Rd. *B'frd* —1G **35**
St Paul's Av. *B'frd* —3F **43**
St Paul's Clo. Mann —6G 27
  (off Church St.)
St Paul's Gro. *B'frd* —3F **43**
St Paul's Rd. *Hal* —2H **55**
St Paul's Rd. *Kei* —5F **7**
St Paul's Rd. *Mann* —5G **27**
St Paul's Rd. *Shipl* —6E **17**
St Paul's Rd. *Wibs* —3F **43**
St Peg Clo. *Cleck* —6G **53**
St Peg La. *Cleck* —6G **53**
St Peter's Av. *Sower B* —4A **54**
St Peters Sq. Sower B —4A 54
  (off Dean La.)
St Philips Ct. *Hud* —6H **61**
St Rouse Fold. *B'frd* —4B **36**
St Stephen's Ct. *Hal* —5A **56**
St Stephen's Rd. *B'frd* —6H **35**
St Stephen's Rd. *C'ley* —6H **19**
St Stephen's St. *Hal* —5A **56**
St Stephen's Ter. *B'frd* —6A **36**
St Stephen's Ter. *Hal* —6B **56**
Saint St. *B'frd* —5E **35**
St Thomas's Rd. *B'frd* —2H **35** (3B **4**)
St Wilfred's. *Hal* —6F **39**
St Wilfrid's Clo. *B'frd* —4D **34**
St Wilfrid's Cres. *B'frd* —4D **34**
St Wilfrid's Rd. *B'frd* —4D **34**
Salcombe Pl. *B'frd* —1G **45**
Salem St. *B'frd* —1A **36** (2C **4**)
Salem St. *Q'bry* —2D **40**
Salisbury Av. *Bail* —2G **17**
Salisbury Pl. *Hal* —4B **48**
Salisbury Rd. *B'frd* —2G **27**
Salisbury Rd. *Kei* —5C **6**
Salisbury Rd. *Low M* —5G **43**
Salisbury Rd. *Schol* —5B **52**
Salisbury St. *Sower B* —4C **54**
Salisbury Ter. *Hal* —4B **48**
Sal Nook Clo. *Low M* —4H **43**
Sal Royd Rd. *Low M* —6A **44**
Saltaire. —5E 17
Saltaire. *Cro R* —5B **12**
Saltaire Rd. *Bgly* —1B **16**
Saltaire Rd. *Shipl* —5D **16**
Saltburn Pl. *B'frd* —5D **26**
Saltburn St. *Hal* —4H **47**
Salterhebble. —4D 56
Salterhebble Hill. *Hal* —4D **56**
Salterhebble Ter. Hal —4D 56
  (off Huddersfield Rd.)
Salt Horn Clo. *Oaken* —6B **44**
Saltonstall La. *Hal* —6A **38**
Salt St. *B'frd* —6C **27**
Salt St. *Hal* —5A **48**
Samuel St. *Kei* —4D **6**
Sandacre Clo. *B'frd* —4G **29**
Sandale Wlk. *B'frd* —4D **42**
Sandal Magna. *Hal* —4C **42**
Sandals Rd. *Bail* —2G **17**
Sand Beds. *Q'bry* —2E **41**
Sandbeds Cres. *Hal* —4G **47**
Sandbeds Rd. *Hal* —5F **47**
Sandbeds Ter. *Hal* —4G **47**
Sanderling Ct. *B'frd* —2A **34**
Sanderson Av. *B'frd* —2G **43**
Sandfield Rd. *B'frd* —1D **28**
Sandford Rd. *B'frd* —2E **37**
Sandforth Dri. *Hal* —3C **48**
Sandgate Wlk. *B'frd* —1H **45**
Sandhall Av. *Hal* —6F **47**
Sandhall Cres. Hal —5F 47
  (off Sandhall Grn.)
Sandhall Dri. *Hal* —6F **47**
Sandhall Grn. *Hal* —6F **47**
  (in two parts)
Sandhall La. *Hal* —6F **47**

Sandhill Mt. *B'frd* —1D **28**
Sandholme Cres. *Hip* —6B **50**
Sandholme Dri. *B'frd* —1D **28**
Sandmead Clo. *B'frd* —6G **37**
Sandmoor Clo. *T'tn* —3E **33**
Sandmoor Gdns. *Hal* —6H **41**
Sandmoor Gth. *B'frd* —4D **18**
Sandmoor Ho. B'frd —6E 19
(off Fairhaven Grn.)
Sandown Av. —1G **47**
Sandown Rd. *Hal* —1G **47**
Sandpiper M. *B'frd* —2A **34**
Sandringham Clo. *Cytn* —4B **34**
Sandringham Ct. *Cytn* —4B **34**
Sandringham Rd. *Cytn* —4B **34**
Sandsend Clo. *B'frd* —4B **26**
Sandside Clo. *B'frd* —1B **44**
Sand St. *Haw* —1G **21**
Sand St. *Kei* —4E **7**
Sandy Banks. *H'den* —5B **14**
Sandy Beck. *All* —4G **25**
Sandy Dyke La. *Sower B* —6A **54**
Sandy Ga. *Kei* —3C **6**
Sandygate Ter. *B'frd* —4F **37**
Sandy Lane. —3F 25
Sandymoor. *All* —3G **25**
Sandywood St. *Kei* —3E **7**
Sangster Way. *B'frd* —2C **44**
Santa Monica Cres. *B'frd* —6C **18**
Santa Monica Gro. *B'frd* —6C **18**
Santa Monica Rd. *B'frd* —6C **18**
Santon Ho. B'frd —5A 36
(off Manchester Rd.)
Sapgate La. *T'tn* —3E **33**
Sapling Gro. Cotts. *Hal* —3H **55**
Saplin St. *B'frd* —6F **27**
Savile Av. *B'frd* —1E **29**
Savile Clo. *Brigh* —4H **59**
Savile Cres. *Hal* —1B **56**
Savile Dri. *Hal* —2B **56**
Savile Glen. *Hal* —1B **56**
Savile Grn. *Hal* —1C **56**
Savile La. *Brigh* —4H **59**
Savile Lea. *Hal* —1B **56**
Savile Mt. *Hal* —2B **56**
Savile Pde. *Hal* —2B **56**
Savile Park. —2B 56
Savile Pk. *Hal* —2B **56**
(in three parts)
Savile Pk. Gdns. *Hal* —2B **56**
Savile Pk. Rd. *Cleck* —2F **53**
Savile Pk. Rd. *Hal* —2A **56**
Savile Pk. St. *Hal* —2A **56**
Savile Pk. Ter. Hal —2A 56
(off Moorfield St.)
Savile Rd. *Ell* —3F **61**
Savile Rd. *Hal* —1B **56**
Savile Royd. *Hal* —2B **56**
Savile Way. *Lfds B* —1G **61**
Saville St. *Cleck* —4F **53**
Sawley St. *Kei* —5D **6**
Sawood. —1B 30
Sawood La. *Oxe* —6B **22**
(in two parts)
Sawrey Pl. *B'frd* —3H **35** (6B **4**)
Saxon St. *B'frd* —1G **35**
Saxon St. *Hal* —6H **47**
Saxton Av. *B'frd* —2C **42**
Sayle Av. *B'frd* —2D **44**
Scales La. *B'frd* —3D **44**
Scaley St. *B'frd* —2F **57**
Scarborough Gro. *Shipl* —6E **17**
Scarborough Rd. *Shipl* —6E **17**
Scarborough St. *Ell* —3F **61**
Scar Bottom. —3H 55
Scar Bottom. *Hal* —3H **55**
Scar Bottom La. *G'lnd* —2A **60**
Scarcroft Ho. B'frd —2B 44
(off Parkway)
Scargill Ho. *B'frd* —2F **5**
Scar Head Rd. *Sower B* —5D **54**
Scar Hill. *Oxe* —6A **22**
Scarlet Heights. —2F 41
Scarlet Heights. *Q'bry* —2F **41**
Scar Top Rd. *Oldf* —6A **10**
Scarwood Clo. *Bgly* —1G **15**
Scholars Wlk. *B'frd* —4D **28**
Scholebrooke Ct. B'frd —2G 45
(off Broadfield Clo.)
Scholemoor. —4C 34
Scholemoor Av. *B'frd* —5C **34**
Scholemoor La. *B'frd* —4C **34**
Scholemoor Rd. *B'frd* —4D **34**
Scholes. —5B 52
(nr. Cleckheaton)

Scholes. —4D 10
(nr. Oakworth)
Scholes La. *G'lnd* —6A **56**
Scholes La. *Oakw* —4D **10**
Scholes La. *Schol* —5B **52**
Scholes St. *B'frd* —1H **43**
School Clo. *Hal* —5H **39**
School Cote Brow. *H'fld* —5B **40**
School Cote Ter. *Hal* —5B **40**
School Cres. *Hal* —4H **39**
School Fold. *Low M* —5F **43**
School Green. —3G 33
School Grn. *Brigh* —6E **59**
School Grn. *T'tn* —3G **33**
School Grn. Av. *T'tn* —3F **33**
School Ho. *Hal* —2G **49**
School La. *B'frd* —1G **43**
(BD5)
School La. *B'frd* —2F **43**
(BD6)
School La. *I'wth* —5H **39**
School La. *Kei* —4F **7**
School La. *S'wram* —4G **57**
School Pl. *Wyke* —1G **51**
School Ridge. *T'tn* —1C **32**
School Rd. *Kei* —4B **6**
School Sq. *B'frd* —2F **37**
School St. *B'frd* —3D **44**
(BD4)
School St. *B'frd* —2A **36** (3D **4**)
(in two parts)
School St. *Butt* —4C **42**
School St. *Cytn* —5H **33**
School St. *Cleck* —6D **52**
School St. *Ctly* —6H **15**
School St. *Cull* —1F **23**
School St. *Cut H* —6E **37**
School St. *Denh* —1G **31**
School St. *G'lnd* —1B **60**
School St. *Hal* —1D **56**
School St. *Kei* —1C **6**
School St. *Low M* —5G **43**
School St. *Oaken* —1C **52**
School St. *Wilsd* —2C **24**
School Wlk. *Kei* —4B **6**
Score Hill. *Hal* —1G **49**
Scoresby St. *B'frd* —2B **36** (4F **5**)
Scotchman Rd. *B'frd* —5D **26**
Scott La. *Cleck* —5B **52**
Scott La. *Riddl* —1G **7**
Scott La. W. *Riddl* —1F **7**
Scott St. *Kei* —4D **6**
Scotty Bank. Brigh —5E 59
(off Bridge End)
Scotty Cft. La. Brigh —6E 59
(off Bramston St.)
Sculptor Pl. Brigh —4E 59
(off Waterloo Rd.)
Seacroft Ho. B'frd —1E 29
(off Rowantree Dri.)
Seaton St. *B'frd* —2D **36** (4H **5**)
Second Av. *B'frd* —6E **29**
Second Av. *Hal* —3B **56**
Second Av. *Kei* —5D **6**
Second St. *Low M* —5A **44**
Sedan St. B'frd —1C 56
(off Trinity Rd.)
Sedburgh Rd. *Hal* —2D **56**
Sedgefield Ter. *B'frd* —3A **4**
Sedge Gro. *Haw* —5G **11**
Sedgewick Clo. *B'frd* —2A **4**
Sedgfield Ter. *B'frd* —2H **35**
Sedgwick Clo. *B'frd* —1H **35**
Seed Hill Ter. *Hal* —5E **39**
Seed Row. *B'frd* —3D **44**
Seed St. *Low M* —5H **43**
See Mill La. *Hal* —3B **48**
Sefton Av. *Brigh* —2D **58**
Sefton Cres. *Brigh* —2D **58**
Sefton Dri. *Brigh* —2D **58**
Sefton Gro. *B'frd* —4D **28**
Sefton Pl. *B'frd* —4D **28**
Sefton Pl. *Kei* —3E **7**
Sefton St. *Hal* —5A **48**
Sefton St. *Kei* —3E **7**
Sefton Ter. *Hal* —5A **48**
Selborne Gro. *B'frd* —5F **27**
Selborne Gro. *Kei* —6C **6**
Selborne Mt. *B'frd* —5G **27**
Selborne Ter. *B'frd* —5F **27**
Selborne Ter. *Shipl* —1F **27**
Selborne Vs. B'frd —4F 27
(off Selborne Gro.)
Selbourne Vs. *Cytn* —6A **34**
Selby. *Hal* —5F **39**

Seldon St. *B'frd* —6F **35**
Sellars Fold. —5E 35
Sellerdale Av. *Wyke* —4H **51**
Sellerdale Dri. *Wyke* —3H **51**
Sellerdale Ri. *Wyke* —3H **51**
Sellerdale Way. *Wyke* —4H **51**
Sellers Fold. *B'frd* —5E **35**
Selside Ho. B'frd —6E 19
(off Garsdale Av.)
Semon Av. *B'frd* —2B **28**
Senior Way. *B'frd* —3A **36**
(in two parts)
Serpentine Rd. *Cleck* —5F **53**
Sevenoaks Mead. *All* —6H **25**
Severn Rd. *B'frd* —4C **28**
Sewell Rd. *B'frd* —3B **36**
Seymour St. *B'frd* —3C **36** (5H **5**)
Shackleton La. H'den —4A 14
(off Hill End La.)
Shaftesbury Av. *B'frd* —6B **26**
Shaftesbury Av. *Shipl* —6G **17**
Shaftesbury Ct. *B'frd* —6B **26**
Shakespeare St. *Hal* —1C **56**
Shalimar St. *Hal* —6H **47**
Shann Av. *Kei* —3B **6**
Shann Cres. *Kei* —3B **6**
Shann La. *Kei* —3B **6**
Shann St. *B'frd* —3H **27**
Shapla Clo. *Kei* —5C **6**
Sharp Av. *B'frd* —3G **43**
Sharpe St. *B'frd* —3A **36** (6C **4**)
Sharp St. *B'frd* —2G **43**
Shaw. —5F 21
Shaw Booth La. *Hal* —1B **46**
Shaw Clo. *Holy G* —5C **60**
Shaw Hill. *Hal* —2C **56**
(in two parts)
Shaw La. *Ell* —1H **61**
Shaw La. *Hal* —2D **56**
Shaw La. *Holy G* —5B **60**
Shaw La. *Kei* —3F **13**
Shaw La. *Oxe* —5F **21**
Shaw La. *Q'bry* —5F **41**
Shaw La. *Sower B* —6D **54**
Shaw Lodge. *Hal* —2D **56**
Shaw Mt. *L'ft* —5A **46**
Shaw St. *Cleck* —6D **52**
Shaw St. *Holy G* —5C **60**
Shaw St. *Low M* —5F **43**
Shay Brow. —4F 25
Shay Clo. *B'frd* —3D **26**
Shay Cres. *B'frd* —3C **26**
Shay Dri. *B'frd* —3C **26**
Shay Fold. *B'frd* —3C **26**
Shaygate. *Wilsd* —3E **25**
Shay Grange. *B'frd* —2C **26**
Shay Gro. *B'frd* —3D **26**
Shay La. *B'frd* —2C **26**
Shay La. *H Wd* —6H **37**
Shay La. *Oven* —2A **48**
Shay La. *Wilsd* —2D **24**
Shay Syke. *Hal* —1D **56**
Shay, The. —2C **56**
Shearbridge. —3G 35
Shearbridge Grn. *B'frd* —3G **35** (6A **4**)
Shearbridge Pl. *B'frd* —3G **35**
Shearbridge Rd. *B'frd* —3G **35**
Shearbridge Ter. *B'frd* —4G **35**
Shed St. *Kei* —4E **7**
Sheep Hill La. *Q'bry* —1H **41**
Sheldon Ridge. *Bier* —4D **44**
Sheldrake Av. *B'frd* —2A **34**
Shelf. —5A 42
Shelf Hall La. *Hal* —6H **41**
Shelf Moor. *Hal* —4A **42**
Shelley Gro. *B'frd* —1C **34**
Shepherds Fold. *Hal* —2F **49**
Shepherd St. *B'frd* —5E **35**
Sherborne Dri. *Kei* —6A **6**
Sherborne Rd. *Gt Hor* —3H **35** (6A **4**)
Sherborne Rd. *Idle* —4D **18**
Sheridan St. *B'frd* —5C **36**
Sheriff La. *Bgly* —1A **16**
Sherwell Gro. *All* —6A **26**
Sherwell Ri. *All* —6A **26**
Sherwood Clo. *Bgly* —6H **9**
Sherwood Gro. *Shipl* —5C **16**
Sherwood Pl. *B'frd* —5D **28**
Sherwood Rd. *Brigh* —5G **59**
Sherwood Works. *Brigh* —6H **59**
Shetcliffe La. *B'frd* —3D **44**
Shetcliffe Rd. *B'frd* —3D **44**
Shetland Clo. *B'frd* —3B **28**
Shibden Gth. *Shib* —6G **49**
Shibden Grange Dri. *Hal* —4F **49**

Shibden Hall. —5F **49**
Shibden Hall Cft. *Hal* —6G **49**
Shibden Hall Rd. *Hal* —5E **49**
Shibden Head. —5C 40
Shibden Head La. *Q'bry* —4C **40**
Shibden Vw. *Q'bry* —4D **40**
Shipley. —5F 17
Shipley Airedale Rd. *B'frd*
—1B **36** (2E **5**)
Shipley Fields Rd. *Shipl* —2F **27**
(in two parts)
Shipley Glen Cable Tramway. —3D **16**
Ship St. *Brigh* —5F **59**
Shire Clo. *B'frd* —4D **42**
Shirley Av. *Wyke* —4F **51**
Shirley Cres. *Wyke* —4F **51**
Shirley Gro. *Hal* —6E **51**
Shirley Mnr. Gdns. B'frd —2F 37
(off Moorside La.)
Shirley Pl. *Wyke* —4G **51**
Shirley Rd. *B'frd* —2F **45**
(BD4)
Shirley Rd. *B'frd* —3F **35**
(BD7)
Shirley St. *Haw* —6F **11**
Shirley St. *Shipl* —5D **16**
Short Clo. *Wyke* —6F **43**
Short Row. *Low M* —5H **43**
Shortway. *T'tn* —3G **33**
Shroggs La. *Hal* —3H **47**
Shroggs St. *Hal* —5A **48**
Shroggs Va. Ter. *Hal* —5A **48**
Shuttleworth La. *B'frd* —1C **34**
Shutts La. *Nor G* —3C **50**
Sickle St. *Cleck* —5G **53**
Siddal. —4E 57
Siddal La. *Hal* —3D **56**
Siddal La. *Hal* —3E **57**
Siddal New Rd. *Hal* —2D **56**
Siddal Pl. *Hal* —4E **57**
Siddal St. *Hal* —4E **57**
Siddal Top La. *Hal* —3E **57**
Siddal Vw. *Hal* —3E **57**
Sidings Clo. *B'frd* —4H **27**
Sidings, The. *Shipl* —5G **17**
Silk Mill Dri. *E Mor* —2E **9**
Silk St. *B'frd* —5E **27**
Silsbridge St. *B'frd* —4A **4**
Silson La. *Bail* —1A **18**
Silver Birch Av. *Wyke* —3H **51**
Silver Birch Clo. *Wyke* —3H **51**
Silver Birch Dri. *Wyke* —3H **51**
Silver Birch Gro. *Wyke* —3H **51**
Silverdale Av. *Riddl* —2G **7**
Silverdale Rd. *B'frd* —1A **44**
Silverdale Ter. *G'lnd* —3A **60**
Silverhill Av. *B'frd* —6F **29**
Silverhill Dri. *B'frd* —6F **29**
Silverhill Rd. *B'frd* —6F **29**
Silver St. *B'frd* —6F **27**
Silver St. *Hal* —6C **48**
Silverwood Av. *Hal* —4E **47**
Silverwood Wlk. *Hal* —4E **47**
(in two parts)
Silwood Dri. *B'frd* —4E **29**
Simes St. *B'frd* —2H **35** (3B **4**)
Simm Carr La. *Shib* —1D **48**
Simmonds La. *Hal* —2D **56**
Simms Dene. *All* —3G **25**
Simon Clo. *B'frd* —1H **45**
Simon Fld. *Wyke* —3G **51**
Simpson Green. —4E 19
Simpson Gro. *B'frd* —4E **19**
Simpson St. *Hal* —4E **48**
Simpson St. *Kei* —4C **6**
Sinclair Rd. *B'frd* —2B **28**
Sinden M. *B'frd* —3D **18**
Singleton St. *B'frd* —1A **36** (1D **4**)
Sion Hill. *Sid* —4E **57**
Sir Francis Crossley's Almshouses.
(off Margaret St.) *Hal* —6B **48**
Sir Isaac Holden Pl. *List* —2F **35**
Sir Wilfred Pl. *B'frd* —5D **18**
Sixth Av. *B'frd* —6E **29**
Skelton Wlk. *B'frd* —6F **19**
Skinner La. *B'frd* —5G **27**
Skipton Rd. *Kei* —3E **7**
Skipton Rd. *Low U* —1B **6**
Skircoat Green. —4C 56
Skircoat Grn. *Hal* —5C **56**
Skircoat Grn. Rd. *Hal* —4C **56**
Skircoat Moor Clo. *Hal* —3A **56**
Skircoat Moor Rd. *Hal* —2H **55**
Skircoat Rd. *Hal* —1C **56**
Skirrow St. *Bgly* —1H **25**

Slack Bottom Rd. *B'frd* —3E **43**
Slack La. *Oakw* —2E **11**
Slack Side. —2D 42
Sladdin Row. *Q'bry* —3C **40**
Slade Ho. B'frd —5F 29
(off St Clares Av.)
Slade La. *Riddl* —1G **7**
Sladen St. *Kei* —4C **6**
Slaymaker La. *Oakw* —2F **11**
Slead Av. *Brigh* —3D **58**
Slead Ct. *Brigh* —3D **58**
Slead Cres. *Brigh* —3D **58**
Slead Gro. *Brigh* —3D **58**
Slead Royd. *Brigh* —3D **58**
Slead Syke. —3D 58
Slead Vw. *Brigh* —3D **58**
Sleningford Gro. *Shipl* —5C **16**
Sleningford Ri. *Bgly* —6F **9**
Sleningford Rd. *Bgly* —6E **9**
Sleningford Rd. *Shipl* —5C **16**
Sleningford Ter. *Bgly* —6F **9**
(off Sleningford Rd.)
Sleningford Vs. *Bgly* —6E **9**
Slicer's Yd. Bgly —2F 15
(off Busfield St.)
Slingsby Clo. *App B* —5F **19**
Slippy La. *Hal* —6E **39**
(in two parts)
Small Page Fold. *Q'bry* —2E **41**
Smiddles La. *B'frd* —1H **43**
Smith Art Gallery. —4E **59**
Smith Av. *B'frd* —2G **43**
Smitherd's St. *Kei* —5D **6**
Smithfield Av. *Hal* —5A **50**
Smith Ho. Cres. *Brigh* —2E **59**
Smith Ho. Gro. *Brigh* —2E **59**
Smith Ho. La. *Brigh* —2E **59**
Smith La. *B'frd* —5C **26**
Smith Rd. *B'frd* —6E **35**
Smith's Ter. *Hal* —2A **48**
Smith St. *Bier* —3D **44**
Smith St. *B'frd* —2H **35** (4A **4**)
Smith St. *Ctly* —1H **25**
Smith St. *Kei* —3C **6**
Smithville. *Riddl* —2H **7**
Smithy Carr La. *Brigh* —3E **59**
Smithy Ct. *Schol* —4B **52**
Smithy Fold. *Q'bry* —1A **42**
Smithy Hill. *B'frd* —2G **43**
Smithy Hill. *Denh* —3G **31**
Smithy La. *Wilsd* —1C **24**
Smithy St. *Hal* —6D **48**
Snake Hill. *Oakw* —6C **44**
Snape Dri. *B'frd* —1B **42**
Snape St. *Kei* —1E **13**
Snelsins La. *Cleck* —4E **53**
Snelsins Rd. *Cleck* —4E **53**
Snowden Rd. *Shipl* —1H **27**
(in two parts)
Snowden St. *B'frd* —1A **36**
Snowdens Wlk. *Cytn* —5B **34**
Snowdon St. *B'frd* —2C **4**
Snowdrop M. *All* —1H **33**
Soaper Ho. La. *Hal* —3A **50**
Soaper La. *She & B'frd* —4A **42**
Sod Ho. Grn. *Hal* —2A **48**
Soho Mills. *B'frd* —4B **4**
Soho Sq. *B'frd* —2H **35**
Soho St. *B'frd* —4B **4**
Soho St. *Hal* —6H **47**
Soil Hill. —6G 31
Solomon Hill. *Hal* —4A **46**
Somerset Av. *Bail* —1F **17**
Somerton Dri. *B'frd* —1F **45**
Somerville Av. *B'frd* —4F **43**
Somerville Pk. *B'frd* —4F **43**
Sonning Rd. *B'frd* —1H **33**
Sorrin Clo. *Idle* —6C **18**
Soureby Cross Way. *E Bier* —4H **45**
(in two parts)
Southampton St. *B'frd* —6B **28** (1F **5**)
South Bank. *Q'bry* —2F **41**
South Bolton. *Hal* —4F **39**
Southbrook Ter. *B'frd* —3H **35** (5B **4**)
Southcliffe. S'wram —2E 57
(off Bank Top)
South Cliffe. *T'tn* —3E **33**
Southcliffe Dri. *Bail* —4F **17**
Southcliffe Way. *Bail* —4G **17**
S. Clough Head. *Hal* —6C **46**
Southcote Pl. *Idle* —5D **18**
Southdown Clo. *B'frd* —5C **26**
Southdown St. B'frd —5C 26
(off Southdown Clo.)

Southdown Rd. *Bail* —4F **17**
South Edge. *Kei* —3C **6**
South Edge. *Shipl* —6C **16**
Southedge Clo. *Hip* —6A **50**
Southedge Ter. *Hal* —6B **50**
Southfield Av. *B'frd* —3G **43**
Southfield Av. *Riddl* —1H **7**
Southfield Dri. *Riddl* —1A **8**
Southfield La. *B'frd* —5E **35**
Southfield Mt. *Riddl* —1H **7**
Southfield Rd. *Bgly* —4G **15**
Southfield Rd. *B'frd* —6G **35**
Southfield Sq. *B'frd* —6G **27**
Southfield Ter. *Hal* —4A **50**
Southfield Way. *Riddl* —1A **8**
Southgate. *B'frd* —2A **36** (4C **4**)
Southgate. *Ell* —2F **61**
Southgate. *Hal* —6C **48**
Southgate. *Holy G* —6C **60**
South Gro. *Brigh* —2C **58**
South Gro. *Shipl* —6B **16**
S. Hill Dri. *Bgly* —3A **16**
S. Holme La. *Brigh* —3C **58**
Southlands. *Bail* —4F **17**
Southlands. *Hal* —2H **39**
Southlands Av. *Bgly* —4G **15**
Southlands Av. *Riddl* —2A **8**
Southlands Av. *T'tn* —3A **34**
Southlands Dri. *Riddl* —2A **8**
Southlands Gro. *Bgly* —4F **15**
Southlands Gro. *Riddl* —2A **8**
Southlands Gro. *T'tn* —3H **33**
Southlands Gro. W. *Riddl* —1A **8**
Southlands Mt. *Riddl* —2A **8**
Southlands Rd. *Riddl* —1A **8**
South La. *B'ley* —5H **59**
South La. *She* —4H **41**
South La. Gdns. *Ell* —4F **61**
Southlea. *Oaken* —6C **44**
Southlea Av. *Oakw* —3A **12**
Southmere Av. *B'frd* —6E **35**
Southmere Cres. *B'frd* —6E **35**
Southmere Dri. *B'frd* —6D **34**
(in two parts)
Southmere Gro. *B'frd* —6E **35**
Southmere Oval. *B'frd* —1D **42**
Southmere Rd. *B'frd* —6E **35**
Southmere Ter. *B'frd* —6E **35**
Southowram. —3G 57
Southowram Bank. *Hal* —6D **48**
South Pde. *B'frd* —6H **27**
South Pde. *Cleck* —5E **53**
South Pde. *Ell* —4F **61**
South Pde. *Hal* —1D **56**
South Pde. *Slnd* —6A **60**
South Rd. *B'frd* —3G **27**
South Rd. *Cull* —2F **23**
S. Royd Av. *Hal* —3C **56**
South Selby. *Hal* —5F **39**
South Sq. *T'tn* —3D **32**
South St. *B'frd* —6G **35**
South St. *Brigh* —4E **59**
South St. *Brun I* —1B **56**
South St. *Denh* —1F **31**
South St. *E Mor* —3D **8**
South St. *Holy G* —5B **60**
South St. *Kei* —1D **12**
South St. *Oaken* —1C **52**
South St. *T'tn* —2D **32**
South Ter. *N'wram* —2G **49**
South Vw. *B'frd* —5C **42**
South Vw. *Friz* —3G **27**
South Vw. *Gre* —6F **19**
South Vw. *Hal* —3E **57**
South Vw. *Haw* —6G **11**
South Vw. L'ft —6A 40
(off Blackmires)
South Vw. *Q'bry* —1C **40**
South Vw. *Sandb* —2B **8**
South Vw. *Schol* —6B **52**
South Vw. *S'wram* —3G **57**
South Vw. *Wilsd* —2C **24**
S. View Clo. *B'frd* —4G **45**
S. View Dri. *B'frd* —4H **45**
S. View Rd. *B'frd* —4H **45**
S. View Ter. *Bail* —2G **17**
S. View Ter. Hal —5H 47
(off Queen's Rd.)
South Wlk. *H'den* —4A **14**
Southway. *Bgly* —6H **9**
South Way. *B'frd* —4G **45**
South Way. *Shipl* —6B **16**
Sovereign St. *Hal* —6B **48**
Sowden Bldgs. *B'frd* —5D **28**
Sowden Grange. *T'tn* —3D **32**

Sowden La. *Nor G* —2D **50**
(in two parts)
Sowden La. *Wyke* —2E **51**
Sowden Rd. *B'frd* —4B **26**
Sowden St. *B'frd* —6F **35**
Sowerby. —4A 54
Sowerby Bridge. —4D 54
Sowerby Cft. La. *Sower B* —4D **54**
Sowerby New Rd. *Sower B* —4A **54**
Sowerby St. *Sower B* —4D **54**
Spa La. *Bgly* —6G **9**
Spanfield La. *Hal* —1B **46**
Sparable La. *Bgly* —2A **16**
Spark Ho. La. *Sower B* —4E **55**
Spartan Rd. *Low M* —6H **43**
Spearhead Way. *Kei* —3E **7**
Speeton Av. *B'frd* —1C **42**
Speeton Gro. *B'frd* —1B **42**
Spen Bank. *Cleck* —6H **53**
Spencer Av. *B'frd* —4E **35**
Spencer Rd. *B'frd* —5D **34**
(in two parts)
Spencer St. *Kei* —4C **6**
(in three parts)
Spen Clo. *B'frd* —4D **44**
Spen La. *Gom* —5H **53**
Spen Lower. —5H 53
Spen Vw. La. *B'frd* —4D **44**
Spicer St. *B'frd* —2A **8**
Spiers Gth. *B'frd* —2H **43**
Spindle St. *Hal* —6A **44**
Spiners Way. Schol —5B 52
(off Scholes La.)
Spink Pl. *B'frd* —1H **35** (2A **4**)
Spink St. *B'frd* —1H **35** (2A **4**)
Spinkwell Clo. *B'frd* —6B **28** (1E **5**)
Spinners, The. *Haw* —1G **21**
Spinney, The. *Brigh* —2E **59**
Spinney, The. *E Mor* —3D **8**
Spinney, The. *Rawd* —3H **19**
Spinning Mill Ct. *Shipl* —4C **16**
Spire Heights. *Bgly* —2B **16**
Spout Ho. La. *Brigh* —1C **58**
Spring Av. *Kei* —5G **7**
Spring Bank. —1E 13
Spring Bank. *Cull* —2E **23**
Spring Bank Pl. *B'frd* —6H **27**
Spring Bank Ri. *Kei* —1E **13**
Springcliffe. *B'frd* —6F **27**
Springcliffe St. *B'frd* —6F **27**
Spring Clo. *Bgly* —3H **15**
Spring Clo. *Kei* —5G **7**
Spring Ct. *All* —4G **25**
Springdale Cres. *B'frd* —6E **19**
Spring Dri. *Kei* —5G **7**
Spring Edge. *Hal* —3A **56**
Spring Edge N. *Hal* —2A **56**
Spring Edge W. *Hal* —2A **56**
Spring Farm La. *H'den* —4A **14**
Spring Farm M. *Wilsd* —2C **24**
Springfield. —1D 28
Springfield. *Q'bry* —2D **40**
Springfield. *Sower B* —4C **54**
Springfield Av. *B'frd* —4D **34**
Springfield Ct. *Kei* —3C **6**
Springfield Gdns. *Kei* —3C **6**
Springfield Gro. *Bgly* —1F **15**
Springfield Gro. *Brigh* —3E **59**
Springfield Pl. *B'frd* —1H **35** (1B **4**)
Springfield Pl. *Idle* —1D **28**
Springfield Rd. *Bail* —1F **17**
Springfield Rd. *Ell* —2H **61**
Springfield Rd. *Kei* —3C **6**
Springfield St. *B'frd* —1G **35**
Springfield St. *T'tn* —3E **33**
Springfield Ter. *B'frd* —1G **35**
Springfield Ter. *Cull* —2G **23**
Spring Fld. Ter. *Hal* —5A **50**
Springfield Ter. *Schol* —4B **52**
Spring Gdns. *B'frd* —1A **36** (1B **4**)
Spring Gdns. *Hal* —2G **47**
Spring Gdns. *La. Kei* —1C **6**
Spring Gdns. Mt. *B'frd* —2D **6**
Spring Gdns. Rd. *B'frd* —4E **27**
Spring Garden St. *Q'bry* —2E **41**
Spring Gro. *Hal* —6G **47**
Spring Hall Clo. *Hal* —6H **41**
Spring Hall Ct. *Hal* —6G **47**
Spring Hall Dri. *Hal* —1G **55**
Spring Hall Gdns. *Hal* —6G **47**
Spring Hall Gro. *Hal* —6G **47**
Spring Hall La. *Hal* —1G **55**
Spring Hall Pl. *Hal* —6G **47**
Spring Head. *She* —6A **42**

Spring Head Rd. *Haw* —5F **11**
Spring Head Rd. *T'tn* —3E **33**
Spring Hill. *Bail* —2D **16**
Spring Hill. *Shipl* —6A **18**
Spring Holes La. *T'tn* —2C **32**
Spring La. *G'lnd* —2A **60**
Spring Pk. Rd. *Wilsd* —1C **24**
Spring Pl. *B'frd* —4G **35** (6A **4**)
Spring Ri. *Kei* —6G **7**
Spring Ri. *Kei* —5G **7**
Spring Rock. *Holy G* —5C **60**
Spring Row. *Hal* —4E **39**
Spring Row. *H'den* —4B **14**
Spring Row. *Kei* —5D **6**
Spring Row. *Oxe* —6A **22**
Spring Row. *Q'bry* —2D **40**
Springroyd Ter. *B'frd* —1D **34**
Spring St. *Brigh* —5E **59**
Spring St. Cro R —5B 12
(off Bingley Rd.)
Spring St. *Idle* —6D **18**
Spring St. *Kei* —3E **7**
Springswood Av. *Shipl* —6E **17**
Springswood Pl. *Shipl* —6E **17**
Springswood Rd. *Shipl* —6E **17**
Spring Ter. *N Bnk* —5D **48**
Spring Ter. *Sower B* —5E **55**
Springville Ter. *B'frd* —6D **18**
Spring Way. *Kei* —5G **7**
Springwell Dri. *B'frd* —5A **36**
Springwood Av. *B'frd* —6B **36**
Spring Wood Av. *Hal* —5B **56**
Spring Wood Dri. *Hal* —5B **56**
Spring Wood Gdns. *B'frd* —1B **44**
Spring Wood Gdns. *Hal* —6B **56**
Springwood Pl. B'frd —5A 28
(off Bolton Rd.)
Springwood Rd. *Rawd* —2H **19**
Springwood Ter. B'frd —5A 28
(off King's Rd.)
Spruce St. *Hal* —3F **7**
Square, The. *B'frd* —4C **36**
Square, The. *B'frd* —2A **34**
Square, The. *Cull* —2E **57**
Square, The. *N'wram* —2G **49**
Squire Grn. *B'frd* —6D **26**
Squire La. *B'frd* —6D **26**
Squirrel La. *T'tn* —4B **32**
Stable Fold. *Wyke* —3H **51**
Stable La. *Hal* —4B **48**
Stadium Rd. *B'frd* —3H **43**
Stafford Av. *Hal* —3C **56**
Stafford Pde. *Hal* —3C **56**
Stafford Pl. *Hal* —3C **56**
Stafford Rd. *Hal* —4C **56**
Stafford Sq. *Hal* —4D **56**
Stafford St. *B'frd* —5D **35**
Stairs La. *Oxe* —6A **20**
Stainbeck Gdns. *B'frd* —3B **42**
Stainland. —6A 60
Stainland Rd. *G'lnd* —6D **56**
Stainland Rd. *Slnd* —6A **60**
Stainton Clo. *B'frd* —3C **42**
Staithgate La. *B'frd* —2B **44**
Stallabrass St. *B'frd* —1G **35** (2A **4**)
Stamford St. *B'frd* —4D **36**
Stanacre Pl. B'frd —1B 36 (1F **5**)
Stanage La. *Hal* —4A **42**
Stanbury. —6B 10
Standale Ho. B'frd —1E 45
(off Prince St.)
Standard Ind. Est. *B'frd* —4E **29**
Stanley Clo. Hal —6H 47
(off Queens Rd.)
Stanley La. *Holy G* —6A **60**
Stanley Rd. *Ain T* —6G **61**
Stanley Rd. *B'frd* —3H **27**
Stanley Rd. *Hal* —6H **47**
Stanley Rd. *Kei* —1C **12**
Stanley St. *Bgly* —2G **15**
Stanley St. *Brigh* —4F **59**
Stanley St. *Cleck* —5F **53**
Stanley St. *Cro R* —5A **12**
Stanley St. *Gre* —6F **19**
Stanley St. *Idle* —5D **18**
Stanley St. *Kei* —3D **6**
Stanley St. *Shipl* —2G **27**
Stanley St. *Sower B* —3E **55**
Stanley St. N. Hal —6A 40
(off Shay La.)
Stanmore Pl. *B'frd* —4E **35**

Stannary Pl. Hal —5B 48
Stannery. Slnd —5A 60
Stanningley Av. Hal —6D 38
Stanningley Dri. Hal —6D 38
Stanningley Rd. Hal —6D 38
Stansfield Clo. Hal —6A 48
Stansfield Ct. Sower B —4D 54
Stansfield Grange. Sower B
—6A 54
Stansfield Mill La. Sower B
—6A 54
Stansfield Pl. B'frd —5D 18
Stanwick Ho. B'frd —3H 27
Staples La. Kei —6C 12
Stapleton Ho. B'frd —3H 27
Stapper Grn. Wilsd —1B 24
Starkie St. Kei —5D 6
Starling M. All —2H 33
(off Bell Dean Rd.)
Star St. B'frd —6G 35
Starting Post. Idle M —6B 18
Stathers Cotts. Wyke —3H 51
Station App. Hal —1D 56
Station Ct. B'frd —2B 36 (4E 5)
Station Rd. Bail —2G 17
Station Rd. B'frd —5A 28
Station Rd. Brigh —5G 59
Station Rd. Cytn —5A 34
Station Rd. Cull —1E 23
Station Rd. Denh —1F 31
Station Rd. Hal —6A 40
Station Rd. Haw —6G 11
Station Rd. Holy G —5B 60
Station Rd. Low M —6A 44
Station Rd. L'ft —6A 46
Station Rd. Nor G —3E 51
Station Rd. Oakw —3H 11
Station Rd. Oxe —4G 21
Station Rd. Q'bry —2E 41
Station Rd. Shipl —5F 17
Station Rd. Sower B —4D 54
Station Rd. Wilsd —4H 23
Station Vw. Oxe —4G 21
Staups La. Hal —3F 49
Staveley Ct. Bgly —1G 15
Staveley Dri. Shipl —6B 16
Staveley Gro. Kei —2C 12
Staveley M. Bgly —1G 15
Staveley Rd. Bgly —1G 15
Staveley Rd. B'frd —3F 35
Staveley Rd. Kei —2C 12
Staveley Rd. Shipl —5B 16
Staveley Way. Kei —1C 12
Staverton St. Hal —6G 47
Staybrite Av. Bgly —6G 15
Staygate. —1A 44
Staygate Grn. B'frd —2A 44
Stead Hill Way. Thack —4B 18
Steadman St. B'frd —3D 36
Steadman Ter. B'frd —3D 36
Stead Rd. B'frd —3G 45
Stead St. Hal —6B 48
Stead St. Shipl —6F 17
Steel Hill. Kei —6A 6
Stell Hill. Kei —6A 6
Stephen Clo. Hal —4G 49
Stephen Cres. B'frd —4A 28
Stephen Rd. B'frd —1D 42
Stephen Row. Hal —3G 49
(off Windmill La.)
Stephenson Rd. All —5D 24
Stephenson St. B'frd —6F 35
Steps La. Sower B —2E 55
Sterne Hill. Hal —3H 55
Stevens Wlk. Cull —1F 23
Stewart Clo. B'frd —2E 29
Stewart St. Cro R —5A 12
Sticker La. B'frd —6E 37
Stile. —5A 54
Stillington Ho. B'frd —3H 27
Stirling Cres. B'frd —6G 37
Stirling St. Hal —1B 56
Stirrup Gro. B'frd —3B 28
Stirton St. B'frd —6H 35
Stockbridge. —2G 7
Stockhill Fold. B'frd —5F 19
(in two parts)
Stockhill Rd. B'frd —6F 19
Stock La. Hal —2H 39
Stocks Hill Clo. E Mor —2D 8
Stocks La. Ludd & Mt Tab —4A 46
Stocks La. Q'bry —2H 41
Stocks La. Sower B —4A 54
Stod Fold. Hal —3E 39
Stogden Hill. Q'bry —2H 41

Stoneacre Ct. B'frd —1A 44
Stonebridge. B'frd —5D 18
(off Idlecroft Rd.)
Stone Chair. —1A 50
Stone Cliffe. Hal —4A 56
(off Wakefield Ga.)
Stone Ct. E Mor —3D 8
Stonecroft. B'frd —3E 29
Stonefield Clo. B'frd —2D 28
Stone Fold. Bail —3E 17
Stonegate. Bgly —6G 9
Stonegate Rd. B'frd —1D 28
Stone Hall M. B'frd —3E 29
Stone Hall Rd. B'frd —3D 28
Stonehaven Ct. Kei —6G 7
Stone Hill. Bgly —5E 9
Stone Ho. Dri. Q'bry —3C 40
Stone La. Oxe —5E 21
Stoneleigh. Q'bry —2F 41
Stone St. All —4G 25
Stone St. Bail —3A 18
Stone St. B'frd —2A 36 (3D 4)
Stone St. Cleck —6E 53
Stone St. Haw —1G 21
(off Sun St.)
Stone St. Q'bry —1C 40
Stoneycroft La. Kei —1D 6
Stoney Hill. Brigh —5E 59
Stoneyhurst Sq. B'frd —6G 37
Stoneyhurst Way. B'frd —6F 37
Stoney La. Hal —2H 55
Stoney La. Light —6E 51
Stoney La. Oven —2A 48
Stoney La. S'wram —2A 58
Stoney Ridge Av. B'frd —3H 25
Stoney Ridge Rd. Bgly —3H 25
Stoney Royd. —2D 56
Stoney Royd Ter. Hal —3D 56
Stoneys Fold. Wilsd —1B 24
Stoney St. Kei —1D 6
Stony La. All —5F 25
Stony La. B'frd —2E 29
Stony La. G'lnd —1G 56
Stoodley Ter. Hal —1G 55
Stormer Hill La. Norl —5F 55
Storr Hill. Wyke —1G 51
Storr Hill Ter. Wyke —1G 51
Stott Hill. B'frd —2B 36 (3E 5)
Stotts Pl. Hal —1E 57
Stott Ter. B'frd —3F 29
Stowell Mill St. B'frd —5H 35
Stradmore Rd. Denh —1G 31
Strafford Way. App B —5G 19
Straight Acres La. B'frd —2F 29
Straight La. Hal —6F 39
Straits. Bail —1G 17
(off Northgate)
Strangford Ct. B'frd —5F 19
Stratford St. B'frd —4F 35
Strathallan Dri. Bail —2H 17
Strathmore Clo. B'frd —4D 28
Strathmore Dri. Bail —1F 17
Stratton Ho. B'frd —3H 5
Stratton Rd. Brigh —6F 59
Stratton Vw. B'frd —3H 5
Stratton Wlk. All —1G 33
Strawberry Fields. Kei —3E 7
Strawberry St. Kei —3E 7
Stray, The. B'frd —1C 28
Stream Head Rd. T'tn —5B 24
Street La. E Mor —1B 8
Street La. Oakw —4C 10
Strensall Grn. B'frd —3C 42
Stretchgate La. Hal —5G 47
Strong Close. —4G 7
Strong Clo. Gro. Kei —4G 7
Strong Clo. Rd. Kei —4G 7
Strong Clo. Way. Kei —4G 7
(off Strong Clo. Rd.)
Stuart Ct. B'frd —5A 36
(off Swarland Gro.)
Stubbings Rd. Bail —3D 16
Stubbing Way. Shipl —1G 17
(in two parts)
Stubs Beck La. West I —3F 53
Stub Thorn La. Hal —1F 57
Studdley Cres. Gil —2H 55
Studleigh Ter. Brigh —2C 58
(off Brooklyn Ter.)
Studley Av. B'frd —4F 43
Studley Clo. E Mor —2D 8
Studley Rd. B'frd —4F 43
Stump Cross. —4F 49
Stunsteds Rd. Cleck —5F 53
Sturges Gro. B'frd —6D 28

Sturton Gro. Hal —4G 39
Sturton La. Hal —4G 39
Stye La. Sower B —3A 54
Sty La. Bgly —5E 9
Suffolk Pl. B'frd —3B 28
Sugden Bank. Sower B —3E 55
(off Sunny Bank St.)
Sugden Clo. Brigh —6E 59
Sugden's Almshouses. Oakw
—2H 11
Sugden St. B'frd —2G 35 (3A 4)
Sugden St. Oaken —1B 52
Sulby Gro. B'frd —6G 19
Summerbridge Cres. B'frd —2F 29
Summerbridge Dri. B'frd —2F 29
Summerfield Av. Brigh —1F 59
Summerfield Clo. Bail —2E 17
Summerfield Dri. Bail —2F 17
Summerfield Grn. Bail —2F 17
Summerfield Gro. Bail —2F 17
Summerfield Pk. Bail —2F 17
Summerfield Rd. B'frd —1E 29
Summergate Pl. Hal —1H 55
Summergate Rd. Hal —1H 55
Summer Hall Ing. Wyke —1F 51
Summer Hill St. B'frd —4E 35
Summerlands Gro. B'frd —1C 44
Summerlea Ter. Sower B —3F 55
Summerscale St. Hal —5A 48
Summerseat Pl. B'frd —4G 35
Summer St. Hal —2H 55
Summerville Rd. B'frd —3G 35
Summit St. Kei —3D 6
Sunbridge Rd. B'frd —2H 35 (2A 4)
Sunderland Clo. Brigh —4E 59
(off Thornhill Bri. La.)
Sunderland Rd. B'frd —5F 27
Sunderland St. Cro R —5B 12
Sunderland St. Hal —6B 48
Sunderland St. Kei —5D 6
Sundown Av. B'frd —5C 34
Sunfield Ter. Mar —6G 53
(off Mayfield Ter.)
Sun Fold. Hal —1D 56
Sunhill Dri. Bail —3C 16
Sunhurst Clo. Oakw —3G 11
Sunhurst Dri. Oakw —3G 11
Sunningdale. B'frd —1B 34
Sunningdale Cres. Cull —2G 23
Sunnybank. —2B 60
Sunny Bank. Nor G —3H 47
Sunny Bank. Q'bry —2F 41
Sunny Bank. Shipl —6F 17
Sunny Bank. Wyke —1A 52
Sunnybank Av. B'frd —2H 43
Sunnybank Av. Thornb —6H 29
Sunnybank Clo. Schol —6B 52
Sunnybank Cres. G'lnd —2B 60
Sunnybank Dri. G'lnd —2B 60
Sunny Bank Dri. Sower B —3E 55
Sunny Bank Grange. Brigh —4E 59
(off Sunny Bank Rd.)
Sunnybank Gro. Thornb —6H 29
Sunnybank La. G'lnd —2B 60
Sunny Bank La. Hal —1H 57
Sunny Bank La. S'wram —1H 57
Sunnybank La. Thornb —6H 29
Sunny Bank Rd. B'frd —2H 43
Sunny Bank Rd. Brigh —5E 59
Sunnybank Rd. G'lnd —2A 60
Sunny Bank Rd. Hal —6D 38
Sunny Bank St. Sower B —3E 55
Sunny Bank Ter. Hal —4C 48
Sunny Brae Cres. Bgly —3H 15
Sunny Brow La. B'frd —5B 26
Sunnycliffe. E Mor —3D 8
Sunnydale Gro. Kei —5H 7
Sunnydale Pk. E Mor —2E 9
Sunnyhill Av. Kei —6B 6
Sunnyhill Gro. Kei —6B 6
Sunny Mt. H'den —4B 14
Sunny Mt. High —3D 6
Sunny Mt. Sandb —4C 8
Sunnyside. Brigh —6H 59
Sunny Side. Hal —6C 50
Sunnyside La. B'frd —6B 28
Sunny Side St. Hal —4C 48
Sunny Vw. Ter. Q'bry —3C 40
Sunset Cres. Hal —4C 50
Sun St. B'frd —1B 36 (2F 5)
Sun St. Haw —1G 21
Sun St. Kei —5E 7
Sun Way. Hal —2F 57
Sun Wood Av. Hal —1H 49
Sun Wood Ter. Hal —1H 49

Suresnes Rd. Kei —4D 6
Surgery St. Haw —1H 21
Surrey Gro. B'frd —5A 36
Surrey St. Hal —1G 55
Surrey St. Kei —3G 7
Sussex St. Kei —3G 7
Sutcliffe Clo. Hal —2E 57
(off Bank Top)
Sutcliffe Pl. B'frd —3H 43
Sutcliffe St. Hal —5G 47
Sutcliffe Ter. Hal —4C 48
(off Amblers Ter.)
Sutcliffe Wood La. Hal —6A 50
Sutton Av. B'frd —2B 28
Sutton Cres. B'frd —5G 37
Sutton Dri. Cull —2F 23
Sutton Gro. B'frd —4G 37
Sutton Rd. B'frd —4G 37
Sutton Rd. B'frd —4G 37
Swain Green. —4E 37
Swain House. —2C 28
Swain Ho. Cres. B'frd —2C 28
Swain Ho. Rd. B'frd —2C 28
Swain Mt. B'frd —2C 28
Swain Royd Lane Bottom. —4F 25
Swaledale Rd. Sower B —4D 54
(off Sowerby St.)
Swales Moor Rd. Hal —6C 40
Swallow Fold. B'frd —2A 34
Swallow St. Hal —3F 7
Swan Bank La. Hal —2D 56
Swan Ho. B'frd —4A 36 (6C 4)
Swarland Gro. B'frd —5A 36
Swift St. Hal —4D 56
Swine La. Sandb —3B 8
Swinton Pl. B'frd —4F 35
Swinton Ter. Hal —2H 55
Swires Rd. B'frd —6E 29
Swires Rd. Hal —1B 56
Swires Ter. Hal —1B 56
Sycamore Av. Bgly —3F 15
Sycamore Av. B'frd —2D 34
Sycamore Clo. B'frd —1C 36 (1G 5)
Sycamore Ct. B'frd —1C 36 (1G 5)
Sycamore Dri. Cleck —6D 52
Sycamore Dri. Ell —3D 60
Sycamore Dri. Hal —1E 59
Sycamore Vw. Hal —5B 6
Sydenham Pl. B'frd —5C 28
Sydney St. Bgly —2G 15
Syke Fold Grange. Cleck —6F 53
Syke La. Caus F —1G 39
Syke La. Hal —4C 50
Syke La. Q'bry —4F 41
Syke La. Sower B —4D 54
Syke Rd. B'frd —4E 27
Syke Side. Kei —1D 6
Sykes La. Oaken —1C 52
Sykes La. Oakw —2H 11
Sykes St. Cleck —6F 53
Sykes Yd. Hal —2H 55
(off King Cross Rd.)
Sylmet Clo. B'frd —1H 35 (2B 4)
Sylvan Av. Q'bry —3D 40
Syrett Pk. Hal —4A 48
Syringa Av. All —3G 25

Tabbs Ct. Schol —4B 52
Tabbs La. Schol —4A 52
Talbot Ho. Ell —3F 61
Talbot St. B'frd —2F 35
Talbot St. Hal —4C 6
Tamar St. B'frd —5G 35
Tamworth St. B'frd —3G 37
Tanglewood Ct. B'frd —2E 43
Tan Ho. Ct. B'frd —4D 44
Tanhouse Hill. Hip —6A 50
Tan Ho. La. Hal —1G 49
Tan Ho. La. Wilsd —1A 24
Tanhouse Pk. Hal —6A 50
Tan La. B'frd —5D 44
Tannerbrook Clo. Cytn —5B 34
Tanner Hill Rd. B'frd —6C 34
Tannett Grn. B'frd —1B 44
Tanton Cres. Cytn —5B 34
Tanton Wlk. Cytn —5B 34
Tarn Ct. Kei —3B 6
Tarnhill M. B'frd —5A 36
Tarn La. Oakw —2A 6
Tatham's Ct. Hal —2H 55
(off High Shaw Rd. W.)
Taunton St. Shipl —5E 17
Tay Ct. B'frd —2F 29
Taylor La. Hal —6H 31

Taylor Rd. *B'frd* —3H **43**
(in three parts)
Taylor St. *Cleck* —6E **53**
Taylor Va. *Brigh* —6E **59**
Teal La. *Hal* —1F **49**
(in two parts)
Teasdale St. *B'frd* —6D **36**
(in two parts)
Teasel Clo. *Oaken* —1C **52**
Tees St. *B'frd* —6G **35**
Telscombe Dri. *B'frd* —1F **45**
Temperance Fld. *Schol* —5B **52**
Temperance Fld. *Wyke* —2G **51**
Templars Clo. *B'frd* —2A **60**
Templars Way. *B'frd* —1C **34**
Temple Rhydding. *Bail* —3G **17**
Temple Rhydding Dri. *Bail* —3G **17**
Temple Row. Kei —4E 7
(off Temple St.)
Temple St. *B'frd* —5F **27**
Temple St. *Kei* —4D **6**
Tenbury Fold. *B'frd* —6G **37**
Tenby Ter. Hal —5H 47
(off Osborne St.)
Tennis Av. *B'frd* —2G **45**
Tennis Way. *Bail* —4E **17**
Tennyson Av. *Sower B* —4B **54**
Tennyson Pl. *B'frd* —1C **36**
Tennyson Pl. *Cleck* —5F **53**
Tennyson Pl. *Hal* —5A **50**
Tennyson Rd. *B'frd* —3F **43**
Tennyson St. *Hal* —4A **48**
Tennyson St. *Kei* —6D **6**
Tentercroft Pl. *Bail* —1G **17**
Tenterfield Ri. *Hal* —4G **49**
Tenterfields. *App B* —5F **19**
Tenterfields. *Hal* —2A **54**
Tenterfields Bus. Cen. *L'ft* —2A **54**
Tenterfield Ter. Hal —4G 49
(off Bradford Rd.)
Tenter Hill. *Cytn* —5H **33**
Ten Yards La. *T'tn* —6H **23**
Ternhill Gro. *B'frd* —4A **36**
Tern St. *B'frd* —6F **35**
Terrace Gdns. *Hal* —4B **48**
Terrace, The. *B'frd* —5B **28**
Terrace, The. *Cleck* —6G **53**
Terrington Crest. *Cytn* —5B **34**
Terry Rd. *Low M* —6A **44**
Tetley La. *Hal* —3G **49**
Tetley Pl. *B'frd* —5B **28**
Tetley St. *B'frd* —2H **35** (4B **4**)
Teville Ct. *B'frd* —5C **36**
Tewit Clo. *Hal* —4H **39**
Tewit Gdns. *Hal* —4H **39**
Tewit Grn. *Hal* —4H **39**
Tewit Hall Gdns. *Hal* —5H **39**
Tewit Hall Rd. *B'frd* —1E **37**
Tewit La. *Hal* —4H **39**
Tewitt La. *Bgly* —5H **9**
Tewitt La. *T'tn* —5H **23**
Thackeray Rd. *B'frd* —3F **29**
Thackley. —4C 18
Thackley Av. *B'frd* —3C **18**
Thackley Ct. *Shipl* —5G **17**
Thackley Old Rd. *Shipl* —5G **17**
Thackley Rd. *B'frd* —3C **18**
Thackley Vw. *B'frd* —3C **18**
Thackray St. *Hal* —6F **47**
Theakston Mead. *Cytn* —5A **34**
Thearne Grn. *Cytn* —5B **34**
Third Av. *B'frd* —6E **29**
Third Av. *Hal* —3B **56**
Third Av. *Kei* —5D **6**
Third St. *Low M* —5A **44**
Thirkhill Ct. *B'frd* —5A **36**
Thirkleby Royd. *Cytn* —5A **34**
Thirlmere Av. *Ell* —2H **61**
Thirlmere Av. *Wyke* —4A **52**
Thirlmere Gdns. *B'frd* —5D **28**
Thirlmere Gro. *Bail* —4C **16**
Thirsk Grange. *Cytn* —5B **34**
Thomas Ct. *B'frd* —2G **43**
Thomas Duggan Ho. *Shipl* —6F **17**
Thomas Fold. *B'frd* —5D **28**
Thomas St. *Brigh* —6E **59**
Thomas St. *Ell* —3G **61**
Thomas St. *Hal* —2A **56**
(nr. Eldroth Rd.)
Thomas St. *Hal* —6C **48**
(nr. Union St.)
Thomas St. *Haw* —1H **21**
Thomas St. *Holy G* —5B **60**
Thomas St. S. *Hal* —1H **55**
Thompson Av. *B'frd* —2B **28**

Thompson Grn. *Bail* —3E **17**
Thompson La. *Bail* —4E **17**
Thompson St. *Hal* —6B **48**
Thompson St. *Shipl* —5E **17**
Thoresby Gro. *B'frd* —6C **34**
Thornaby Dri. *Cytn* —5A **34**
Thornacre Cres. *Shipl* —1A **28**
Thornacre Rd. *Shipl* —6A **18**
Thorn Av. *B'frd* —3A **26**
Thornbank Av. *Oakw* —1B **12**
Thornbridge M. *B'frd* —3D **28**
Thornbury. —1F 37
Thornbury Av. *B'frd* —1F **37**
Thornbury Cres. *B'frd* —1F **37**
Thornbury Dri. *B'frd* —1F **37**
Thornbury Gro. *B'frd* —1F **37**
Thornbury Rd. *B'frd* —2F **37**
Thornbury St. *B'frd* —2F **37**
Thorncliffe Rd. *B'frd* —6H **27**
Thorncliffe Rd. *Kei* —5B **6**
Thorn Clo. *Shipl* —1A **28**
Thorncroft Rd. *B'frd* —2D **42**
Thorndale Ri. *B'frd* —3A **28**
Thorndene Way. *B'frd* —4H **45**
Thorn Dri. *B'frd* —3A **26**
Thorn Dri. *Q'bry* —4C **40**
Thornes Pk. *Brigh* —6E **59**
Thornes Pk. *Shipl* —2H **27**
Thorne St. *Holy G* —5A **60**
Thornfield. *Bgly* —1E **15**
Thornfield. *Haw* —1H **21**
Thornfield Av. *B'frd* —3H **43**
Thornfield Hall. T'tn —3E 33
(off Thornton Rd.)
Thornfield M. *M'wte* —4E **9**
Thornfield Pl. *B'frd* —4E **29**
Thornfield Rd. *G'lnd* —2B **60**
Thornfield Sq. *B'frd* —4E **29**
Thornfield St. *G'lnd* —2B **60**
Thornfield Ter. *Wilsd* —3B **24**
Thorn Gth. *Cleck* —6E **53**
Thorn Gth. *Kei* —2C **6**
Thorn Gro. *B'frd* —3B **26**
Thornhill Av. *Oakw* —2A **12**
Thornhill Av. *Shipl* —2H **27**
Thornhill Bri. La. *Brigh* —4E **59**
Thornhill Dri. *C'ley* —5H **19**
Thornhill Dri. *Shipl* —2H **27**
Thornhill Gro. *Shipl* —2H **27**
Thornhill Ho. B'frd —1G 37
(off Thornhill Pl.)
Thornhill Pl. *B'frd* —1G **37**
Thornhill Pl. *Brigh* —6E **59**
Thornhill Rd. *Brigh* —6E **59**
Thornhills. —3G 59
Thornhills Beck La. *Brigh* —3F **59**
Thornhills La. *Clif* —3G **59**
Thornhill Ter. *B'frd* —1F **37**
Thorn La. *B'frd* —3B **26**
(in two parts)
Thornmead Rd. *Bail* —3H **17**
Thorn Royd Dri. *B'frd* —1H **45**
Thornsgill Av. *B'frd* —6E **37**
Thorn St. *B'frd* —6D **26**
Thorn St. *Haw* —5A **12**
Thornton. —3E 33
Thornton Cn. B'frd —1D 34
(off Lane Ends Clo.)
Thornton La. *B'frd* —6G **35**
Thornton Moor Rd. *Oxe* —1C **30**
Thornton Old Rd. *B'frd* —2B **34**
Thornton Rd. *B'frd* —1E **35** (3A **4**)
Thornton Rd. *Denh & T'tn* —4G **31**
Thornton Rd. *Q'bry* —1D **40**
Thornton Sq. B'frd —1H 43
(off Delamere St.)
Thornton Sq. Brigh —5F 59
(off Commercial St.)
Thornton St. *B'frd* —2G **35**
Thornton St. *Hal* —2H **55**
Thornton St. *Rawf* —6H **53**
Thornton Ter. *Hal* —2H **55**
Thornton Vw. *Cytn* —6A **34**
Thornton Vw. Rd. *Cytn* —6A **34**
Thorntonville. *Rawf* —6H **53**
Thorntree St. *Hal* —2H **55**
Thorn Vw. *Ell* —3G **61**
Thorn Vw. *Hal* —3C **48**
Thornville Ct. *B'frd* —5G **27**
Thorold Ho. B'frd —6E 19
(off Fairhaven Grn.)
Thorpe. —6E 19
Thorpe Av. *T'tn* —3G **33**
Thorpe Edge. —6E 19
Thorpe Gro. *T'tn* —3H **33**

Thorpe Rd. *T'tn* —3G **33**
Thorpe St. *Hal* —3B **48**
Thorpe St. *Kei* —3E **7**
Thorp Gth. *B'frd* —6D **18**
Thorverton Dri. *B'frd* —3G **45**
Thorverton Gro. *B'frd* —3G **45**
Threadneedle St. Hal —2H 55
(off Dundas St.)
Threelands Grange. *B'shaw* —5H **45**
Three Nooked M. Idle —6D 18
(off Brecon Clo.)
Threshfield. *Bail* —2G **17**
Thrift Way. *Bgly* —3F **15**
Throstle Bank. Hal —2H 55
(off Gainest)
Throstle Mt. *L'ft* —2B **54**
Throxenby Way. *Cytn* —5A **34**
Thrum Hall Clo. *Hal* —6H **47**
Thrum Hall Dri. *Hal* —6H **47**
Thrum Hall La. *Hal* —6H **47**
Thrush St. *Kei* —3F **7**
Thryberg St. *B'frd* —2C **36** (5H **5**)
Thurley Dri. *B'frd* —1D **44**
Thurley Rd. *B'frd* —1D **44**
Thurnscoe Rd. *B'frd* —1H **35** (1B **4**)
Thursby St. *B'frd* —2D **36** (4H **5**)
Thurston Gdns. *All* —1H **33**
Thwaites. —4H 7
Thwaites Bri. *Kei* —4G **7**
Thwaites Brow. —5H 7
Thwaites Brow Rd. *Kei* —6H **7**
Thwaites La. *Kei* —4G **7**
Tichborne Rd. *B'frd* —6A **36**
Tichbourne Rd. W. *B'frd* —6A **36**
Tickhill St. *B'frd* —3D **36** (5H **5**)
Tile St. *B'frd* —6F **27**
Tile Ter. *Brigh* —6E **59**
Tiley Sq. *B'frd* —5A **36**
Till Carr La. *Hal* —6E **51**
Tillotson Av. *Sower B* —4C **54**
Timber St. *Ell* —3F **61**
Timber St. *Kei* —3G **7**
Timble Dri. *Bgly* —1H **15**
Tim La. *Oakw* —3F **11**
Timmey La. *Sower B* —2C **54**
Tinkler Stile. *Thack* —5B **18**
Tintern Av. *B'frd* —2B **34**
Tisma Dri. *B'frd* —3E **45**
Titus St. *Shipl* —5D **16**
Tiverton Wlk. *B'frd* —1G **45**
Tivoli Pl. *B'frd* —6G **35**
Toby La. *B'frd* —5E **35**
Todd Ter. *B'frd* —5F **35**
Todwell La. *B'frd* —6G **35**
Tofts Av. *Wyke* —3G **51**
Toftshaw. —3F 45
Toftshaw Fold. *B'frd* —3F **45**
Toftshaw La. *B'frd* —3G **45**
Toftshaw New Rd. *B'frd* —3F **45**
Tofts Rd. *Cleck* —6F **53**
Toller Dri. *B'frd* —4C **26**
Toller Gro. *B'frd* —4D **26**
Toller La. *B'frd* —4C **26**
Toller Pk. *B'frd* —4D **26**
Tollgate Ct. *B'frd* —6F **37**
Tolworth Fold. *All* —1H **33**
Tomlinson Bldgs. *B'frd* —4C **18**
Tonbridge Clo. *B'frd* —3D **42**
Tong Park. —1B 18
Tong Pk. *Bail* —1B **18**
Tong Street. —2G 45
Tong St. *B'frd* —1G **45**
Tor Av. *Wyke* —4G **51**
Tordoff Av. *B'frd* —4C **34**
Tordoff Grn. *B'frd* —3F **43**
Tordoff Rd. *Low M* —5A **44**
Torre Cres. *B'frd* —2B **42**
Torre Gro. *B'frd* —2B **42**
Torre Rd. *B'frd* —2B **42**
Torridon Cres. *B'frd* —5D **42**
Tower Gdns. *Hal* —3H **55**
Tower Hill. *Sower B* —3D **54**
Tower Rd. *Shipl* —5C **16**
Tower St. *B'frd* —5D **28**
Town End. —5G 33
Town End. *B'frd* —5E **35**
Town End Rd. *Cytn* —4H **33**
Townfield. *Wilsd* —2C **24**
Town Fields Rd. *Ell* —3E **61**
Towngate. Bail —1H 17
(off Northgate)
Town Ga. *B'frd* —5D **18**
Towngate. *Brigh* —4H **59**
Towngate. *Hip* —5A **50**
Towngate. *Kei* —4E **7**

Towngate. *N'wram* —2G **49**
Town Ga. *Schol* —5B **52**
Towngate. *Shipl* —6H **17**
Towngate. *S'wram* —3G **57**
Town Ga. *Sower B* —4A **54**
Town Ga. *Wyke* —3G **51**
Towngate Av. *Brigh* —4H **59**
Towngate Ho. *Ell* —3F **61**
Town Hall St. *B'frd* —4E **7**
Town Hall St. *Kei* —4E **7**
Town Hall St. *Sower B* —4D **54**
Town Hall St. E. *Hal* —6C **48**
Town Hill St. *Bgly* —1H **25**
Town La. *B'frd* —5D **18**
Townley Av. *Hal* —3G **57**
Trafalgar Sq. *Hal* —2A **56**
Trafalgar St. *B'frd* —1A **36** (2C **4**)
Trafalgar St. *Hal* —2A **56**
Tramways. *Oaken* —6B **44**
Tranter Gro. *B'frd* —4G **37**
Tree La. *Hal* —6B **38**
Trees St. *B'frd* —6G **27**
Tree Top Vw. Q'bry —1C 40
Trenam Pk. Dri. *B'frd* —3C **18**
Trenance Dri. *Shipl* —6D **16**
Trenance Gdns. *G'lnd* —2A **60**
Trenholme Av. *B'frd* —5F **43**
Trenholme Ho. B'frd —6E 19
(off Garsdale Av.)
Trenton Dri. *B'frd* —6G **27**
Trevelyan St. *Brigh* —2E **59**
Triangle. —6A 54
Trigg All. *Haw* —1G **21**
Trimmingham La. *Hal* —1F **55**
Trimmingham Rd. *Hal* —1F **55**
Trimmingham Vs. *Hal* —1G **55**
Trinity Clo. *Hal* —5A **40**
Trinity Fold. Hal —1C 56
(off Blackwall)
Trinity Pl. *Bgly* —3G **15**
Trinity Pl. *Hal* —1C **56**
Trinity Rd. *B'frd* —4H **35**
Trinity Rd. *Hal* —1C **56**
Trinity St. *Hal* —1C **56**
(in two parts)
Trinity St. Kei —3E 7
(off East Av.)
Trinity Vw. *Hal* —1D **56**
Trinity Vw. *Low M* —4A **44**
Trinity Wlk. *Low M* —4A **44**
Tristram Av. *B'frd* —1C **44**
Trooper La. *Hal* —2D **56**
Trooper Ter. *Hal* —2D **56**
Trough La. *Oxe & Denh* —6B **22**
Troutbeck Av. *Bail* —4C **16**
Trueman Ct. *Low M* —5A **44**
Truncliffe. —2H 43
Truncliffe. *B'frd* —2H **43**
Truncliffe Ho. B'frd —2H 43
(off Truncliffe)
Tudor Barn Ct. *Wrose* —6H **17**
Tudor Ct. B'frd —4A 36
(off Swarland Gro.)
Tudor St. *B'frd* —5H **35**
Tuel La. *Sower B* —2D **54**
Tulip St. *Haw* —2G **21**
Tumbling Hill St. *B'frd* —3H **35** (5A **4**)
Tunnel St. *Denh* —1F **31**
Tunstall Grn. *B'frd* —6G **37**
Tunwell La. *B'frd* —3E **29**
Tunwell St. *B'frd* —3E **29**
Turbury La. *G'lnd* —6G **55**
Turf Ct. *Cull* —2E **23**
Turf La. *Cull* —1E **23**
Turnberry Ct. *Low U* —1C **6**
Turner Av. *B'frd* —4D **34**
Turner Av. N. *Hal* —6F **39**
Turner Av. S. *Hal* —6G **39**
Turner Farm. Hal —4G 39
(off Causeway Foot)
Turner La. *Hal* —4D **48**
(in two parts)
Turner Pl. *B'frd* —4F **35**
Turner Pl. *Hal* —1G **47**
Turners Ct. *Hal* —3B **48**
Turner Vw. Hal —1G 47
(off Bank Edge Rd.)
Turney St. *Hal* —3A **48**
Turnpike St. *Ell* —2G **61**
Turnshaw Rd. *Oakw* —3D **10**
Turnsteads Av. *Cleck* —5D **52**
Turnsteads Clo. *Cleck* —5E **53**
Turnsteads Cres. *Cleck* —5E **53**
Turnsteads Dri. *Cleck* —5E **53**
Turnsteads Mt. *Cleck* —5E **53**

Tweedy St. *Wilsd* —2C **24**
Twickenham Ct. *B'frd* —5H **27**
Twinge La. *Hal* —1F **57**
Tyersal. —3F 37
Tyersal Av. *B'frd* —2H **37**
Tyersal Clo. *B'frd* —3H **37**
Tyersal Ct. *B'frd* —3G **37**
Tyersal Cres. *B'frd* —3H **37**
Tyersal Dri. *B'frd* —3H **37**
Tyersal Gth. *B'frd* —3H **37**
Tyersal Gate. —5G 37
Tyersal Grn. *B'frd* —3H **37**
Tyersal Gro. *B'frd* —3H **37**
Tyersal La. *B'frd* —5G **37**
(in two parts)
Tyersal Pk. *B'frd* —3H **37**
Tyersal Rd. *B'frd* —3G **37**
Tyersal Ter. *B'frd* —3G **37**
Tyersal Vw. *B'frd* —3G **37**
Tyersal Wlk. *B'frd* —3H **37**
Tyler Ct. *B'frd* —5E **19**
Tyne St. *Haw* —6H **11**
Tyne St. *Kei* —4F **7**
Tyrls, The. *B'frd* —3A **36** (5C **4**)
Tyrrel St. *B'frd* —2A **36** (4D **4**)
Tyson St. *B'frd* —1H **35** (2B **4**)
Tyson St. *Hal* —1G **55**

Ullswater Dri. *B'frd* —5D **42**
Undercliffe. —6D 28
Undercliffe La. *B'frd* —6C **28**
Undercliffe Old Rd. *B'frd* —6D **28**
Undercliffe Rd. *B'frd* —4D **28**
Undercliffe St. *B'frd* —1D **36**
Underwood Ho. *B'frd* —2F **5**
Union Cross Yd. *Hal* —6C **48**
Union Ho. *Q'bry* —1A **42**
Union Ho. La. *Q'bry* —1A **42**
Union La. *Hal* —3F **39**
Union Rd. *B'frd* —4F **35**
Union Rd. *Low* —4G **43**
Union St. *Bail* —3A **18**
Union St. *Bgly* —4E **9**
Union St. *G'lnd* —2D **60**
Union St. *Hal* —6C **48**
Union St. *Q'bry* —2E **41**
Union St. *Sower B* —2E **55**
(nr. Albert Rd.)
Union St. *Sower B* —6A **54**
(nr. Butterworth La.)
Union Yd. *B'frd* —5D **18**
Unity St. *Riddl* —1H **7**
Unity St. N. *Bgly* —3F **15**
Unity St. S. *Bgly* —3F **15**
Unity Ter. *Hal* —1G **55**
Unwin Pl. *B'frd* —5C **26**
Uplands. *Kei* —2C **6**
Uplands Av. *Q'bry* —1H **41**
Uplands Clo. *Q'bry* —1H **41**
Uplands Cres. *Q'bry* —1H **41**
Uplands Gro. *Q'bry* —1H **41**
Up. Ada St. *Shipl* —5D **16**
Up. Addison St. *B'frd* —4B **36** (6F **5**)
Up. Allerton La. *All* —1E **33**
Up. Ashley La. *Shipl* —5F **17**
Up. Bell Hall. *Hal* —2A **56**
Up. Bolton Brow. *Sower B* —2F **55**
Up. Bonegate. *Brigh* —4F **59**
Upper Brockholes. —3F 39
Upper Butts. *Cleck* —6F **53**
Up. Calton St. *Kei* —6D **6**
Up. Carr La. *C'ley* —1H **29**
Up. Castle St. *Hal* —5A **36**
Up. Chelsea St. *Kei* —6D **6**
Upper Common. —2H 51
Up. Ellistones. *G'lnd* —2A **60**
(off Martin Grn. La.)
Up. Ellistones Ct. *G'lnd* —2A **60**
Upper Exley. —6E 57
Upper Fagley. —4G 29
Up. Ferndown Grn. *All* —6G **25**
Up. Field Ho. La. *Tri* —5A **54**
Upper Forge. *Hal* —6C **48**
Up. Fountain St. *Sower B* —3D **54**
Up. George St. *B'frd* —2F **43**
Up. Grange Av. *All* —1H **33**
Upper Green. —6D 34
Upper Grn. *Bail* —3F **17**
Upper Grn. *B'frd* —6D **34**
Up. Green Av. *Schol* —5B **52**
Up. Green La. *Brigh* —2C **58**
Up. Hall Vw. *N'wram* —2G **49**
Up. Haugh Shaw. *Hal* —2A **56**

Up. Heights Rd. *T'tn* —1C **32**
Up. Hird St. *Kei* —6C **6**
Up. House Cotts. *Q'bry* —1G **41**
Up. House St. *B'frd* —4D **36**
Up. Hoyle Ing. *T'tn* —2F **33**
Up. Kirkgate. *Hal* —6D **48**
Upper La. *Hal* —1F **49**
Upper Marsh. —2E 21
Up. Marsh La. *Oxe* —2D **20**
Up. Martin Grn. *G'lnd* —2A **60**
Up. Mary St. *Shipl* —5D **16**
Up. Meadows. *Q'bry* —3E **41**
Up. Millergate. *B'frd* —4C **4**
(off Kirkgate)
Up. Mill Row. *E Mor* —1E **9**
Up. Mosscar St. *B'frd* —2C **36** (4H **5**)
Up. Nidd St. *B'frd* —3D **36**
Up. Park Ga. *B'frd* —2B **36** (3F **5**)
Up. Piccadilly. *B'frd* —2A **36** (3C **4**)
Up. Range. *Hal* —4C **48**
(off Woodlands Gro.)
Up. Rushton Rd. *B'frd* —6F **29**
Up. Seymour St. *B'frd* —3D **36** (5H **5**)
Up. Sutherland Rd. *Hal* —5C **50**
Upper Town. —5G 21
Upper Town. *Oxe* —5G **21**
Up. Washer La. *Hal* —2H **55**
Up. Willow Hill. *Hal* —1F **55**
Up. Woodlands Rd. *B'frd* —6E **27**
Upper Wyke. —2H 51
Upton Wlk. *All* —1H **33**
Upwood Holiday Pk. *Oxe* —4A **22**
Upwood La. *E Mor* —1D **8**
Ure Cres. *B'frd* —1H **35** (1A **4**)
Usher St. *B'frd* —4C **36**
Uttley St. *Hal* —3B **48**

Vale Gro. *Q'bry* —2F **41**
Vale Mill La. *Haw* —4H **11**
Valentine Ct. *T'tn* —2E **33**
Vale St. *Brigh* —4E **59**
Vale St. *Kei* —2G **7**
Vale Ter. *Oakw* —4H **11**
Valley La. *Hal* —5D **50**
Valley Ct. *B'frd* —6A **28**
Valley Fold. *Q'bry* —3E **41**
Valley Gro. *Hal* —4H **39**
Valley Mills Ind. Est. *B'frd* —5G **19**
Valley Parade. —6H **27**
Valley Pde. *B'frd* —6H **27**
Valley Pl. *B'frd* —6A **28**
Valley Rd. *B'frd* —5H **27** (1D **4**)
Valley Rd. *Cleck* —5C **53**
Valley Rd. *Kei* —4H **7**
Valley Rd. *Shipl* —6F **17**
Valley Rd. Retail Pk. *B'frd*
        —1A **36** (1D **4**)
Valley Vw. *Bail* —4F **17**
Valley Vw. *Hal* —4H **39**
Valley Vw. *H'den* —4A **14**
Valley Vw. Clo. *Oakw* —2A **12**
Valley Vw. Gdns. *Cro R* —5A **12**
Valley Vw. Gro. *B'frd* —5C **28**
Valley Way. *Hal* —4H **39**
Vaughan St. *B'frd* —2H **35** (3A **4**)
Vaughan St. *Hal* —2H **55**
Vegal Cres. *Hal* —3H **47**
Veitch St. *Idle* —5D **18**
Veitch Wlk. *Sower B* —3F **55**
Ventnor St. *B'frd* —2C **36** (4H **5**)
Ventnor Ter. *Hal* —3B **56**
Vento Clo. *B'frd* —3F **43**
Verdun Rd. *B'frd* —3E **43**
Vere Sq. *B'frd* —5A **36**
Verity St. *B'frd* —4H **45**
Vernon Ct. *Kei* —3D **6**
Vernon Pl. *B'frd* —5D **28**
Vernon St. *Cro R* —5B **12**
Vestry St. *B'frd* —6D **36**
Vicarage Clo. *Wyke* —3G **51**
Vicarage Gdns. *B'shaw* —6H **45**
Vicarage Rd. *Shipl* —5A **18**
Vicar La. *B'frd* —2B **36**
(in two parts)
Vicar Pk. Dri. *Hal* —5D **46**
Vicar Pk. Rd. *Hal* —6D **46**
Vickerman St. *Hal* —1H **55**
Victoria Av. *Brigh* —4G **59**
Victoria Av. *Cleck* —6F **53**
Victoria Av. *Eccl* —3F **29**
Victoria Av. *Ell* —3E **61**
Victoria Av. *Haw* —1H **55**
Victoria Av. *Haw* —5G **11**
Victoria Av. *Kei* —3E **7**

Victoria Av. *Shipl* —5D **16**
Victoria Av. *Sower B* —3E **55**
Victoria Ct. *Kei* —4D **6**
Victoria Ct. *Shipl* —6D **16**
(off Victoria Av.)
Victoria Cres. *Ell* —3F **61**
Victoria Dri. *B'frd* —3F **29**
Victoria Dri. *Hal* —2H **49**
Victoria Ind. Est. *B'frd* —3E **29**
Victoria M. *Kei* —4D **6**
(off Drewry Rd.)
Victoria Pk. *Shipl* —6D **16**
Victoria Pk. St. *Kei* —3F **7**
Victoria Pk. Vw. *Kei* —3F **7**
Victoria Pl. *B'frd* —2E **29**
Victoria Pl. *Brigh* —6F **59**
Victoria Rd. *Brigh* —6F **51**
Victoria Rd. *Eccl & B'frd* —2E **29**
Victoria Rd. *Ell* —4D **60**
Victoria Rd. *Hal* —6A **48**
Victoria Rd. *Haw* —6H **11**
Victoria Rd. *Hip* —6B **50**
Victoria Rd. *Kei* —5D **6**
Victoria Rd. *Oakw* —3H **11**
Victoria Rd. *Shipl* —5D **16**
Victoria Rd. *Sower B* —4D **54**
Victoria Rd. *Wibs* —3E **43**
Victoria Shop. Cen. *B'frd* —1E **35**
Victoria St. *All* —4G **25**
Victoria St. *Bail* —4G **17**
Victoria St. *Bgly* —3F **15**
Victoria St. *B'frd* —1H **35** (1B **4**)
Victoria St. *Brigh* —6F **59**
Victoria St. *Cytn* —5H **33**
Victoria St. *Cleck* —5F **53**
Victoria St. *Clif* —4G **59**
Victoria St. *Cull* —1G **23**
Victoria St. *Fag* —5E **29**
Victoria St. *G'lnd* —2D **60**
Victoria St. *Hal* —6C **48**
Victoria St. *M'wte* —4E **9**
Victoria St. *Oakw* —3H **11**
(off Victoria Rd.)
Victoria St. *Q'bry* —2F **41**
Victoria St. *Shipl* —5F **17**
Victoria St. *Sower B* —4D **54**
Victoria St. *Thack* —3D **18**
Victoria St. *Wilsd* —3C **24**
Victoria Ter. *Hal* —3A **56**
(HX2)
Victoria Ter. *Hal* —1A **56**
(off Park Dri.)
Victoria Ter. *Hip* —6B **50**
Victoria Ter. *Kei* —4F **7**
(off Dalton La.)
Victoria Ter. *L'ft* —2A **56**
Victoria Ter. *Shipl* —4D **16**
Victor Rd. *B'frd* —5F **27**
Victor St. *B'frd* —2G **37**
Victor St. *Mann* —5F **27**
Victor Ter. *B'frd* —5F **27**
Victor Ter. *Hal* —5A **48**
Vw. Croft Rd. *Shipl* —5G **17**
View Rd. *Kei* —3C **6**
View Row. *All* —1A **34**
Vigar Mnr. *B'frd* —3F **5**
Vigar M. *Haw* —6H **11**
Vignola Ter. *Cytn* —4A **34**
Village M. *Wilsd* —4G **25**
Village St. *Nor G* —2D **50**
Villa Gro. *Bgly* —1G **15**
Villa Mt. *Wyke* —4G **51**
Villa Rd. *Bgly* —1G **15**
Villas, The. *Cleck* —6G **53**
Villa St. *Sower B* —3E **55**
Villier Ct. *All* —6H **25**
Vincent St. *B'frd* —2H **35** (4B **4**)
Vincent St. *Hal* —1H **55**
Vine Av. *Cleck* —5E **53**
Vine Clo. *Clif* —5H **59**
Vine Ct. *Clif* —5H **59**
Vine Cres. *Cleck* —5F **53**
Vine Gth. *Clif* —4H **59**
Vine Gro. *Clif* —5H **59**
Vine St. *B'frd* —4E **37**
Vine St. *Cleck* —5F **53**
Vine Ter. *Hal* —1B **56**
Vine Ter. *T'tn* —3D **32**
Vine Ter. E. *B'frd* —1C **34**
Vine Ter. W. *B'frd* —1C **34**
Violet St. *Haw* —6A **48**
Violet St. *Haw* —2G **21**
Violet St. N. *Hal* —5A **48**
Violet Ter. *Sower B* —3E **55**
Virginia St. *Cytn* —4A **34**

Vivian Pl. *B'frd* —6E **35**
Vivien Rd. *B'frd* —1A **34**
Vulcan St. *B'frd* —2F **45**
Vulcan St. *Brigh* —6G **59**

Waddington St. *Kei* —5E **7**
Wade Ho. Av. *Hal* —5A **42**
Wade Ho. Rd. *Hal* —5A **42**
Wade St. *B'frd* —3A **36** (5C **4**)
Wade St. *Hal* —6C **48**
Wadey Fld. *Bail* —1G **17**
Wadsworth Ct. *Hal* —5A **48**
Wadsworth St. *Hal* —5H **47**
(in two parts)
Wagon La. *Bgly* —4G **15**
Waincliffe Ho. *B'frd* —3F **37**
(off Fearnville Dri.)
Waindale Clo. *Hal* —2C **46**
Waindale Cres. *Hal* —2C **46**
Wainfleet Ho. *B'frd* —1G **37**
(off Rushton Rd.)
Wainhouse Rd. *Hal* —2H **55**
Wainman Sq. *Wyke* —2G **51**
Wainman St. *Bail* —1H **17**
Wainman St. *Hal* —6H **47**
Wainman St. *Shipl* —5F **17**
Wainman St. *Wyke* —2G **51**
Wainstalls. —5B 38
Wainstalls La. *Hal* —6A **38**
Wainstalls Rd. *Hal* —5B **38**
Wakefield Ga. *Hal* —3H **55**
Wakefield Rd. *B'frd* —3B **36** (6F **5**)
(in two parts)
Wakefield Rd. *Brigh* —5F **59**
Wakefield Rd. *Hip & Bail B* —6B **50**
Wakefield Rd. *Sower B* —3F **55**
Walden Dri. *B'frd* —4A **26**
Walker Av. *B'frd* —4C **34**
(in two parts)
Walker Dri. *B'frd* —1E **35**
Walker La. *Sower B* —3F **55**
Walker Pl. *Shipl* —5H **17**
(in two parts)
Walker Rd. *Oaken* —1B **52**
Walker St. *B'frd* —3D **44**
Walker St. *Cleck* —5F **53**
Walker St. Schol —5B **52**
(off Tabbs La.)
Walker Ter. *B'frd* —5D **36**
Walker Ter. *Cull* —2F **23**
Walker Wood. *Bail* —3D **16**
Walk, The. *Kei* —5E **7**
Wallace St. *Hal* —1H **55**
Wallbank Dri. *Shipl* —1G **27**
Wallingford Mt. *All* —2H **33**
Wallis St. *B'frd* —2D **34**
(in two parts)
Wallis St. *Sower B* —3D **54**
Wall Rd. *Kei* —2G **7**
Wall St. *Kei* —5B **6**
Walmer Vs. *B'frd* —6H **27**
Walnut St. *B'frd* —3E **37**
Walnut St. *Hal* —6A **48**
Walnut St. *Kei* —1D **12**
Walshaw St. *B'frd* —5E **35**
Walsh La. *Bgly* —5F **9**
Walsh La. *Hal* —4B **48**
Walsh's Sq. *Hal* —2A **56**
(off Mellor La.)
Walsh St. *Hal* —6H **47**
Walter Clough La. *S'wram* —2H **57**
Walter St. *B'frd* —3H **27**
(BD2)
Walter St. *B'frd* —5D **18**
(BD10)
Walton's Bldgs. *Hal* —1H **47**
Walton St. *B'frd* —4B **36**
Walton St. *Sower B* —3D **54**
Waltroyd Rd. *Cleck* —6E **53**
Wand La. *Hal* —5A **50**
Wansford Clo. *B'frd* —1G **45**
Wanstead Cres. *All* —1H **33**
Wapping. —2F 5
Wapping Nick La. *Hud* —6E **61**
Wapping Rd. *B'frd* —1B **36** (1E **5**)
Warburton Pl. *B'frd* —2G **43**
Wardle Cres. *Kei* —3B **6**
Wardman St. *Kei* —3G **7**
Ward's End. *Hal* —1C **56**
Ward St. *B'frd* —6E **35**
Ward St. *Kei* —5D **6**
Wareham Corner. *B'frd* —1G **45**
Warhurst Rd. *Lfds B* —1G **61**
Waring Green. —4E 59

Warley Av. *B'frd* —1F **37**
Warley Dene. *Hal* —1D **54**
Warley Dri. *B'frd* —2F **37**
Warley Edge. *Hal* —6E **47**
Warley Edge La. *Hal* —6D **46**
Warley Gro. *B'frd* —1F **37**
Warley Gro. *Hal* —6F **47**
Warley Rd. *Hal* —6F **47**
Warley St. *Hal* —1A **56**
Warley Town. —1D 54
Warley Town La. *Hal* —6C **46**
Warley Vw. *Hal* —6F **47**
Warley Wood Av. *L'ft* —2B **54**
Warley Wood La. *L'ft* —2A **54**
Warmleigh Pk. *Q'bry* —2B **40**
Warneford Sq. *Hal* —2H **55**
(off King Cross Rd.)
Warnford Gro. *B'frd* —6F **37**
Warren Av. *Bgly* —6H **9**
Warren Dri. *Bgly* —1H **15**
Warren Ho. La. *Hud* —6G **61**
Warren La. *Bgly* —6H **9**
Warren Pk. *Brigh* —2C **58**
Warren Pk. Clo. *Brigh* —2C **58**
Warren Ter. *Bgly* —2A **16**
Warrenton Pl. *B'frd* —4E **35**
Warton Av. *B'frd* —2D **44**
Warwick Clo. *B'frd* —5D **36**
Warwick Clo. *Hal* —3B **56**
(off Free School La.)
Warwick Dri. *B'frd* —5D **36**
Warwick Ho. *B'frd* —5D **18**
(off Thorp Gth.)
Warwick Rd. *B'frd* —5D **36**
Waryn Ho. *B'frd* —6E **19**
(off Fairhaven Grn.)
Washer La. *Sower B* —3G **55**
Washer La. Ind. Est. *Hal* —3H **55**
Washington St. *B'frd* —6D **26**
Washington St. *Hal* —4A **48**
Wastwater Dri. *B'frd* —3D **42**
Waterfront M. *App B* —5G **19**
Watergate. *Hal* —6A **50**
Water Hill La. *Sower B* —2C **54**
Waterhouse St. *Hal* —6C **48**
Waterhouse St. *Kei* —4C **6**
Water La. *B'frd* —2G **35** (4A **4**)
(in two parts)
Water La. *Hal* —1D **56**
Water La. *Kei* —5E **7**
Waterloo Cres. *B'frd* —5H **19**
Waterloo Fold. *Wyke* —3H **51**
Waterloo Rd. *Bgly* —2F **15**
Waterloo Rd. *Brigh* —4E **59**
Waterloo Ter. *B'frd* —1E **55**
Waterside. *Bgly* —6D **8**
Waterside. *Hal* —1D **56**
Waterside. *Oxe* —5G **21**
Waterside Rd. *B'frd* —1E **35**
Water St. *Brigh* —4F **59**
Water St. *Sower B* —4D **54**
Water St. *Wyke* —3G **51**
Watford Av. *Hal* —6F **47**
Watkin Av. *T'tn* —3F **33**
Watkinson Av. *Hal* —6A **40**
Watkinson Dri. *Hal* —1H **47**
Watkinson Rd. *Hal* —1H **47**
Watmough St. *B'frd* —6E **35**
Watson Clo. *Oxe* —5G **21**
Watson Mill La. *Sower B* —5D **54**
Watts St. *Cytn* —5H **33**
Watt St. *B'frd* —4F **37**
Watty Hall Av. *B'frd* —1E **43**
Watty Hall La. *B'frd* —1F **43**
Watty Hall Rd. *B'frd* —1E **43**
Wauds Gates. *Bail* —4G **17**
(off Baildon Rd.)
Waverley Av. *B'frd* —4F **35**
Waverley Av. *Sandb* —3B **8**
Waverley Cres. *Hal* —6A **50**
Waverley Pl. *B'frd* —4F **35**
Waverley Rd. *B'frd* —4F **35**
Waverley Rd. *Ell* —4F **61**
Waverley Ter. *B'frd* —4F **35**
Waverley Ter. *Hal* —6A **50**
Waverton Grn. *B'frd* —4D **42**
Wavertree Pk. Gdns. *Low M* —1G **51**
Wayside Cres. *B'frd* —2D **28**
Weardale Clo. *B'frd* —2E **45**
Weatherhill Cres. *Hud* —6G **61**
Weatherhill Rd. *Hud* —6G **61**
Weatherhouse Ter. *Hal* —4F **47**
Weaver Ct. *B'frd* —5D **18**
(off Moorfield Pl.)

Weavers Cotts. *Oxe* —5G **21**
(off Waterside)
Weavers Cft. *B'frd* —3C **18**
Weavers Hill. *Haw* —1G **21**
Weaverthorpe Rd. *B'frd* —2G **45**
Webb Dri. *B'frd* —5C **28**
Webber Ga. *Kei* —6B **6**
Webb's Ter. *Hal* —5D **48**
Weber Ct. *B'frd* —2E **37**
(off Amberley St.)
Webster Pl. *B'frd* —2D **36** (3H **5**)
Webster St. *B'frd* —2D **36**
Wedgemoor Clo. *Wyke* —1G **51**
Weetwood Rd. *B'frd* —1E **35**
Welbeck Dri. *B'frd* —5C **34**
Welbeck St. *B'frd* —5C **34**
Welburn Av. *Hal* —6B **50**
Welburn Mt. *B'frd* —3C **42**
Welbury Dri. *B'frd* —5G **27**
Welham Wlk. *B'frd* —1C **36** (1G **5**)
Wellands Grn. *Cleck* —6D **52**
Wellands La. *Schol* —5B **52**
(in two parts)
Wellands Ter. *B'frd* —2E **37**
Well Clo. St. *Brigh* —4F **59**
Well Cft. *Shipl* —6F **17**
Wellesley Ho. *B'frd* —3F **37**
(off Wellington St.)
Wellesley St. *B'frd* —2B **36** (3F **5**)
Well Fold. *Idle* —5D **18**
Wellgarth. *Hal* —2B **56**
Wellgate. *G'Ind* —1C **60**
Well Grn. Ct. *B'frd* —4G **45**
Well Grn. La. *Brigh* —2D **58**
Well Gro. *Brigh* —2D **58**
Well Head Dri. *Hal* —1C **56**
Well Head La. *Hal* —2C **56**
Well Head La. *Sower B* —4A **54**
Well Head Ri. *Hal* —2C **56**
Well Heads. —2A 32
Well Heads. *T'tn* —4H **31**
Wellholme. *Brigh* —4F **59**
Wellington Arc. *Brigh* —5E **59**
(off Briggate)
Wellington Cres. *Shipl* —6E **17**
Wellington Gro. *B'frd* —5D **28**
Wellington Pl. *B'frd* —4E **29**
Wellington Rd. *Hal* —1C **56**
Wellington Rd. *Kei* —5E **7**
Wellington Rd. *Wilsd* —3B **24**
Wellington St. *All* —6A **26**
Wellington St. *Bgly* —2F **15**
Wellington St. *B'frd* —2B **36** (3E **5**)
Wellington St. *Eccl* —5D **28**
Wellington St. *Idle* —6D **18**
Wellington St. *Lais* —3F **37**
Wellington St. *Q'bry* —2F **41**
Wellington St. *Wilsd* —3C **24**
Wellington St. S. *Hal* —1D **56**
Well La. *Hal* —6D **48**
Well La. *Schol* —4B **52**
Well Royd Av. *Hal* —6E **47**
Well Royd Clo. *Hal* —6F **47**
(in two parts)
Wells Ho. *Sower B* —3E **55**
(off Church Vw.)
Wells Ter. *Hal* —3E **51**
(off Village St.)
Wells, The. *Hal* —2G **55**
(nr. Burnley Rd.)
Wells, The. *Hal* —6E **47**
(nr. Stock La.)
Well St. *B'frd* —2B **36** (4E **5**)
Well St. *Denh* —1F **31**
Well St. *Holy G* —5B **60**
Well St. *Kei* —4D **6**
Well St. *Wilsd* —2C **24**
Welwyn Av. *Shipl* —6B **18**
Welwyn Dri. *Bail* —3G **17**
Welwyn Dri. *Shipl* —6B **18**
Wembley Av. *T'tn* —3F **33**
Wenborough La. *B'frd* —6H **37**
Wendron Way. *B'frd* —6D **18**
Wenlock St. *B'frd* —3C **36** (5G **5**)
Wenning St. *Kei* —3G **7**
Wensley Bank. *T'tn* —3C **32**
Wensley Bank Ter. *T'tn* —3C **32**
Wensley Bank W. *T'tn* —3C **32**
Wensleydale Ri. *Bail* —1A **18**
Wensleydale Rd. *B'frd* —2G **37**
Wensley Ho. *B'frd* —1F **29**
Wentworth Dri. *Hal* —4H **39**
Wentworth Gro. *Hal* —4H **39**

Wesleyan St. *B'frd* —6E **37**
Wesley Av. *Low M* —4A **44**
Wesley Av. S. *Low M* —5A **44**
Wesley Ct. *Hal* —6C **48**
Wesley Dri. *Low M* —4A **44**
Wesley Gro. *B'frd* —4E **19**
Wesley Place. —5H 43
Wesley Pl. *Kei* —2C **12**
Wesley Pl. *Low M* —5A **44**
(off Main St.)
Wesley St. *Cleck* —5F **53**
West Av. *All* —4F **25**
West Av. *Bail* —2G **17**
West Av. *Hal* —3B **56**
West Av. *Light* —6E **51**
West Bank. *B'frd* —3D **26**
West Bank. *Hal* —1F **47**
West Bank. *Kei* —3B **6**
(off W. Bank Ri.)
W. Bank Clo. *Kei* —3B **6**
W. Bank Gro. *Riddl* —1G **7**
W. Bank Ri. *Kei* —3B **6**
W. Bank Rd. *Riddl* —1F **7**
West Bolton. *Hal* —4F **39**
Westborough Dri. *Hal* —6F **47**
Westbourne Cres. *Hal* —4D **56**
Westbourne Gro. *Hal* —4D **56**
Westbourne Rd. *B'frd* —5F **27**
Westbourne Ter. *Hal* —4D **56**
West Bowling. —>6B 36
Westbrook Ct. *Hal* —5B **48**
(off Stannary Pl.)
Westburn Av. *Kei* —5B **6**
Westburn Cres. *Kei* —6B **6**
Westburn Gro. *Kei* —6B **6**
Westburn Pl. *Cleck* —5E **53**
Westburn Way. *Kei* —6B **6**
Westbury Clo. *B'frd* —4F **37**
Westbury Ct. *Hal* —1G **55**
Westbury Pl. *Hal* —1G **55**
Westbury Rd. *B'frd* —2B **42**
Westbury St. *B'frd* —4F **37**
Westbury St. *Ell* —2G **61**
Westbury Ter. *Hal* —1G **55**
Westcliffe Av. *Bail* —1F **17**
Westcliffe Dri. *Hal* —6F **47**
Westcliffe Ri. *Cleck* —6E **53**
Westcliffe Rd. *Cleck* —5F **53**
Westcliffe Rd. *Shipl* —6E **17**
Westcombe St. *Wyke* —1G **51**
Westcott Ho. *B'frd* —1A **4**
West Cft. *Wyke* —3G **51**
Westcroft Av. *Hal* —1H **49**
Westcroft Rd. *B'frd* —5E **35**
West Dri. *Oxe* —4G **21**
West End. —3D 40
(nr. Queensbury)
West End. —6E 53
(nr. Scholes)
West End. *Q'bry* —3D **40**
W. End Dri. *Cleck* —6E **53**
W. End Ho. *Hal* —1G **55**
W. End St. *B'frd* —2H **35** (4B **4**)
W. End Ter. *B'frd* —2D **28**
W. End Ter. *Shipl* —6F **17**
Westercroft La. *Hal* —2G **49**
Westercroft Vw. *Hal* —2H **49**
Western Av. *Riddl* —1F **7**
(in two parts)
Western St. *Q'bry* —2H **41**
Western Way. *Butt* —4E **43**
Westerton St. *Oaken* —6D **44**
Westfield Clo. *Kei* —5B **6**
Westfield Rd. *Kei* —5B **6**
Westfield Way. *Kei* —5B **6**
Westfield Av. *Hal* —6B **50**
Westfield Cres. *B'frd* —6D **28**
Westfield Cres. *Riddl* —1H **7**
Westfield Cres. *Shipl* —1A **28**
Westfield Dri. *Hal* —6B **50**
Westfield Dri. *Riddl* —2H **7**
Westfield Gdns. *Hal* —6B **50**
Westfield Grn. *B'frd* —5G **37**
Westfield Gro. *B'frd* —5H **37**
Westfield Gro. *Shipl* —1A **28**
Westfield Ho. *B'frd* —6D **18**
(off Buckfast Ct.)
Westfield La. *Shipl & Idle* —1A **28**
Westfield La. *Wyke & Schol* —3G **51**
Westfield M. *T'tn* —4G **33**
Westfield Pl. *Hal* —1A **56**
Westfield Pl. *Schol* —4A **52**
Westfield Rd. *B'frd* —5E **27**
Westfield Rd. *Cytn* —5H **33**

Westfield Rd. *Riddl* —2H **7**
Westfield St. *Brun I* —1B **56**
Westfield Ter. *Bail* —1G **17**
Westfield Ter. *B'frd* —6D **28**
Westfield Ter. *Cytn* —5H **33**
Westfield Ter. *Hal* —5A **48**
West Fold. *Bail* —1G **17**
Westgate. *Bail* —1G **17**
Westgate. *B'frd* —1H **35** (2A **4**)
Westgate. *Brigh* —5H **59**
Westgate. *Cleck* —6E **53**
Westgate. *Eccl* —3E **29**
Westgate. *Ell* —2F **61**
Westgate. *Hal* —6C **48**
Westgate. *Holy G* —6A **60**
(off Stainland Rd.)
West Ga. *Kei* —4D **6**
Westgate. *Shipl* —5F **17**
Westgate Hill St. *B'frd* —3H **45**
Westgate Mkt. *Hal* —6C **48**
Westgate Pl. *B'frd* —3H **45**
Westgate Ter. *B'frd* —3H **45**
West Gro. *Bail* —1G **17**
Westgrove Ct. *Cleck* —5E **53**
W. Grove St. *B'frd* —2H **35**
Westgrove Ter. *Hal* —6B **48**
Westhill Av. *Cull* —2G **23**
W. Hill St. *Hal* —6A **48**
Westholme Rd. *Hal* —6H **47**
Westholme St. *B'frd* —3H **35**
West Ho. *Ell* —2F **61**
(off Gog Hill)
Westlands Dri. *All* —6H **25**
Westlands Gro. *All* —6A **26**
West La. *Bail* —2D **16**
(in two parts)
West La. *Hal* —4F **57**
West La. *Haw* —6F **11**
West La. *Kei* —3B **6**
West La. *T'tn* —2D **32**
Westlea Av. *Riddl* —2H **7**
W. Leeds St. *Kei* —4C **6**
Westleigh. *Bgly* —1G **15**
Westleigh Clo. *Bail* —3E **17**
Westleigh Dri. *Bail* —3E **17**
Westleigh Rd. *Bail* —2E **17**
Westleigh Way. *Bail* —3E **17**
W. Lodge Cres. *Hud* —5H **61**
Westminster Av. *Cytn* —5G **33**
Westminster Cres. *Cytn* —5G **33**
Westminster Dri. *Cytn* —5G **33**
Westminster Gdns. *Cytn* —5G **33**
Westminster Pl. *B'frd* —6B **28** (1F **5**)
Westminster Rd. *B'frd* —6B **28**
Westminster Ter. *B'frd*
—6B **28** (1F **5**)
Westmoor Av. *Bail* —1F **17**
Westmoor Clo. *Bail* —1F **17**
West Morton. —1C 8
W. Mount St. *Hal* —5A **48**
Westmuir Ho. *B'frd* —5H **35**
(off Launton Way)
Weston Av. *Q'bry* —2D **40**
Weston St. *Kei* —6B **6**
Weston Va. Rd. *Q'bry* —3D **40**
West Pde. *Hal* —1B **56**
West Pde. *Sower B* —3F **55**
West Pde. Flats. *Hal* —1B **56**
(off West Pde.)
W. Park Ind. Est. *B'frd* —5D **34**
W. Park Rd. *B'frd* —1D **34**
W. Park St. *Brigh* —5F **59**
W. Park Ter. *B'frd* —1D **34**
West Riding Folk Museum. —5F **49**
West Royd. —5A 18
West Royd. *Hal* —5A **50**
West Royd. *Wilsd* —2C **24**
W. Royd Av. *B'frd* —3D **28**
Westroyd Av. *Cleck* —2F **53**
W. Royd Av. *Hal* —1A **56**
W. Royd Av. *Shipl* —5H **17**
W. Royd Clo. *Hal* —2A **56**
W. Royd Clo. *Shipl* —5H **17**
W. Royd Cres. *Shipl* —5A **18**
W. Royd Dri. *Shipl* —5A **18**
W. Royd Gro. *Shipl* —5A **18**
W. Royd Mt. *Shipl* —5A **18**
W. Royd Rd. *Shipl* —5A **18**
W. Royd Ter. *Shipl* —5A **18**
W. Royd Wlk. *Shipl* —5A **18**
W. Scausby Pk. *Hal* —4G **39**
West Scholes. —6D 32
W. Shaw La. *Oxe* —4E **21**
Westside Ct. *B'frd* —1E **35**
(off Bk. Girlington Rd.)

West St. *Bail* —1G **17**
West St. *Bail B* —6F **51**
West St. *B'frd* —3B **36**
(BD1)
West St. *B'frd* —4D **28**
(BD2)
West St. *Brigh* —4E **59**
West St. *Cleck* —6F **53**
West St. *Hal* —6A **48**
West St. *Holy G* —5B **60**
West St. *She* —1H **49**
West St. *Sower B* —4D **54**
West Vale. —3D 60
West Vw. *Bgly* —6H **9**
West Vw. *B'twn* —3B **48**
West Vw. B'frd —5C **36**
(off New Hey Rd.)
West Vw. Hal —1H **55**
(off Hopwood La.)
West Vw. *Holy G* —5A **60**
West Vw. *Schol* —4B **52**
West Vw. *Sower B* —3E **55**
W. View Av. *Hal* —6G **47**
Westview Av. *Kei* —3C **6**
W. View Av. *Shipl* —6A **18**
W. View Clo. *Shipl* —6A **18**
Westview Ct. *Kei* —3C **6**
W. View Cres. *Hal* —6G **47**
W. View Dri. *Hal* —6F **47**
Westview Gro. *Kei* —3C **6**
W. View Rd. *Hal* —3B **48**
W. View St. *Cro R* —5B **12**
W. View Ter. *Bshw* —2H **39**
W. View Ter. *Pel* —5G **49**
Westview Way. *Kei* —3D **6**
Westville Way. *T'tn* —3D **32**
Westward Ho. *Hal* —1A **48**
Westward Ho. *Q'bry* —2D **40**
Westway. *Bgly* —6H **9**
Westway. *B'frd* —5A **26**
Westway. *Kei* —3B **6**
Westway. *Shipl* —6B **16**
Westwood. *B'frd* —3D **26**
Westwood Av. *B'frd* —2D **28**
Westwood Cres. *Bgly* —5G **15**
Westwood Gro. *B'frd* —2D **28**
W. Yorkshire Ind. Est. *B'frd* —3F **45**
Wet Shod La. *Brigh* —3C **58**
Weybridge Ho. B'frd —6G **27**
(off Trenton Dri.)
Weyhill Dri. *All* —1H **33**
Weymouth Av. *All* —1G **33**
Weymouth St. *Hal* —6C **48**
Whalley La. *Denh* —5F **23**
Wharfedale Gdns. *Bail* —1A **18**
Wharfedale Ho. Sower B —4D **54**
(off Quarry Hill)
Wharfedale Mt. *Hal* —6H **41**
Wharfedale Ri. *B'frd* —5A **26**
Wharfedale Rd. *Euro I* —4C **44**
Wharfe St. *B'frd* —1B **36** (1E **5**)
Wharf St. *Brigh* —5F **59**
Wharf St. *Shipl* —6F **17**
Wharf St. *Sower B* —3E **55**
Wharncliffe Cres. *B'frd* —3F **29**
Wharncliffe Dri. *B'frd* —3F **29**
Wharncliffe Gro. *B'frd* —3F **29**
Wharncliffe Gro. *Shipl* —1F **27**
Wharncliffe Rd. *Shipl* —2F **27**
Wharton Sq. Q'bry —2H **41**
(off Highgate Rd.)
Wheater Rd. *B'frd* —4E **35**
Wheat Head Cres. *Kei* —6A **6**
Wheat Head Dri. *Kei* —6B **6**
Wheat Head La. *Kei* —6A **6**
Wheatlands Av. *B'frd* —5C **26**
Wheatlands Cres. *B'frd* —5C **26**
Wheatlands Dri. *B'frd* —5C **26**
Wheatlands Gro. *B'frd* —5C **26**
Wheatlands Sq. *B'frd* —5C **26**
Wheatley. —3G 47
Wheatley Clo. *Hal* —4A **48**
Wheatley Ct. *Hal* —1F **47**
Wheatley La. *Hal* —4A **48**
Wheatley Rd. *Hal* —3G **47**
Wheat St. *Kei* —1C **12**
Whernside Mt. *B'frd* —1C **42**
Whernside Way. *Mt Tab* —2C **46**
Wherwell Rd. *Brigh* —6F **59**
Whetley Clo. *B'frd* —1G **35**
Whetley Gro. *B'frd* —6E **27**
Whetley Hill. *B'frd* —6F **27**
Whetley La. *B'frd* —1E **35**
Whetley Ter. *B'frd* —1G **35**
Whimbrel Clo. *B'frd* —2A **34**

Whiney Hill. *Q'bry* —2F **41**
(off Sand Beds)
Whinfield Av. *Kei* —4A **6**
Whinfield Clo. *Kei* —3B **6**
Whinfield Dri. *Kei* —3A **6**
Whin Knoll Av. *Kei* —3B **6**
Whinney Fld. *Hal* —3C **56**
Whinney Hill Pk. *Brigh* —2E **59**
Whinney Royd La. *Hal* —6G **41**
Whin St. *Kei* —4C **6**
Whiskers La. *Hal* —2E **49**
Whitaker Av. *B'frd* —4E **29**
Whitaker Clo. *B'frd* —4E **29**
Whitburn Way. *All* —1H **33**
Whitby Rd. *B'frd* —6E **27**
Whitby Ter. *B'frd* —6E **27**
Whitcliffe Rd. *Cleck* —5E **53**
Whitcliffe Sq. Cleck —5F **53**
(off Whitecliffe Rd.)
White Abbey Rd. *B'frd* —1G **35** (1A **4**)
Whitebeam Wlk. *B'frd* —2D **28**
White Birch Ter. *Hal* —3G **47**
White Castle Ct. *Q'bry* —1B **40**
Whitechapel Gro. *Schol* —4C **52**
Whitechapel Rd. *Cleck* —4B **52**
Whitefield Pl. *B'frd* —1E **35**
Whitegate. *Hal* —3D **56**
Whitegate Dri. *Hal* —3D **56**
Whitegate Rd. *Hal* —2D **56**
Whitegate Ter. *Hal* —3D **56**
Whitegate Top. *Hal* —3E **57**
Whitehall Av. *Wyke* —4G **51**
White Hall La. *Hal* —5C **38**
Whitehall Rd. *Cleck & Wyke* —3E **53**
Whitehall Rd. *Hal & Wyke* —4D **50**
Whitehall Rd. W. *Cleck & B'shaw*
—3F **53**
Whitehall St. *Hal* —6B **50**
Whitehaven Clo. *B'frd* —4D **42**
Whitehead Gro. *Fag* —6E **29**
Whitehead Pl. *B'frd* —5E **29**
Whitehead's Ter. *Hal* —6H **47**
Whitehead St. *B'frd* —3D **36**
Whitehill Cotts. *Hal* —6G **39**
Whitehill Cres. *Hal* —5G **39**
Whitehill Dri. *Hal* —5G **39**
Whitehill Grn. *Hal* —5H **39**
Whitehill Rd. *H'fld* —6G **39**
Whitehill Rd. *Oakw* —1C **10**
Whitelands Cres. *Bail* —2H **17**
Whitelands Rd. *Bail* —2H **17**
White La. *B'frd* —2H **43**
White La. *Oakw* —3D **10**
White La. Top. B'frd —2H **43**
(off White La.)
Whiteley Av. *Sower B* —4B **54**
White Moor La. *Oxe* —2A **30**
Whites Clo. *B'frd* —4B **26**
White's Ter. *B'frd* —6F **27**
White's Vw. *B'frd* —1F **35**
White Va. *B'frd* —5C **36**
Whiteways. *B'frd* —4A **28**
Whitfield St. *Cleck* —5F **53**
Whitham Rd. *Shipl* —5C **16**
Whitlam St. *Shipl* —5D **16**
Whitley Dri. *Hal* —5H **39**
Whitley La. *S'wram* —2G **57**
Whitley Rd. *Kei* —6C **6**
Whitley St. *Bgly* —2F **15**
Whitley St. *B'frd* —2C **36** (4G **5**)
Whitley St. *Hal* —1B **56**
Whittle Cres. *Cytn* —4H **33**
Whitty La. *Sower B* —1D **54**
Whitwell Av. *Ell* —2H **61**
Whitwell Dri. *Ell* —2H **61**
Whitwell Grn. La. *Ell* —3H **61**
Whitwell Gro. *Ell* —2H **61**
Whitwell St. *B'frd* —4C **36**
Whitwood La. *Brigh* —6G **51**
Whytecote End. *Wyke* —1G **51**

Wilday Clo. *Bgly* —5E **9**
Wild Gro. *Pud* —2H **37**
Wilfred St. *Cytn* —5B **34**
Wilkinson Fold. *Wyke* —2G **51**
Wilkinson Ter. *B'frd* —4D **34**
Wilkin St. *Kei* —4D **6**
Willgutter La. *Oakw* —3D **10**
William Henry St. *Brigh* —4E **59**
William Henry St. *Shipl* —5D **16**
Williamson St. *Hal* —5A **48**
William St. *B'frd* —3A **36** (6C **4**)
William St. *Brigh* —6E **59**
William St. *Butt* —4D **42**
William St. *Denh* —6F **23**
William St. *G'lnd* —3D **60**
William St. *Tong* —2F **45**
Willington St. W. *Hal* —1B **56**
Willow Av. *B'frd* —1C **28**
Willow Bank. *Hal* —2A **56**
Willow Clo. *B'frd* —4G **43**
Willow Clo. *Hal* —1F **55**
Willow Cres. *B'frd* —1C **28**
Willow Cres. *Sower B* —2E **55**
Willowcroft. *Cleck* —6E **53**
Willow Dene Av. *Hal* —2F **55**
Willow Dri. *B'frd* —4G **43**
Willow Dri. *Hal* —1F **55**
Willow Field. —1F 55
Willowfield Av. *Hal* —2F **55**
Willowfield Clo. *Hal* —1F **55**
Willowfield Cres. *B'frd* —2C **28**
Willowfield Cres. *Hal* —1F **55**
Willowfield Dri. *Hal* —2F **55**
Willowfield Rd. *Hal* —1F **55**
Willowfield St. *B'frd* —2F **35**
Willowfield Ter. *Hal* —2G **55**
Willowfield Vw. *Hal* —1F **55**
Willow Gdns. *B'frd* —1C **28**
Willow Gdns. *Hal* —2G **55**
Willow Gro. *B'frd* —1C **28**
Willow Gro. *Kei* —2C **12**
Willow Hall Dri. *Sower B* —2F **55**
Willow Hall Fold. Sower B —2F **55**
(off Bairstow La.)
Willow Hall La. *Sower B* —2F **55**
Willow Houses. Sower B —2F **55**
(off Rochdale Rd.)
Willow Mt. Hal —5B **42**
(off Witchfield Hill)
Willow Mt. Sower B —2E **55**
(off Overdale Mt.)
Willow Pk. Dri. *Hal* —5B **42**
Willow Ri. *Hal* —1F **55**
Willows, The. *H'den* —4B **14**
Willows, The. *I'wth* —4G **39**
Willow St. *B'frd* —1D **34**
Willow St. *Cleck* —4F **53**
Willow St. *Hal* —1A **56**
Willow St. *Sower B* —3F **55**
Willow Ter. *Sower B* —2E **55**
Willow Tree Clo. *Kei* —6F **7**
Willow Tree Gdns. *Bgly* —6H **9**
Willow Vw. Sower B —2F **55**
(off Bairstow Mt.)
Willow Vs. *B'frd* —1C **28**
Will St. *B'frd* —5F **37**
Wilman Hill. *B'frd* —2F **43**
Wilmer Dri. *B'frd* —3E **27**
Wilmer Dri. *Shipl* —2E **27**
Wilmer Rd. *B'frd* —3E **27**
Wilmur Mt. *L'ft* —1A **54**
Wilsden. —2C 24
Wilsden Hill Rd. *Wilsd* —2B **24**
Wilsden Old Rd. *H'den* —4B **14**
Wilsden Rd. *All* —3E **25**
Wilsden Rd. *H'den* —4B **14**
Wilson Fold. *Low M* —6H **43**
Wilson Grn. *Sower B* —3D **54**
Wilson Rd. *Bgly* —1F **15**
Wilson Rd. *Hal* —2H **55**
Wilson Rd. *Wyke* —1H **51**
Wilson Sq. *B'frd* —6G **27**
Wilson St. *B'frd* —6G **27**
Wilton St. *B'frd* —3H **35** (6B **4**)
Wilton St. *Brigh* —4D **58**
Wilton Ter. *Cleck* —6F **53**
Wimborne Dri. *All* —6A **26**
Wimborne Dri. *Kei* —3B **6**
Winbrooke Ter. *B'frd* —2E **43**
Winburg Rd. *B'frd* —2F **43**
Winchester Ho. Sower B —3E **55**
(off Church Vw.)
Windermere Rd. *Bail* —4D **16**
Windermere Rd. *B'frd* —6C **34**
Windermere Ter. *B'frd* —6C **34**

Windhill. —6G 17
Windhill Old Rd. *B'frd & Shipl* —4B **18**
Winding Rd. *Hal* —6C **48**
Windle Royd La. *Hal* —6E **47**
Windmill Cres. *Hal* —3G **49**
Windmill Dri. *Hal* —3G **49**
Windmill Hill. *B'frd* —2E **43**
Windmill Hill. *Hal* —4G **49**
Windmill La. *B'frd* —2G **43**
Windmill La. *Hal* —3G **49**
Windsor Ct. B'frd —4A **36**
(off Swarland Gro.)
Windsor Cres. *Hal* —4G **47**
Windsor Cres. *Oakw* —3F **11**
Windsor Gro. *Oakw* —3F **11**
Windsor Gro. *T'tn* —3D **32**
Windsor Rd. *Oakw* —3F **11**
Windsor Rd· Shipl —6F **17**
Windsor St. *B'frd* —4C **36**
Windsor St. *Hal* —1C **56**
Windsor Wlk. *Hal* —1E **59**
Windy Bank La. *Q'bry* —5B **40**
Windy Gro. *Wilsd* —3D **24**
Windy Ridge. *T'tn* —2C **32**
Winfield Dri. *E Bier* —5G **45**
Wingate Av. *Kei* —5B **6**
Wingate Way. *Kei* —5B **6**
Wingfield Ct. *Bgly* —1G **15**
Wingfield Mt. *B'frd* —1D **36**
Wingfield St. *B'frd* —1D **36**
Winrose Clo. *Wyke* —1G **51**
Winslow Rd. *B'frd* —3G **29**
Winston Ter. *B'frd* —4E **35**
Winterburn La. *Warley* —6C **46**
Winterburn St. *B'frd* —3E **7**
Winter Ct. *All* —4G **25**
Winter St. *Hal* —2H **55**
Winterton Dri. *Low M* —6G **43**
Winton Grn. *B'frd* —5F **43**
Winton Ho. B'frd —5H **35**
(off Hutson St.)
Winton Mill. Sower B —3E **55**
(off Wharf St.)
Wistons La. Ell —2G **61**
(in two parts)
Witchfield. —5B 42
Witchfield Ct. Hal —5B **42**
(off Shelf Moor Rd.)
Witchfield Grange. *Hal* —5A **42**
Witchfield Hill. *Hal* —5B **42**
Withens Hill Cft. *Hal* —4F **39**
Withens New Rd. *Hal* —1B **38**
(in two parts)
Withens Rd. *Wains* —1A **38**
Within Fields. *Hal* —3G **57**
Withins Clo. *B'frd* —1F **43**
Woburn Ho. B'frd —5H **35**
(off Park La.)
Woburn Ter. *Cytn* —5H **33**
Wold Clo. *T'tn* —3D **32**
Wolseley St. *Cytn* —4A **34**
Wolston Clo. *B'frd* —1G **45**
Womersley St. *Hal* —6H **47**
Woodale Av. *B'frd* —4B **26**
Woodbine Gro. *B'frd* —6D **18**
Woodbine St. *B'frd* —2C **36** (3G **5**)
Woodbine St. *Hal* —2A **56**
Woodbine Ter. *B'frd* —6D **18**
Wood Bottom La. Brigh —2B **58**
Woodbrook Av. *Hal* —6E **39**
Woodbrook Clo. *Hal* —6E **39**
Woodbrook Pl. *Hal* —6E **39**
Woodbrook Rd. *Hal* —6E **39**
Wood Clo. *Bail* —3F **17**
Woodcot Av. *Bail* —3H **17**
Wood Cft. *Brigh* —6D **58**
Wood Cft. *Sower B* —4A **54**
Woodend. —6H 17
Wood End Clo. *Hal* —4B **56**
Woodend Ct. *B'frd* —1B **44**
Wood End Cres. *Shipl* —5H **17**
Woodfield Av. *G'lnd* —2B **60**
Woodfield Dri. *G'lnd* —3B **60**
Woodfield Rd. *Cull* —6G **13**
Woodford Av. *Hal* —3D **56**
Woodford Clo. *All* —1G **33**
Woodgarth Gdns. *B'frd* —6H **37**
Woodhall. —5H 29
Woodhall Av. *B'frd* —1G **37**
Woodhall Cres. *Hal* —4H **29**
Woodhall Cft. *S'ley* —5H **29**
Woodhall Hills. —4H 29
Woodhall Hills. *C'ley* —4H **29**
Woodhall La. *S'ley* —4H **29**
Woodhall Pk. *N'wram* —1G **49**

Woodhall Pl.—Zealand St.

Woodhall Pl. *B'frd* —6G **29**
Woodhall Rd. *B'frd* —1G **37**
Woodhall Rd. *C'ley* —3H **29**
Woodhall Ter. *B'frd* —6G **29**
Woodhall Vw. *B'frd* —6H **29**
Woodhead Rd. *B'frd* —4F **35**
Woodhead St. *Hal* —5G **47**
Woodhead St. *Mar* —6G **53**
Woodhill Ri. *App B* —5G **19**
Woodhouse. —6E 7
Woodhouse. *Bgly* —3G **15**
Woodhouse Av. *Kei* —6E **7**
Woodhouse Clo. *Kei* —6E **7**
Woodhouse Dri. *Kei* —1E **13**
Woodhouse Gdns. *Brigh* —6G **59**
Woodhouse Gro. *All* —3G **25**
Woodhouse Gro. *Kei* —6E **7**
Woodhouse La. *Bgly* —6G **59**
Woodhouse La. *Hal* —4A **56**
Woodhouse Rd. *Kei* —6E **7**
Woodhouse Ter. *B'frd* —3A **44**
Woodhouse Wlk. *Kei* —6E **7**
Woodhouse Way. *Kei* —6E **7**
Woodkirk Gro. *Wyke* —4G **51**
Woodland Clo. *B'frd* —3A **26**
Woodland Ct. *Bgly* —6E **9**
Woodland Cres. *B'frd* —3H **25**
Woodland Dri. *Brigh* —4D **58**
Woodland Dri. *Hal* —2F **55**
Woodland Gro. *B'frd* —2A **26**
Woodland Ho. B'frd —6E **19**
(off Garsdale Av.)
Woodlands. —4C 48
Woodlands. *Bail* —1A **18**
Woodlands. *Sower B* —5B **54**
Woodlands Av. *Gom* —4H **53**
Woodlands Av. *Hal* —4C **48**
Woodlands Av. *Q'bry* —2H **41**
Woodlands Clo. *App B* —4H **19**
Woodlands Cres. *Gom* —4H **53**
Woodlands Dri. *B'frd & Rawd* —4H **19**
Woodlands Dri. *Gom* —4H **53**
Woodlands Gro. *Bail* —3G **19**
Woodlands Gro. *Bgly* —6H **15**
Woodlands Gro. *Hal* —4C **48**
Woodlands Gro. *Q'bry* —2G **41**
Woodlands Mt. *Hal* —3C **48**
Woodland Sq. *Brigh* —6G **59**
Woodlands Ri. *Haw* —2G **21**
Woodlands Rd. *Bgly* —1A **16**
Woodlands Rd. *B'frd* —1E **35**
Woodlands Rd. *Ell* —1F **61**
Woodlands Rd. *Hal* —4C **48**
Woodlands Rd. *Q'bry* —2G **41**
Woodlands St. *B'frd* —1G **35**
Woodlands Ter. *B'frd* —6E **27**
Woodlands Ter. *Oaken* —6D **44**
Wood La. *Bgly* —4F **9**
Wood La. *B'frd* —3A **28**
(in two parts)
Wood La. *Hip* —4H **49**
Wood La. *Oven W* —4F **47**
Wood La. *S'wram* —5H **43**
Wood La. *Sower B* —4A **54**
Woodleigh Av. *B'frd* —2A **44**

Woodlesford Cres. *Hal* —3D **46**
Woodman Av. *Ell* —4F **61**
Woodman Ct. B'frd —4D **42**
(off Pit La.)
Woodman Ct. *Butt* —5C **42**
Woodman Works. *Ell* —4F **61**
Wood Mt. *Hal* —3H **55**
Wood Nook La. *Sower B* —2E **55**
Woodpecker Clo. *All* —2H **33**
Wood Pl. *B'frd* —1G **35**
(BD8)
Wood Pl. *B'frd* —3G **27**
(BD9)
Wood Rd. *B'frd* —5A **36**
Wood Rd. *Friz* —3G **27**
Woodrow Dri. *Low M* —5A **44**
Woodroyd Av. *B'frd* —1B **44**
Woodroyd Dri. *Hal* —3H **47**
Woodroyd Gdns. *L'ft* —2B **54**
Woodroyd Rd. *B'frd* —6A **36**
(in three parts)
Woodroyd Ter. *B'frd* —1B **44**
Woodside. —5B 48
(nr. Halifax)
Woodside. —4E 43
(nr. Shelf)
Woodside. *Kei* —2C **6**
Woodside. *Shipl* —5H **17**
Woodside Av. *Bgly* —6F **15**
Woodside Av. *Shipl* —5C **16**
Woodside Ct. *Cull* —1F **23**
Woodside Cres. *Bgly* —6F **15**
Woodside Cres. *Hal* —4B **48**
Woodside Dri. *Bgly* —6F **15**
Woodside Gro. *G'lnd* —3C **60**
Woodside Gro. *Hal* —4C **48**
Woodside Mt. *Hal* —5B **48**
Woodside Pl. *Hal* —4B **48**
Woodside Rd. *Hal* —5B **48**
Woodside Rd. *Wyke* —2G **51**
Woodside Ter. *G'lnd* —3D **60**
Woodside Ter. *Hal* —4C **48**
Woodside Vw. *Bgly* —6F **15**
Woodside Vw. G'lnd —3D **60**
(off Woodside Ter.)
Woodside Vw. *Hal* —4B **48**
Woodsley Rd. *B'frd* —1C **28**
Wood St. *All* —6A **26**
Wood St. *Bail* —4G **17**
Wood St. *Bgly* —5E **9**
Wood St. *Brigh* —5F **59**
Wood St. *Cleck* —6E **53**
Wood St. *Ell* —3G **61**
Wood St. *Haw* —1G **21**
Wood St. *Low M* —5H **43**
Woodtop. *Brigh* —2C **58**
Woodvale Clo. *B'frd* —4G **37**
Woodvale Cres. *Bgly* —6G **9**
Woodvale Gro. *B'frd* —4C **34**
Woodvale Rd. *Brigh* —4F **59**
Woodvale Way. *B'frd* —4C **34**
Wood Vw. *B'frd* —4H **27**
Wood Vw. *Cull* —4E **23**
Wood Vw. *Oaken* —1C **52**

Woodview Av. *Bail* —1B **18**
Wood Vw. Dri. *B'frd* —5E **29**
Wood Vw. Gro. *Brigh* —3D **58**
Woodview Rd. *Oakw* —1B **12**
Woodview. Ter. *B'frd* —4H **27**
Woodview Ter. Kei —1D **12**
(off Haincliffe Pl.)
Woodville Gro. *Cro R* —5B **12**
Woodville Pl. *B'frd* —3D **26**
Woodville Rd. *Kei* —3D **6**
Woodville St. *Hal* —4A **48**
Woodville St. *Shipl* —5H **17**
Woodville Ter. *B'frd* —4H **35**
Woodville Ter. Cro R —5B **12**
(off Vernon St.)
Woodway. *Bgly* —6F **15**
Woodworth Gro. *Kei* —2D **12**
Wool Exchange, The. —4D **4**
Wooller Rd. *Low M* —6H **43**
Woolpack. *Hal* —6C **48**
Woolrow La. *Brigh* —1G **59**
Woolshops Sq. *Hal* —6C **48**
Wootton St. *B'frd* —5A **36**
Worcester Pl. *B'frd* —5C **36**
Worden Gro. *B'frd* —5C **34**
Wordsworth Way. *Bgly* —6G **9**
Workhouse La. *G'lnd* —3D **60**
Workhouse La. *Hal* —6C **46**
Wormald Lea. B'frd —6G **37**
(off Stirling Cres.)
Worsnop Bldgs. *Wyke* —1G **51**
Worsnop St. *Low M* —5H **43**
Worstead Rd. *Cro R* —4B **12**
Worth Av. *Kei* —4G **7**
Worth Bri. Rd. *Kei* —4G **7**
Worthing Head Clo. *Wyke* —2H **51**
Worthing Head Rd. *Wyke* —2G **51**
Worthing St. *Wyke* —2H **51**
Worthington St. *B'frd* —1G **35** (2A **4**)
Worth Village. —3G 7
Worthville Clo. *Kei* —6E **7**
Worth Way. *Kei* —5E **7**
Wortley St. *Bgly* —2H **15**
Wren Av. *B'frd* —4C **34**
Wren St. *Haw* —6H **11**
Wren St. *Kei* —3E **7**
Wright Av. *Oakw* —2H **11**
Wright St. *Oakw* —3H **11**
Wrigley Av. *B'frd* —2D **44**
Wrigley Hill. *Hal* —6G **39**
Wroe Cres. *Wyke* —2G **51**
Wroe Pl. *Wyke* —2G **51**
Wroe Ter. *Wyke* —2G **51**
Wrose. —1H 27
Wrose Av. *B'frd* —2C **28**
Wrose Av. *Shipl* —1H **27**
Wrose Brow Rd. *Shipl* —5H **17**
Wrosecliffe Gro. *B'frd* —5B **18**
Wrose Dri. *Shipl* —1H **27**
Wrose Gro. *B'frd* —1B **28**
Wrose Gro. *Shipl* —1H **27**
Wrose Hill Pl. *B'frd* —2H **27**
Wrose Mt. *Shipl* —1A **28**
Wrose Rd. *Shipl & B'frd* —1H **27**
Wrose Vw. *Bail* —1G **17**

Wrose Vw. *Shipl* —1H **27**
Wycliffe Gdns. *Shipl* —5E **17**
Wycliffe Rd. *Shipl* —5E **17**
Wycoller Rd. *Wyke* —1G **51**
Wycombe Grn. *B'frd* —6G **37**
Wyke. —3G 51
Wyke Bottoms. *Oaken* —1B **52**
Wyke Common. —3H 51
Wyke Cres. *Wyke* —3H **51**
Wyke La. *Wyke* —3G **51**
Wykelea Clo. *Wyke* —2H **51**
Wyke Old La. *Brigh* —6F **51**
Wyncroft Ri. *Shipl* —2H **27**
Wyndham Av. *B'frd* —4B **28**
Wynford Way. *Low M* —3A **44**
Wynne St. *B'frd* —1H **35** (3A **4**)
Wyvern Clo. *B'frd* —4D **34**
Wyvern Pl. *Hal* —5G **47**
Wyvern Ter. *Hal* —5G **47**

Yarborough Cft. *N'wram* —1G **49**
Yardley Way. *Low M* —5A **44**
Yarwood Gro. *B'frd* —6C **34**
Yate La. *Oxe* —5G **21**
Yates Flat. *Shipl* —1H **27**
Yeadon Dri. *Hal* —3G **57**
Ye Farre Clo. *Brigh* —3E **59**
Yewdall Way. *B'frd* —1E **29**
Yew Pk. *Brigh* —2C **58**
Yews Green. —6E 33
Yew Tree Av. *B'frd* —6B **26**
Yew Tree Clo. *Shipl* —1H **27**
Yew Tree Cres. *B'frd* —6C **26**
Yew Tree Gro. *B'frd* —6C **26**
Yew Tree La. *All* —1D **32**
Yew Tree Rd. *Hud* —6G **61**
Yew Trees. *S'wram* —3G **57**
Yew Trees Av. *N'wram* —2G **49**
York Cres. *Bgly* —3G **15**
York Ho. B'frd —6E **19**
(nr. Billing Vw.)
York Ho. B'frd —6E **19**
(off Fairhaven Grn.)
York Ho. Ell —2F **61**
(off Gog Hill)
York Ho. Sower B —3E **55**
(off Beech Rd.)
York Pl. *Cleck* —5F **53**
Yorkshire Car Collection Museum.
—3E **7**
Yorkshire Dri. *B'frd* —2C **44**
Yorkshire Way. *B'frd* —6F **35**
York St. *Bgly* —3G **15**
York St. *B'frd* —2C **34**
York St. *Brigh* —6E **59**
York St. *Hal* —1B **56**
York St. *Q'bry* —2D **40**
York Ter. *Hal* —4B **48**
Young St. *B'frd* —1D **34**

Zealand St. *B'frd* —5F **37**